BIBLIOTHEEK DER NEDERLANDSE LETTEREN

SAMENGESTELD DOOR DE MAATSCHAPPIJ DER NEDERLANDSCHE LETTERKUNDE TE LEIDEN EN DE KONINKLIJKE VLAAMSCHE AKADEMIE TE GENT

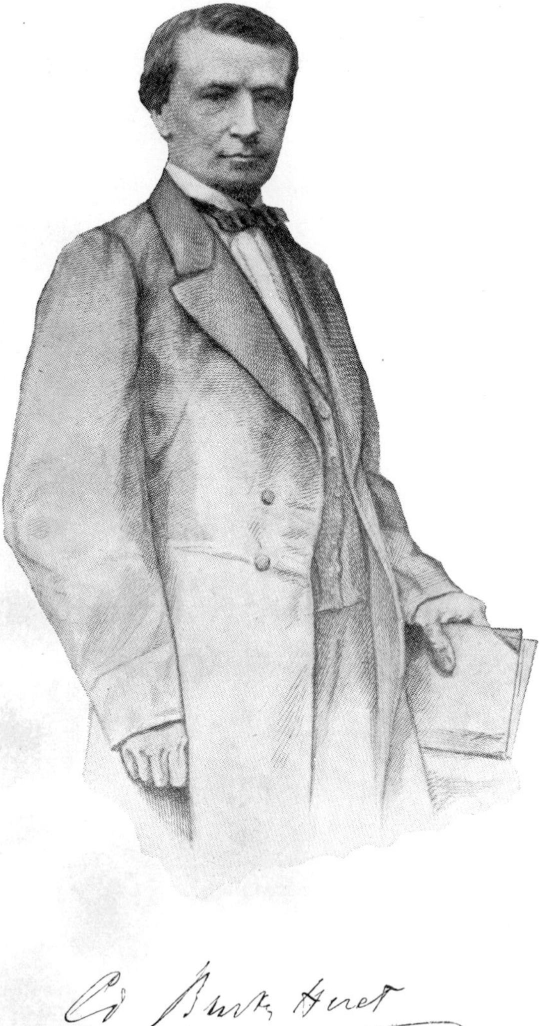

PORTRETTEN

VAN

NEDERLANDERS

DOOR

Cd. BUSKEN HUET

1940

N.V. UITGEVERS-MIJ. „ELSEVIER"

AMSTERDAM

INHOUD

INLEIDING

Conrad Busken Huet, geboren in 1826, stamde uit een geslacht van franse refugiees. Hij studeerde in Leiden en Lausanne theologie en werd predikant bij de Waalse gemeente in Haarlem. Deze afkomst en studie hebben een stempel op zijn werk gezet. Zijn franse geest had behoefte aan helderheid en schonk hem die stijl, die hem zozeer van zijn tijdgenoten onderscheidde. De studie der theologie legde de grondslag voor zijn grote kennis en zijn wetenschappelijke denkwijze; hijzelf zegt: ,,Geen enkele vorm van studie overtreft, als instrument tot veelzijdige ontwikkeling, de aan alle talen rakende, de wijsbegeerte en geschiedenis in zich opnemende, vrij beoefende theologie.''

Hij werd een aanhanger van de moderne richting. Maar weldra kon hij het in een kerkverband niet meer vinden en hij verliet de kerk. Daar hij geen man van vermogen was, werd hij redacteur van de Haarlemsche Courant, een ondergeschikte betrekking. In deze tijd was hij medewerker en redacteur van ,,De Gids'' geworden en met Potgieter bevriend geraakt. Deze heeft op zijn vorming grote invloed geoefend. Door een botsing in de redactie traden beiden in 1865 uit. Huet was hiermee zijn publieke spreektribune kwijt. Daardoor en door andere overwegingen ging hij naar Indië, waar hij redacteur en later eigenaar van een dagblad werd. Ook daar schreef hij zijn kritieken. In 1876 (Potgieter was juist overleden) keerde hij terug. Maar omdat hij van ons land en volk vervreemd was, vestigde hij zich in Parijs en hij bleef van daaruit zijn blad leiden. In 1886 stierf hij plotseling, met de pen in de hand, zittende voor zijn schrijftafel.

Busken Huet is vooral criticus geweest. Wel heeft hij een aantal novellen en romans geschreven, zelfs nog op oudere leeftijd, maar deze zijn vrijwel mislukt. Als criticus heeft hij zijn grootste invloed geoefend, en ook zijn meeste vijanden gemaakt. Op deze critiek dient hier nader te worden gewezen.

I

De beginselen van deze kan men vinden hetzij in de voorreden van sommige delen zijner *Literarische Fantasien en Kritieken,* hetzij in de kritieken zelf min of meer terloops uitgesproken. Het duidelijkst heeft hij het gezegd in de voorrede van het eerste deel: „De moderne literarische kritiek onderscheidt zich van die der 18de eeuw voornamelijk hierdoor, dat zij in elk auteur van enige betekenis een belangwekkend menselijk wezen ziet. Haar leer is, dat een schrijver juister gewaardeerd wordt naarmate men zijn werken meer als een uitvloeisel van zijn aard en hemzelf als het produkt beschouwt van den maatschappelijken toestand, te midden waarvan hij geboren is en geleefd heeft, of voortgaat te leven." Hij volgde hierbij, naast Taine, de grote franse criticus Sainte Beuve, en het opstel, dat hij aan deze heeft gewijd (*L. F.* VIII) is tevens op hemzelf toepasselijk.

Op zichzelf is tegen dat beginsel niet veel in te brengen. Maar er zit aan deze werkwijze een gevaar. Vooreerst dat men er toe komt, allerlei bizonderheden te zoeken of te vinden, die met de zaak waarom het gaat: het werk van de schrijver beter te begrijpen, niets meer te maken hebben. Dat vormt de grondslag van die literatuurgeschiedenissen, die ons vertellen, dat Vondel kousen verkocht, dat Multatuli het niet met z'n zoon kon vinden, en dat Goethe graag dit of dat at.

Een tweede gevaar is ernstiger. In zijn ijver om in het zieleleven van een schrijver dieper in te dringen loopt de criticus gevaar, dat hij de grens overschrijdt en onbescheiden doordringt tot daar waar ieders leven voor een ander verborgen mag en moet blijven. Deze grens te vinden is niet gemakkelijk, te minder, omdat de criticus deze niet zo spoedig zal trekken als de beoordeelde, daar de laatste de pijn eerder voelt. Busken Huet heeft dat zelf zeer wel geweten. Op het hierboven aangehaald oordeel laat hij terstond volgen: „Die methode heeft ongetwijfeld haar schaduwzijden. Zij stelt de kritiek bloot aan het verwijt, in den loop des tijds *mauvaise langue* te zijn geworden; en die beschuldiging is dikwijls verdiend." In zijn bespreking van Sainte Beuve raakte hij hieraan ook, toen hij hem noemde: „Cet homme d'une candeur effrayante"; en bij de beoordeling van nederlandse schrijvers volgde hij hem ook in dat opzicht na. Maar wat in het grote Frankrijk misschien nog kon, ging in het kleine Nederland niet. „Van Sainte Beuve's vrijmoedigheid in het beoordelen van tijd- en ambtgenoten kan men zich in onze kleiner en lichtgeraakter nederlandse wereld geen voorstelling maken", schreef hijzelf ook, en bittere ervaring had hem die woorden ingegeven. Want zijn vrijmoedige kritiek, zonder aanzien des persoons geuit, had vrijwel de hele schrijverswereld tegen hem in 't harnas gejaagd, de gevierdsten het meest: Beets, ten Kate, van Zeggelen en vele anderen. Het is een vermakelijk-droevig, maar voor de kennis der menselijke natuur leerzaam schouwspel, te zien, hoe zij Huet aanblaften, de kleinsten, als „Sam Jan" van den Bergh, het hardst. Maar evenals Sainte Beuve ging Huet rustig zijns weegs of, gelijk hij van deze zegt: „Dienaangaande is hij onverbeterlijk; want hij stelt er een eer in, met toenemende duidelijkheid aan het publiek zijn meening te zeggen". De mening van Huet liet ook in toenemende mate aan duidelijkheid niets meer te wensen over.

Een ander beginsel was voor Busken Huet, dat hij zich vrij hield van wat Potgieter aardig genoemd had „bentgenootschapsgeest".Was daarvoor in Frankrijk al gevaar, in ons land, waar ieder bij ieder in de ramen kijken kan, dreigde dat nog meer. In de voorrede tot het 11de deel der *Lit. Fant.* schreef hij daarover uitdrukkelijk (hij woonde toen in Parijs): „Van het ogenblik dat ik omstreeks 1860 mij op de studie der nieuwere letteren ben gaan toeleggen, heb ik van de letterkundigen onder mijn tijdgenoten stelselmatig en met de beste bedoelingen mij afgezonderd; briefwisseling bijna volstrekt vermeden; vroegere betrekkingen niet aangehouden, nieuwe niet gezocht. Mijn mening is nooit, ook niet wanneer ik dwaal, bestuurd door een geest van camaraderie, plaag der letteren. Zo mijn recensies een betekenis hebben, zij danken die aan zwaai noch zwier, maar aan mijn onafhankelijkheid ten aanzien van elke letterkundige *coterie* te onzent. Eerst na mijn dertigste jaar ben ik begonnen te schrijven, en sedert meer dan twintig heb ik met niemand in Nederland gedineerd". En vol zelfbewustheid voegde hij er aan toe, na gezegd te hebben, dat zelfs in de millioenenstad Parijs een recensent personen moet gaan ontzien: „Welk lot ging ik in het kleine Nederland te gemoet, dat, buiten den ijver waarmede sommige letterkundigen er zichzelf aanbidden, anderen zich onderling bewieroken, de overblijvenden elkander verslinden, op dit ogenblik geen letterkundig leven kent dan een hetwelk volstaan kan met leiding uit de verte?"

Dit isolement kwam zeer zeker overeen met zijn aard: zijn brieven bevatten tal van bewijzen, dat hij een eenzame was, dat hij geen gezelschap zocht, behalve dat van zijn gezin. Maar dat doet niets af aan het feit, dat Huet hiermee een hoog standpunt innam, dat te velen anders handelden, en dat zijn beginsel ook voor onze tijd, immers voor iedere tijd, onmisbaar is. Maar evenzeer maakte hij zich ook daardoor vijanden, of in elk geval miste hij daardoor een aantal vrienden, die het met evenveel overtuiging voor hem zouden opgenomen hebben als waarmee zijn vijanden hem aanvielen.

Weer een ander beginsel van Huets kritiek was, dat een criticus zijn vak grondig moet verstaan. Intuitie alleen is niet voldoende; smaak moet geoefend worden. Maar ook moet de criticus grondige wetenschap bezitten. In de voorrede van het 14de deel der *Lit. Fant.* zegt hij het: „Alleen door gestadig lezen, door van alles kennis te nemen, door niets beneden zich te achten, kan de kritiek zich handhaven op de hoogte waar zij beweert aangeland te zijn". En in datzelfde deel, waar hij Beets' *Verscheidenheden* bespreekt, wijst hij op een tekort in Beets: „Zijn kritiek is te uitsluitend esthetisch, te spaarzaam wijsgerig; zij is te vreemd

IV

aan inzichten waarin men alleen door de wetenschap wordt ingewijd. Vandaar — want intuitie zonder methode brengt het niet verder dan tot de voorhof der dingen — vandaar dat de heer Beets als beoordelaar slechts bij uitzondering de grenzen van het dilettantisme overschrijdt''. Dit oordeel uit 1858 is hij levenslang trouw gebleven.

De criticus moet niet alleen wat te zeggen hebben, hij moet ook goed nederlands schrijven; daarom besteedde Huet veel zorg aan de vorm. Dit alles had hij van Potgieter geleerd. Ook had deze er hem op gewezen dat het de taak is, niet alleen van de criticus, maar ook van de schrijvers, vooral van de pas beginnenden onder hen, de oudere schrijvers te bestuderen. En niet slechts de vaderlandse, ook de europese. Want de criticus moet steeds veelzijdiger worden, steeds meer weten, om daardoor tot betere vergelijking te kunnen komen. Zoals Potgieter, naar het woord van Verwey, ,,Nederland ging omringen met Europa'', zo ook Huet. Men ziet dat in de groei van zijn werk. Zijn eerste beoordelingen, nog vóór 1860, waren vrij mager; ze bestonden voor een groot deel uit aanmerkingen op taal en stijl en bepaalden zich angstvallig tot het werk zelf; ook waren ze nog niet geestig. Maar weldra werden ze breder en vrijer; doordat hij er boven stond, kon hij geestig zijn. Maar toen beperkte hij zich nog tot nederlandse schrijvers. Later besprak hij ook de groten uit de europese letteren: Dante, Shakespeare, Milton, Homerus, en vele anderen. Evenals Potgieter kende en bewonderde ook hij reeds Keats en Shelley. Hoe het dan komt, dat Kloos en zijn Tachtigers als de apostelen van deze schoonheidszoekers worden beschouwd, die vraag zal waarschijnlijk psychologisch moeten worden beantwoord, maar dat kan hier niet geschieden.

Door zijn kennisneming van de wereldliteratuur werd Huets achting voor de nederlandse er niet groter op. Had hij eerst nog, onder Potgieters invloed, bewondering voor onze 17de eeuw, later zakte ook voor deze zijn waardering. Steeds meer raakte hij van Nederland los; zijn verblijf in

V

Indië werkte daartoe ook mee; en zo twijfelde hij ten laatste er aan, of ons volk nog wel een noemenswaardige letterkunde bezat. Ook dat vergrootte de vijandschap die men tegen hem koesterde.

De stijl van Huet is voortreffelijk: verzorgd en toch vlot. Hij heeft niet het fonkelende van Multatuli; hij is rustiger, bezonkener, verstandelijker. Maar naast Potgieter is Huet aangenamer te lezen. Potgieter zelf wist wel, dat hij „te machtig" was, en verheugde zich daarom over de medewerking van deze jongere. Toch moet men niet menen, dat Huet zo gemakkelijk is. Het aantrekkelijke van zijn stijl maakt, dat men over menige moeilijkheid heen leest; ook hem maakt zijn kernachtigheid vaak moeilijk. Die kernachtigheid geeft hem tal van uitspraken in de pen, die als aforismen zich in ons geheugen prenten. „Hij (van Lennep) is een kind der 19de eeuw, dat met een verlorenparadijsgevoel het aangezicht naar den bloeitijd der 18de gekeerd houdt". „De literatuur is geen kraan waarmede men pakgoederen laadt of lost". „De Camera Obscura is wel verheven, doch niet verhevener dan de nok van een gereformeerd bedehuis". Multatuli noemt hij „de virtuoos van het sarcasme in Nederland". Tollens „heeft de melodieën der eeuwigheid op een draaiorgel gezet". „Amsterdams peil heeft op het gebied van de waterstaat meer te betekenen dan op dat der beschaving". „Holland is in de 18de eeuw allengs een europese kuriositeit geworden. En een wormstekige kuriositeit daarenboven!" Deze uitspraken zouden nog met tal van andere kunnen vermeerderd worden.

Busken Huet heeft zijn beginselen nooit dogmatisch toegepast. Hij begreep veel te goed, dat letterkundige kritiek geen natuurwetenschap of wiskunde is; dat het persoonlijke element, het mooi of lelijk vinden, altijd de leiding moet behouden, en in de genoemde voorrede voor het eerste deel der *Lit. Fant.* reeds schreef hij: „Toch vlei ik mij,

VI

dat in deze studiën vruchteloos naar een stelsel van esthe-
tica gezocht zal worden, en zelfs schrijf ik het misnoegen,
hetwelk mijn aankondigingen somwijlen hebben opgewekt,
niet het minst hieraan toe, dat het uitgangspunt mijner beoordeling nooit gelegen heeft in de ene of andere school-
se theorie, maar steeds in die eenvoudige beginselen van
gezond verstand en goeden smaak, welke door alle beschaafde lieden van den tegenwoordigen tijd, mits hun
persoonlijke gevoeligheid buiten spel blijve, beschouwd
worden als het geweten ener jury, van wier uitspraak
geen appèl is". Inderdaad: hier steken de kracht en de
zwakheid van de criticus beide, en alleen het ontwikkelde
publiek en de tijd kunnen uitmaken, of hij op de hoogte van
zijn taak is geweest. Een manlijke geest als die van Huet
zal manlijke taal verlangen: ,,Dichters zijn mannen en moeten mannentaal spreken", zegt hij. ,,Een auteur van den
eersten rang stamelt niet gelijk een kind, maar spreekt als
een volwassene, duidelijk, verstaanbaar, onberispelijk. Er
is klank in zijn stem, en wanneer hij haar verheft, trilt de
lucht er van". Is het niet, of men Kloos hoort, als hij zegt,
dat ,,de poëzie geen zachtogige maagd is, maar een vrouw
fier en geweldig"? of liever nog van Deyssel, als hij getuigt, dat hij van het proza houdt? ,,Verzen moeten een
reden van bestaan hebben", zegt Huet. En in later tijd:
,,Willen onze tijdschriften de gunst van het publiek her-
winnen, dan moeten zij ophouden zich te richten tot on-
mondigen. Alleen door dingtaal te spreken kunnen zij nut
stichten en kunnen zij bloeien".

Busken Huet was diep doordrongen van het besef (ook
dat had hij met Potgieter gemeen), dat de criticus een taak,
een roeping heeft. Hij moet medewerken aan de verhef-
fing van zijn volk, niet alleen aesthetisch, maar op alle gebieden der beschaving. Literatuur en de andere vormen
waarin zich het maatschappelijk leven uit, hangen ten
nauwste samen. Als het volk beter, krachtiger, beschaaf-
der en zelfbewuster wordt, zal dat zijn weerslag in de
kunst vinden, ook in die der letteren. Alleen mannen kun-

nen daarom mannentaal spreken. Maar in de loop der jaren openbaarde zich een groot verschil tussen Huet en Potgieter. De laatste was een idealist. Hij hoopte, door aan ons volk de 17de eeuw als voorbeeld voor te houden, het eergevoel te prikkelen, zodat het weer zou streven naar een hoge plaats onder de volken van Europa. Zoals alle idealisten is hij teleurgesteld. Maar hij zonderde zich niet mokkend af, doch, berustende in het onvermijdelijke, trok hij zich terug in een eigen wereld van schoonheid en schonk hij ons het beste dat hij ooit gegeven heeft. De „ster in de verte" was onbereikbaar gebleken, maar hij bleef haar bewonderen en bleef zoeken, of hij ze voor zichzelf niet naderen mocht.

Niet alzo Busken Huet. Van nature reeds was zijn verstandelijke aanleg overheersend; zijn scepticisme plaatste hem reeds in zijn jonge jaren tegenover Potgieters idealisme. „Gelijk prof. Vissering aan de doorgraving in Noord-Holland gelooft" (zo schreef hij al in 1864, bij de beoordeling van Potgieters *Proza*), „gelooft de heer Potgieter aan de mogelijkheid van Jan Salie's wedergeboorte; een geloof, waarmede ik, indien men zo iets durft zeggen, te meer opheb naarmate het mij ongeloviger laat". En een paar regels verder: „Onkruid vergaat niet is in de werkelijkheid de enige stroowis waaraan de heer Potgieter zich vastklampen kan". En dit oordeel: dat ons volk tot niets in staat was en voor alle hogere beschaving reddeloos verloren, heeft hij in allerlei toonaarden en steeds duidelijker herhaald. De oorzaak daarvan zat voor een deel hierin, dat hij de mensen niet kende. Hij hield wel van de mensheid, maar in abstracto, in haar geheel; individueel voelde hij zich tot bijna niemand aangetrokken. Het ging hem als Wilhelm Meister, die van zichzelf zeide: „Ich habe von Jugend auf die Augen meines Geistes mehr nach Innen als nach Aussen gerichtet, und da ist es sehr natürlich, dass ich den Menschen bis auf einen gewissen Grad habe kennen lernen, ohne die Menschen im mindesten zu verstehen und zu begreifen".

VIII

Uit deze mensenvreemdheid is te verklaren, dat Huet, met de beste bedoelingen bezield, niet merkte dat hij pijn deed. Men heeft hem wel eens beschuldigd van zekere on- oprechtheid, van een geven en nemen, dat de verantwoor- delijkheid voor een vonnis scheen te ontvluchten. Ten on- rechte. Huet was geheel oprecht. Hij voelde wel, dat hij griefde door een ongunstig oordeel, en hij trachtte juist dat te verzachten door, na het uitspreken daarvan, ook op het goede te wijzen. Maar de slachtoffers aanvaardden het toch niet en zijn gebrekkige mensenkennis belette hem te gevoelen, hoezeer hij pijn gedaan had. Zo raakte hij steeds meer van zijn volk verwijderd. En toen bovendien in zijn afwezigheid alle plaatsen bezet bleken en er voor hem (gewone ervaring van Indischgasten) geen meer open was, is hij geheel verbitterd, zozeer, dat hij schrijven kon: ,,Zolang men voortgaat mij dus te bejegenen, wil ik niet als een lid der nederlandse samenleving aangemerkt worden''. Daarom vestigde hij zich in Parijs en hij bleef er tot zijn dood.

Potgieter en Huet werden beide gedreven door liefde voor hun volk. Maar terwijl de eerste afkerig van harde middelen was, legde Huet er de zweep over. Wilde het volk niet naar goede raad luisteren, wilde het zich niet laten verheffen, wilde het aan Jan Rap op alle gebieden des levens de boventoon laten, dan moest de patient maar hard aangepakt worden. Maar deze sloeg en trapte terug, duidde hem (in het Handelsblad) zelfs openlijk als ,,een waardig voorwerp der algemene minachting'' aan en wei- gerde hem een professoraat in de nederlandse letteren. Of die vijandschap nu nog nawerkt?

Zijn studiën hadden Huet menigmaal op historisch ge- bied gebracht. Al in zijn vroegste jaren had hij lezingen gehouden, waarin de letteren een kleine, de politiek en de cultuur-historie een grote plaats innamen. Op het einde van zijn leven leidde dat tot enige werken, waarvan het laatste, *Het land van Rembrand,* niet slechts het omvang-

rijkste, maar ook het beste is. Daarin geeft hij een breed op-
gezette beschouwing over onze Gouden Eeuw. Vooraf
gaat een even brede inleiding, waarin hij van de 4 eeuwen,
aan deze voorafgaande, telkens een beeld ontwerpt door
om een hoofdpersoon, die kenmerkend voor zijn tijd is, het
gehele tijdvak te groeperen: Olivier van Keulen, Graaf
Jan van Blois, Thomas a Kempis, Erasmus en Lucas van
Leiden. Daarna tekent hij de gouden eeuw in: Het Geloof;
De Handel; De Wetenschappen en de Letteren; Zeden
en Personen; en De Kunsten. Wat in onze dagen door
Huizinga en anderen wordt gedaan, deed Huet reeds 50
jaar geleden. Dit werk is zo smaakvol opgezet en zo vlot
geschreven, dat men eerst bij nader toezien bemerkt, welk
een haast ongelofelijke hoeveelheid literatuur van allerlei
aard daarin is verwerkt; elke vakgeleerde mag deze be-
lezenheid aan Huet benijden.

Zo eindigde Huet zoals hij begonnen was: met de lof
onzer Gouden Eeuw. Had Potgieter toch gelijk gehad? Is
ons volk alleen tot hoger peil te brengen door het zijn glo-
rietijd voor te houden? En heeft Huet gevoeld, dat wat hij
in de aanvang met de zweep niet had kunnen bereiken,
hem misschien mogelijk zou zijn door een werk waarin hij
zijn scherpte achterwege liet en alleen over het verleden
sprak zonder op het teleurstellende heden te wijzen? Dan
zou Potgieter nog uit zijn graf de overwinning hebben be-
haald.

Overzien we het werk van Busken Huet nog eens in z'n
geheel, dan gevoelen we een grote bewondering. Een buitengewone werkkracht, een ijzersterk gestel (in Indië was
hij ondanks zwaar en verantwoordelijk werk, vele uren
daags en zonder middagslaapje, nooit ziek), een grote be-
lezenheid, een stalen en gelukkig geheugen, een scherp
verstand, dat waren de eigenschappen die hem tot een om-
vangrijke arbeid in staat stelden. Zijn stijl mag iets koels,
iets hooghartigs hebben, soms ook scherp zijn, maar ze is
duidelijk, kernachtig en beeldend. Liefde voor de letteren

X

en het bewustzijn, zijn volk te dienen, bezielden hem levenslang. ,,Een te vurige liefde voor de eer der nationale letteren" (aldus schreef hij in de voorrede van het eerste deel der *Litt. Fant.*) ,,is de enige zedelijke fout, welke aan deze opstellen kleeft, en aan wie de schuld, dat niet al onze letterkundigen in de gloed van die hartstocht bestaan kunnen?" Zo was het; hij heeft eerlijk naar het beste gestreefd en als een wakker soldaat gestreden. Dat het nederlandse volk aan zijn eisen niet voldeed, was niet zijn schuld.

Niet alles wat Huet schreef was even belangrijk. Ook behoeft men het niet altijd met hem eens te zijn; hijzelf zou dat in geen geval begeerd hebben. Vondel heeft hij niet begrepen en gewaardeerd (wat overigens in de geest van de tijd lag, men denke aan de literatuurgeschiedenis van Jonckbloet); de middeleeuwen waren voor hem (evenals voor Potgieter) niet belangrijk (al heeft hij in *Het Land van Rubens* als een der eersten op de schoonheid der vlaamse schilderschool gewezen); aan een aantal tijdgenoten heeft hij een langer leven voorspeld dan de tijd hun heeft toegestaan. Ook zijn niet alle stukken van even groot belang. De oudste (om niet te spreken van die van vóór 1860), die van 1860 tot 1865, zijn het oorspronkelijkst, het geestigst, het levendigst, het overmoedigst ook. Hij was toen in zijn dagen van opgang en werd gewaardeerd, zij het ook gevreesd. Daarna, tijdens zijn verblijf in Indië, werden zijn beschouwingen van minder gehalte. Wel nog knap, men herkent telkens de klauw van de leeuw, zijn ze toch vaak haastig geschreven, onder de druk van ander werk of om de krant te vullen. Maar na zijn terugkeer in Europa kreeg hij weer meer ruimte van tijd en toen ontstonden weer tal van brede studies, rustig, bezonken; men erkent daarin de man van gezag, die weet dat men naar hem luisteren moet.

Hijzelf stond critisch genoeg tegenover zijn werk. In 1885, nog geen half jaar vóór zijn dood, schreef hij aan

Jan ten Brink: „Maar wat zal ik u zeggen? Gij en ik, en de ouderen in het algemeen, wij *voldoen* de jongeren niet meer. Zij zoeken iets anders en iets meer. Het beste wat wij doen kunnen is, een onderzoek naar onze eigen leemten in te stellen, en op onze oude dag aan onze zelfverbetering te gaan werken. Op die wijs zullen zij ons niet te enemaal ontsnappen, en bestaat er kans, dat zij ons hun genegenheid blijven schenken". Inderdaad hebben zij dat gedaan. Voor de eerste jaargang van *De Nieuwe Gids* vroegen zij hem om een bijdrage en vol vreugde begon hij een stuk, *De Romantiek in Nederland.* Hij zou het niet afmaken; na twee, drie bladzijden verraste hem de dood. Zo stierf hij op een ogenblik dat hij het aankomende Nederland wilde dienen. En de jongeren wijdden hem een afscheidswoord (Van der Goes in *De Nieuwe Gids),* dat ons nu nog treft door de weemoed die er in trilt.

Multatuli heeft bij zijn leven en terstond na zijn dood zijn aanvallers en zijn verdedigers gevonden; nog is het krijgsrumoer om zijn graf niet geheel verstomd. Busken Huet heeft men al spoedig met rust gelaten. Napoleon zei van zichzelf, dat bij zijn dood velen „un grand ouf" zouden slaken. Zo gebeurde het ook bij het sterven van Busken Huet. De ouderen waren te blij, dat ze van deze vriend die hun hun feilen toonde ontslagen waren. En de jongeren, de 80-ers, hebben hem later slechts met veel voorbehoud gewaardeerd. Van Deyssel noemde hem: „wel geen kunstenaar en geen groot kritikus, maar de enige verstandige letterkundige in een heel gezelschap van domme lieden". En konden Vondel en Hooft hem, van Deyssel, „hoogstens nog enige technische hulp geven, bij niemand van het terstond aan hem voorafgaande geslacht (kon hij) voor zijn literaire kunst te rade gaan". En ook Kloos heeft veel bezwaren tegen hem gehad. Alles te samen echter heeft men hem ongemoeid gelaten, of dood gezwegen. En dat is het ergste wat iemand overkomen kan. Huet zelf heeft het (in 1876) geschreven in de voorrede voor het

XII

14de deel der *Lit. Fant.*: „Niets grieft de dichter of ro-
manschrijver zo zeer, als na een kortstondige bloei verder
onopgemerkt te blijven en voor het aankomend geslacht
levend gestorven te schijnen. Kritiek deert een schrijver
oneindig minder dan de vergetelheid, en niet de zelfs on-
heuse recensent is zijn vijand, maar het onverschillig publiek dat hem voorbijgaat zonder hem te groeten".

De tijd voor een objectief oordeel over Busken Huet is
nu, 50 jaar na zijn dood, toch wel gekomen. Maar om tot
een juist oordeel te geraken (en hiermee wordt Huet met
zijn eigen maat gemeten) dient kennis van zijn karakter
vooraf te gaan. Doch daarvoor is een afzonderlijke studie
nodig, waarvoor hier geen plaats is. Zijn verhouding tot
Potgieter en de wijze waarop hij deze tijdens de Gidscrisis en vóór en na zijn vertrek naar Indië heeft behandeld,
alsook zijn verhouding tot de mensen in het algemeen, verdienen een dieper onderzoek. Men krijgt wel eens de indruk, dat Huet niet kon bewonderen en liefhebben, alleen
afbreken. Zeker heeft hij veel reputaties weggemaaid.
Maar heeft de tijd hem geen gelijk gegeven? Moet men
niet eerder erkennen, dat hij velen nog te gunstig beoordeeld heeft? Wil men weten, of hij bewonderen kon, men
leze, om tijdgenoten te noemen, zijn stukken over de Génestet, Bosboom-Toussaint, da Costa, Alb. Thijm, Geel,
Multatuli (die hem niet daarnaar heeft behandeld); of van
de ouderen: Staring, Wolff en Deken, Poot en Hooft.
Vondel moge hij niet begrepen hebben, Dante des te beter.
Maar vooral leze men zijn *Herinneringen aan Potgieter,*
het beste wat hij geschreven heeft, omdat hij daarin tegenover de dode aan de kritiek het zwijgen oplegde, om alleen
te zeggen (was het een boetedoening voor wat hij aan de
levende te kort gedaan had?) wat dankbaarheid hem ingaf.

Maar geen hunner, al waren zij zijn vrienden, heeft hem
geheel gekend; ook Potgieter niet. Een grote schroom belette hem, zijn hart te openen. De enigen die hem gekend
hebben (en ook zij waarschijnlijk niet geheel) waren zijn
vrouw en zijn zoon. Al zijn liefde en toewijding waren voor

hen; zij vormden de achtergrond van zijn denken en werken. En zo men de sleutel zoekt voor de verklaring van
vele zijner handelingen, die soms zelfs laakbaar schijnen,
men zal die allereerst vinden in de zorg voor vrouw en
kind.

Bij de samenstelling van dit deel hebben we, ter wille
van de eenheid, niets uit de novellen en de romans overgenomen, en ons verder bepaald tot stukken over Nederlanders. Voorop gaat het stuk over Erasmus, uit *Het Land
van Rembrand,* chronologisch het jongste, maar magis-
traal werk, en daardoor als openingsstuk aangewezen.
Daarna volgen enige literarische fantasieën, vrijwel in
tijdsorde, besloten met het even magistrale *Herinneringen
aan Potgieter.* In één opzicht is onze keus eenzijdig. Busken Huet is nog algemeen bekend als de scherpe criticus.
De opgenomen stukken echter doen hem van een andere
zijde kennen. Voor deze bibliotheek, die niet allereerst
wetenschappelijk bedoelt te zijn, maar het aantrekkelijkste
van onze letteren geven wil, leek deze werkwijze verkiese-
lijk. Wie meer van Huet wil lezen, kan nog uit de *Lit. Fant.*
ter hand nemen de kritieken over Staring, da Costa (I),
van Lennep, Bosboom-Toussaint, Beets (II), Bilderdijk
(IV), Tollens (VI), Geel (X), de romans van Wolff en
Deken (XIX), Multatuli (XXII) of Een avond aan het
hof (in de *Nalezing);* een tweede beschouwing over Hooft
(XVIII), veel uitvoeriger dan de hier opgenomene, schreef
Huet in 1881.
Zolang de schrijfwijze der nederlandse taal niet afdoende
is geregeld, is een ieder bevredigende spelling niet te vinden. Hier is de tekst van Busken Huet in de vereenvoudig-
de spelling overgebracht; alleen is ,,den" enz. gehand-
haafd, omdat dat konsekwenter is dan de tegenwoordige
regeling en de waarde van de *n* moeilijk te bepalen is.

ERASMUS

I

„Hoeveel de wereld, hoeveel ook de zedelijke en godsdienstige beschaving van Europa," heeft men in onze dagen gezegd, „aan Erasmus verschuldigd zij, laat zich niet
berekenen. In de geschiedenis dier beschaving zou er een
gaping komen, bijaldien men zijn persoon daaruit weg-
nam."

Dit te beamen valt niet zwaar; al moet de toon waarop
iemand het nazegt verschillen, naarmate van de betekenis
die verschillende schrijvers somtijds aan dezelfde woorden
hechten.

Meer moeite kost het, waar het zulk een legendair geworden persoon als Erasmus geldt, aanschouwelijk te maken welke leemte er eigenlijk ontstaan zou, zo men uit de
geschiedenis der europese beschaving hem verwijderde; of
met andere woorden, welke plaats hij in zijn eeuw vervuld
heeft.

In aanmerking komt: de stoot dien Erasmus te onzent
aan het onderwijs gaf; Erasmus' verhouding tot den half
politieken, half kerkelijken strijd zijner dagen in Nederland en Europa; de verplaatsing van het zwaartepunt der
hogere europese beschaving uit Parijs naar Rome, als gevolg van het herleven der grieks-romeinse oudheid in
Italië.

In de middeleeuwen hadden, voor zover zij niet enkel op
zichzelf en hun natuurlijken aanleg teerden, de toongevende vernuften in Europa geen ander ideaal buiten zich gekend dan het half hebreeuwse of joods-christelijke van den
bijbel. Het gevolg was geweest een eenzijdig godsdienstige
of theologische plooi, aangenomen door het middeleeuws
denken, de middeleeuwse verbeelding, de middeleeuwse
kunst. Gotisch, aanvankelijk een eretitel, was voortaan
gelijkluidend met bijgelovig en bekrompen. Vernieuwing
van ideaal deed zich als wenselijk gevoelen; en ongezocht

werd door de omstandigheden in die behoefte voorzien.

Men moet niet, afgaand op de klank, het er voor houden dat het provençaalse *gay saber* of *gay savoir*, hetwelk aan iets vrolijks denken doet, de renaissance eigenlijk overbodig maakte. Deze bijzondere vorm der oude provençaalse letteren was enkel vrolijk in naam, uit heilzame vrees voor de Inquisitie. Een bewaard gebleven *gay-saber*-vers van 1324 is niets meer dan een rederijkersgedicht aan de Heilige Maagd.

Andermaal zou, evenals in de eeuw der kruistochten, het Oosten zijn poorten ontsluiten: niet die van Jeruzalem dezen keer (Jeruzalem, bakermat van het christendom, had voor het Westen gedaan wat het kon), maar de poorten van Konstantinopel. Door de Turken allengs verdreven, kwamen de erfgenamen der Grieken en der Oosterse Romeinen bij landverhuizende troepjes naar Italië, en brachten er in kunstwerken en handschriften de herinnering ener uit het oog verloren of satanisch geachte beschaving, door volmaaktheid, veelzijdigheid en onafhankelijkheid zo bekoorlijk, dat zij op het uitgedroogd Westen de werking van een verfrissend bad en ener zachte bedwelming deed. De overtuiging ontwaakte dat men uit onwetendheid, onder den invloed van kerkelijke vooroordelen, de oudheid miskend had, en, wanend op een hoger trap van ontwikkeling te staan, barbaar gebleven was. Uit de studeerkamers der vakmannen drong het nieuwe licht, met de hulp der boekdrukkunst en van het onderwijs in de scholen, tot de leergierige menigte door. De studie der oudheid werd een eredienst, mededinger van den christelijken.

Op de beschaving der Byzantijnen mag niet uit de hoogte neergezien worden. Aan hen is het te danken zo, in de bibliotheken van het Westen, er zich handschriften der griekse klassieken en van het Nieuwe Testament bevinden. Zonder hun historieschrijvers zouden wij het voortreffelijk werk van Gibbon niet bezitten, dat nu reeds honderd jaren oud en nog niet verouderd is. Toen de kennis van het grieks uit Italië zo goed als verdwenen was, hebben de Romeinen van het Oosten gedurende langer dan een eeuw de Italianen van griekse taalmeesters voorzien. Hetzelfde zouden zij, indien de wens van Erasmus vervuld was, voor Nederland gedaan hebben; althans voor Zuid-Nederland. Nog in 1518, bij het oprichten van het Collegie der Dry Tonghen te Leuven, peinsde Erasmus over het doen aanstellen van een Byzantijn aldaar, die met het onderwijs in het grieks belast zou worden.

Aan den anderen kant moeten wij niet menen dat het herleven der antieke beschaving bij de Italianen, in de 14de en de 15de eeuw, enkel het werk der Konstantinopolitanen geweest is. De reactie tegen het middeleeuws latijn en den middeleeuwsen wansmaak dagtekende in Italië al van vroeger. Er ontbrak nog slechts dat een Italiaan van betekenis de vaan opstak, en het woord wedergeboorte klinken deed.

Voor Zuid-Europa is Petrarca, voor Noord-Europa Erasmus, honderd of honderdvijftig jaren later, de heraut dezer verjongingskuur geweest; en zo één drijfveer in zijn jonge jaren onzen landgenoot met heimwee naar de vrijheid heeft doen haken, het was het voorgevoel dat dit wegbereiderschap zijn bijzondere bestemming vertegenwoordigde. Helder stond op zijn ouden dag die onbewuste levenstaak zijner jeugd hem voor den geest. Zonder zelfverheffing mocht hij het besef met zich omdragen haar steeds in het oog gehouden te hebben.

,,In al mijn boeken,'' schreef hij (zelf onderwijl een zestiger geworden) tot zijn rechtvaardiging in 1527 aan een tijdgenoot, ,,in al mijn boeken zult gij mij één doel zien najagen. Luid verhef ik mijn stem tegen de oorlogen die sedert jaar en dag schier de gehele christenheid onderstboven keren. De averechtse meningen der mensen berisp ik op allerlei gebied. Een wereld, die in halfjoodse ceremoniën verzonken ligt, wek ik tot een zuiverder christendom op. Naar vermogen bevorder ik de studie der herlevende oude talen. Mijn streven is, een christelijken toon te ontlokken aan de vóór mij nagenoeg heidense fraaie letteren.''

Puttend uit dezelfde bron die voor de Italianen zich ontsloten had, en die als jongeling hem met zijn gehele ziel
naar Italië deed verlangen, gevoelde Erasmus tevens dat
voor de volken van het Noorden de stroom der renaissance
een andere richting had aan te nemen; niet vijandig tegen
de kerk in, niet onverschillig langs haar heen, maar even-
wijdig met haar en in dezelfde bedding.

Dit levendig en instinctmatig besef verklaart den ongemenen invloed dien Erasmus op een groot gedeelte zijner
tijdgenoten heeft uitgeoefend, niet het minst toen en daarna in Nederland. *La France est de la religion de Voltaire,*
zal in de eerste jaren onzer eeuw Napoleon gezegd hebben,
toen het er op aan kwam Frankrijks nieuwe verhouding
tot het katholicisme te bepalen. Nederland is rooms geweest; Nederland is gereformeerd geworden; doch toen
de revolutionaire beweging, die aan het protestantisme ten
onzent de overwinning verzekerde, had uitgewerkt en de
landaard weder bovengekomen was, heeft de nederlandse
beschaving, blijkens de gematigdheid van vorsten, regen-
ten, geleerden en kunstenaars, zich aan de zijde van den
Rotterdammer geschaard. *La Hollande est de la religion
d'Erasme,* is gedurende meer dan driehonderd jaren, ondanks de gereformeerde staatskerk en den heidelbergsen
catechismus, een getrouwe beschrijving van de stille algemene denkwijs der Nederlanders geweest.

II

Uit het christendom voortgekomen, aan het christendom
trouw gebleven, heeft Erasmus van nabij kennis willen maken met de ruimere en schonere wereld wier visioenen in
de cel van den jongen monnik gespookt, en al spoedig hem
met afkeer vervuld hadden van een vroeger verheerlijkte
eenzaamheid en eigenwillige wereldverzaking. De tijden
waren er niet naar, een geest als den zijnen voldoening te
doen vinden binnen de vier muren van een zuid-hollands
klooster, met een zuid-hollandse provinciestad tot hori-

4

zont. Zelden is in Europa, wanneer men op de hogere betekenis der gebeurtenissen let, zoveel belangrijks voorgevallen als in de dertig jaren uit het midden van Erasmus'
leven van 1490 tot 1520. Elk jaar bijna brengt iets nieuws.
Veel van dit nieuwe zal eenmaal tot de onvergankelijkste
herinneringen onzer beschaving gerekend worden.[1]

Erasmus' standvastig rooms-blijven, ook nadat zijn
kloostergeloften opgeheven waren, en de monnikspij voor
goed was verwisseld met de doctorale muts en den filolo-
gischen tabberd; zijn openlijk breken met Luther en de
lutheranen, ondanks aanvankelijk instemmend en toejuichend medegaan, zijn telkens nadrukkelijker opkomen, in
vlugschriften en brieven, tegen de uitspattingen der nieuwe leer, — deze algemeen bekende feiten uit zijn werken
en zijn leven staven dat het protestantisme, toegepast op
de wijs die hij aanschouwde en in de toekomst voorzag,
door hem als een ramp voor Europa aangemerkt werd.
Voorstander van hervorming, was hij een vijand van
scheuring; en niets benadeelde zozeer in zijn schatting de
stoffelijke welvaart der volken, of hield het toenemen der
algemene beschaving zozeer tegen, als het drijven van Luther en de zijnen. Wij kunnen hem geen recht laten wedervaren, zo wij dit verschil van opvatting niet in rekening
brengen.

[1] In 1488 verschijnt te Florence de eerste gedrukte Homerus.
— 1490. Opening der drukkerij van Aldo Manuzio te Venetië. — 1492.
Ontdekking van Amerika en inneming van Granada. — 1493. Aard-
globe van Behaim. — 1495. Eerste europese coalitie: Rome, Wenen,
Venetië, Milaan, Arragon, Kastielje, tegen Karel VIII van Frankrijk.
— 1500 tot 1504. Leonardo da Vinci te Florence. — 1503 tot 1520.
Michelangelo en Rafael te Rome. — 1506. Eerste hebreeuwse spraakleer, door Reuchlin. — 1509. Nagelaten gedenkschriften van Com-
mines. — 1514. Machiavelli voltooit zijn Vorstenschool. — 1516.
Ariosto schrijft den Razenden Roeland; Erasmus geeft het eerste
Nieuwe Testament in den grondtekst uit. — 1517. Luther slaat zijn
stellingen tegen den aflaat aan. — 1518. De Utopia van Thomas
Morus. — 1519. Tocht van Magellaan, gevolgd door de verovering
van Mexico. — 1500 tot 1520. Erasmus schrijft zijn Adagia, zijn
Laus Stultitiae, zijn Colloquia.

5

Luther heeft geloofd het werk der Voorzienigheid te verrichten, en Europa een voornamen dienst te bewijzen, door naast en tegenover het katholicisme een nieuwe kerk te stichten. Het verwijt is hem onverschillig geweest dat zijn beroep op den bijbel tot niets anders leidde of leiden kon, dan voor den roomsen paus een paus van papier, voor de levende overlevering een dode letter in de plaats te stellen. Hij heeft zich niet gestoord aan de ondervinding dat tegenover Rome alle ketters een gelijk recht van bestaan hadden, en van de anabaptisten, de zwinglianen, de anglikanen, of wie ook, niet gevergd kon worden zich aan de lutheranen te onderwerpen. Uit volle overtuiging heeft hij, met de hulp van den sterken arm, de andersdenkenden onder zijn eigen volgelingen tot rede zoeken te dwingen; geweld met geweld helpen keren; een burger- en godsdienstoorlog over zijn vaderland gebracht; de kans getrotseerd Duitsland een woestijn te zien worden, en voor een eindeloze reeks van jaren, op allerlei gebied, Duitslands kracht te zien breken. Al die boze gevolgen, boos door de boosheid der mensen, zijn hem onvermijdelijk toegeschenen; niet in staat twijfel te wekken omtrent het goddelijke in den aandrang waardoor hij zich voortgedreven gevoelde, en die in zijn eigen ogen hem tot een werktuig van hemelse raadsbesluiten maakte. De fatalist kon niet anders. Niet hij zweepte den tijdgeest op, maar de tijdgeest hem. De middeleeuwse dagonstempel *moest* instorten boven de hoofden der afgodsdienaren; en er was een gehoorzame blinde Simson nodig om de zuilen van haar basementen te rukken.

Erasmus, man van den vrijen wil, zag de noodzakelijkheid dezer geweldenarijen niet in. Hetzelfde doel kon, achtte hij, langs andere, minder revolutionaire wegen bereikt worden. Ook *zijn* ideaal was een gezuiverd christendom, ontdaan van hetgeen hij als joodse bijvoegselen beschouwde, ten onrechte door het pausdom overgenomen. Hij meende echter de mensen te goed te kennen, om te kunnen geloven dat hen luthers te maken het middel was

6

hen betere christenen te doen worden. Zekere mate van onverstand of verdwazing behoorde volgens hem tot het wezen der menselijke natuur, en hij voorzag dat binnen korter of langer tijd de protestanten al het verkeerde der katholieken navolgen en herhalen zouden. Protestant-zijn was voor hem protest indienen tegen domheid, onkunde, wanbeschaving; tegen de wreedheid en barbaarsheid in de zeden, niet minder dan in de letteren. Zijn geloof, en dat der anderen, wenste hij daarbuiten te houden. Ook de humanist kon niet anders.

Wij van den tegenwoordigen tijd stellen in dit conflict slechts matig belang; en onze critiek zou, indien zij haars ondanks tussen Luther en Erasmus uitspraak moest doen, partijen liefst *dos à dos* wegzenden. De hervorming van het katholicisme *in* het katholicisme, gelijk Erasmus haar bedoelde; die hervorming eiste, niet een bezadigden en huiszittenden Erasmus, altijd met den neus in de boeken, maar een praktischen en hartstochtelijken Loyola, in zijn soort even fanatiek en ondernemend als Luther zelf. Alleen de strijdende Societeit van Jezus kon het strijdend protestantisme tegenhouden. Niet aan Erasmus maar aan Loyola dankt de roomse kerk zowel de voorbeeldige zuivering harer geestelijkheid in de tweede helft der 16de eeuw, als het wederstandsvermogen dat zij nog heden in staat is te ontwikkelen.

Luther is door de uitkomst in het gelijk gesteld. Vroeg het reinigen van den europesen Augiasstal zijner dagen een Hercules, met telkens vernieuwd welgevallen zien wij, uit het tijdvak dat door hem beheerst is, zijn herculische gestalte naar voren komen; een duitse Thomas van Aquino met nog breder schouders, en iets jovialers in het gelaat. Al hetgeen door Luther misdreven mag zijn is als het ware ,,in kommissie'' misdreven, door een gehele schaar tijd- en landgenoten. Heeft hij zijn vaderland in sommige opzichten en voor een geruime poos ongelukkig gemaakt, zodat eerst in de tweede helft der 18de eeuw Duitsland onder de toongevende natiën van Europa opnieuw is gaan medetellen, vele duitse vorsten en duitse onderdanen hebben het zelf zo gewild, en de schade werd sedert Frederik den Grote meer dan ingehaald.

Doch ook Erasmus moet voor een deel worden vrijgesproken. Het strekt hem, die omtrent zoveel punten hetzelfde als Luther wilde, en door de nieuwheid der beweging licht medegesleept had kunnen worden, zeer tot eer haar betrekkelijke kleingeestigheid zo spoedig te hebben doorgrond; en daaraan heeft hij het te danken dat ons geslacht meer van hem dan van Luther houdt, en beter met hem overweg kan.

De duitse kerkhervormer en zijn stichting behoren voortaan tot een gesloten tijdperk der geschiedenis. Al het goede in de lutherse belijdenis wordt ook bij de andere protestantse sekten aangetroffen, en in gelijke mate bij het pausdom. Er is aan het Lutherdom niets bijzonders meer; niets waardoor het voortleeft als een afzonderlijke bloem der europese beschaving, aan een eigen stengel. De geschriften van Luther zijn een onderdeel van de stichtelijke literatuur der christenheid geworden, zonder onderscheid van eeuw of kerkgenootschap. Allen ademen zij den bijbels of hebreeuws gestemden geest der christelijke oudheid en der christelijke middeleeuwen. Alleen de pamfletten en de *Tafelgesprekken* dragen nog den stempel van het tijdvak. De invloed dien Luther voortgaat in Duitsland te oefenen door zijn taal, blijft tot Duitsland beperkt. Buiten den kring der gelovige leden van zijn kerkgenootschap is de invloed zijner denkbeelden, die nooit overvloedig geweest zijn, thans onwaarneembaar.

Erasmus daarentegen is in sommige opzichten jong gebleven; en zelfs aan het ouderwetse in hem is iets dat bij hedendaagse toestanden past. Leefde hij op dit ogenblik in Nederland, hij zou in het godsdienstige zich meest van al aangetrokken gevoelen door de ethisch-irenische richting van Nicolaas Beets, en het bejammeren, door het staken van het tijdschrift *Ernst en Vrede*, daarvoor geen artikelen meer te kunnen leveren. Tegelijk echter zou hij be-

8

vriend zijn met Opzoomer, Kuenen, Cobet, Dozy, Frúin, De Vries, Kern, of bij afwezigheid met hen in briefwisseling staan. Scholtens studiën over het Nieuwe Testament zouden hem zeer bekoren, en mannen der natuurwetenschap, als Donders en Koster, niet weinig door hem gewaardeerd worden. Hetgeen de Fransen *un esprit ouvert* noemen, was in buitengewone mate zijn deel. In elke eeuw van opgewekte belangstelling voor wetenschappen, kunsten en letteren zou hij zich op zijn plaats gevoeld hebben.

III

Het genoegen *zijner* eeuw werd voor Erasmus grotendeels bedorven en vergald door de afschuwelijke onenigheden die, onder zijn ogen, de nieuwe leer uitlokte en voedde. Dit waren de vruchten niet die hij van zijn genoegelijk plagen der monniken, zijn berispen van koningen en pausen, zijn critiek der middeleeuwse samenleving, zijn aanbevelen van de onafhankelijke studie der oudheid, zich voorgespiegeld had. Het was nieuwe barbaarsheden op de oude stapelen, in plaats van beschaving te kweken. Was tarten van de wreedheid der gezaghebbers door de hartstochtelijkheid der slachtoffers. Was uitsnijden tegen uitsnijden stellen, branden tegen branden, waar de menselijkheid genezen voorschreef.

Erasmus heeft het afkondigen der eerste bloedplakkaten, van of namens Karel V, tegen de anabaptisten en sacramentisten in de noord-nederlandse provinciën beleefd; en van menige strafoefening aan de nederlandse ketters (te Amsterdam, te Haarlem, in Den Bos, te Veere, te Middelburg) is het gerucht tot hem doorgedrongen. In Juni 1528 wordt David Jorisz, van Delft, omdat hij een processie in de Nieuwe Kerk openlijk voor een godslastering heeft uitgekreten, op verbeurte zijner halve tong tot publieke boetedoening veroordeeld. Op 10 Juli 1525 voltrekt men te Utrecht aan Willem Dirksz, op 15 September daarna aan Jan de Bakker in Den Haag, de doodstraf. In

Augustus te voren is de landvoogdes Margareta daarvoor overgekomen uit Brussel. Vier Nederlandse geestelijken zijn haar voorafgegaan. Uit alle oorden des lands heeft men de van ketterij verdachten overgebracht naar de haagse Voorpoort; in de toekomstige loterijzaal op het Binnenhof heeft de nederlandse Inquisitie-raad zijn zittingen geopend; de bescheiden in het rechtsgeding van Jan de Bakker zijn ter hand genomen; hij wordt tot den brandstapel veroordeeld.

Op hetzelfde binnenplein, waar honderd jaren later Oldenbarnevelt onthoofd zal worden, heeft men een stelling opgericht, aan drie zijden met banken omgeven. Aan de vierde zijde bevindt zich een altaar, in het midden een preekstoel. Het voorzitterschap wordt door een nederlands stadhouder bekleed. Al de rechters zijn nederlandse geestelijken en nederlandse raadsheren.

Wanneer Jan de Bakker (zij hebben hem in den vollen priesterdos gestoken, en hem een miskelk in de hand gegeven, dien hij op het altaar moet nederzetten); wanneer hij naar buiten gebracht is, dan beklimt een franciskaner monnik uit Leiden den kansel, en somt aan het slot ener boetrede 's ketters lutherse drogstellingen op. Een utrechts wijbisschop treedt op hem toe, en ontdoet hem van de tekenen zijner priesterlijke waardigheid; gerechtsdienaars zetten hem een gele zotskap op het hoofd, trekken hem een geel kleed aan (te kort voor zijn gestalte, opdat al wat niet verfoeilijk aan hem is belachelijk zij), en de griffier Sandelyn spreekt, zodra de geestelijken zich verwijderd hebben, het vonnis uit.

Op weg van het Binnenhof naar de Plaats, waar de gerechtelijke moord voltrokken staat te worden, zet de ongevraagde martelaar het *Te Deum* in, en zijn medeketters, die op de Gevangenpoort hún vonnis nog verbeiden, zingen in koor het hem na. Bij het toekomstig Groene Zoodje aangekomen, wordt Jan de Bakker door den beul aan een paal vastgebonden, uitstekend boven de houtmijt; en op hetzelfde ogenblik dat de strik om zijn hals worgend gaat

10

klemmen, doet een vlammende strowis een zakje buskruit ontploffen, te voren vastgemaakt op zijn borst.

IV

Naar die éne bladzijde uit het boek der geloofsvervolging in de 16de eeuw laat het overige zich gemakkelijk gissen; en het zou onnodig zijn nog daarenboven aan den kortstondigen waanzin der wederdopers te Munster te herinneren, zo door landgenoten en jongere tijdgenoten van Erasmus bij dat bloedig komediespel niet zulk een voorname rol vervuld, of door één hunner de munsterse beweging niet bijna met noodlottig goed gevolg naar Amsterdam overgebracht was.

Het amsterdams wederdopers-oproer van 1535 is een merkwaardig voorbeeld der vele godsdienstige buitensporigheden van het tijdvak. Het was deze lieden niet enkel om het handhaven van een dogme of een ritus te doen, maar om het veroveren van steden waar zij een nieuwe maatschappij wilden vormen; een godsrijk in den practischen zin van het woord, onder de bevelen van een algemeen koning van Sion, die in zijn linker hand een Oud Testament droeg en in de rechter een zwaard, bestemd hun die met hem van mening verschilden het hoofd voor de voeten te leggen. Niet alleen de roomsen, ook en vooral de andere protestanten, geheime en openbare, hebben deze anabaptisten, en al wie verder met dezelfde sociaaldemocratische denkbeelden behept waren, ten bloede toe vervolgd. Bij duizenden en tienduizendtallen heeft men hen verdronken, verbrand, onthoofd, opgehangen, geledebraakt, gevierendeeld, als dolle honden doodgeslagen; alles met goedvinden en op aansporen van Luther. Het protestantisme, scheen het wel, zag in deze geestdrijverij zijn eigen gedachte met schrik daad en wandaad worden, en haastte zich haar met de bijl achterna te treden, opdat zij even spoedig verdwijnen mocht als zij opgedoemd was.

Jan van Leiden benoemde Jacob van Kampen, uit de vol-

11

macht van zijn sions koningschap, te Munster tot bisschop van Amsterdam; en het duurde niet lang of het krielde onder de Amsterdammers van wederdopers, die een overrompeling der stad en een herhaling van het munsters godsrijk beoogden.

Mannen en vrouwen *sans la moindre chemise,* in hun eigen ogen levende zinnebeelden der naakte waarheid, levende protesten tegen den leugengeest der eeuw, holden, onder het uitschreeuwen van bedreigingen en het aankondigen van hemelse strafvonnissen, de straten door: zij werden gevat en afgemaakt.

Anderen beraamden tegen den avond van 10 Mei een aanslag op het stadhuis. Zij hadden kanonnen tot hun dienst, en telden onder de burgerij een grote menigte geheime aanhangers. Alleen door een samenloop van toevallige omstandigheden bleef het uitvoeren van het complot aan enkele tientallen belhamels overgelaten, die door de stedelijke schutterij, en door een compagnie in allerijl geworven huursoldaten, nog in tijds bedwongen konden worden. Alle gewapende anabaptisten sneuvelden. Aan enkelen, die door de vlucht ontkomen waren, verrichtten eerlang de beul en zijn handlangers de werkzaamheden van fusillerend peloton.

Ook Jacob van Kampen, hoewel hij er in slaagde een tijdlang zich verborgen te houden, werd eindelijk ontdekt, en geen wonder: de magistraat van Amsterdam dreigde elk die de schuilplaats des bisschops kende en hem niet aanbracht, met den dood. Het verhaal zijner executie luidt: „Men zette hem eerst een uur lang te pronk, met op 't hoofd een tweehoornigen blikken myter, bemaald met het wapen der Stad. Toen werd hem de tong uit den hals getarnd, en de rechterhand en het hoofd met een vleeshouwershakmes afgehouwen. 't Hoofd, met den myter gedekt, werd, nevens de hand, op de Haarlemmer Poort gesteld. De romp werd verbrand. Wat later in 't zelfde jaar werden te Leiden, te Hoorn, te Utrecht, en elders, verscheiden herdopers, die men insgelijks van oproerige aan-

12

slagen verdacht hield of overtuigde, ter dood gebracht. De strengheid, met welke men hen behandelde, bracht eerlang te wege, dat zij de dwaze hoop een nieuw aards Rijk op te richten t'enemaal varen lieten en zich stil hielden."

Niet veel meer dan twaalf maanden heeft Erasmus deze gebeurtenissen overleefd; doch hij wachtte niet tot zijn sterfjaar met het opmaken of het vaststellen zijner mening over den jammerlijken toestand.

Aan den enen kant de welvarende Verenigde Neder-landen onder Karel V, waar meer dan driehonderd steden en meer dan zesduizend dorpen een gewensten voorspoed genoten; waar met den handel en de nijverheid de kunsten bloeiden of ontloken; waar, naar het getuigenis van tijd-genoten, vele mannen gevonden werden „in alle weten-schap wel geschikt;" waar zelfs de „gemene lieden" aan beginselen van studie deden, en zij „schier al te samen, ja ook de boeren en de landlieden, ten allerminste lezen en schrijven konden;" waar er waren „die, hoewel zij nooit buitenslands verkeerd hadden, duits, engels, italiaans, en andere vreemde talen spraken, ongerekend het frans, 't welk onder hen zeer gemeen was."

Aan den anderen kant een woeden van politisch-theo-logische hartstochten, door Luther ontketend, dat allen huiselijken vrede, elk vriendschappelijk verkeer, den ge-zelligen omgang van natiën onderling, geheel een nieuwe europese beschaving in haar geboorte, op elk gebied tege-lijk met ondergang bedreigde. Galgen en raderen, waar het betaamd zou hebben op de markten den groenen boom des levens te planten. In plaats van de vreugdevuren der erkentelijkheid, mensenoffers op houtmijten.

Erasmus, die voor het onvermijdelijk tragische in de lotsbestemming van volken en werelddelen te weinig oog had, gevoelde zeer juist en zeer diep den betrekkelijken vloek van het protestantisme. Het was geen vechten met oratorische wapenen, geen in de lucht slaan met woorden, dat in 1529, zeven jaren vóór zijn dood, hem aan een vriend der hervorming deed schrijven: „Beschouw dat evangeli-

13

sche volk, en zie of er minder aan de weelde, den wellust, en de geldgierigheid wordt toegegeven, dan zij doen die gij veroordeelt! Toon mij iemand wien dat evangelie van een brasser matig, van een wreedaard zachtmoedig, van een rover milddadig, van een kwaadspreker zegenende, van een onkuise eerbaar heeft gemaakt."

Het protestantisme is in den groeitijd der europese volken een dier omwentelingen geweest welke niemand tegenhouden kan. Doch het misstond Erasmus niet, te vragen: Mag ik weten hoeveel wijzer en beter gijlieden er door geworden zijt?

V

Aan het tijdperk der vervolging om den godsdienst is in Nederland, gedurende de vroegere jaren van Erasmus' leven, een van zuiver politieke binnenlandse verdeeldheid voorafgegaan, dat insgelijks onze aandacht vraagt.

De oorlogen bedoel ik, een halve eeuw lang door Karel van Egmond tegen het Huis van Oostenrijk gevoerd, en aan wier schandaal het eerst Karel V gelukt is een einde te maken. Eén voorbeeld zal voldoende zijn om van de schade, door den gelderschen hertog aan Nederlands hogere belangen toegebracht, een denkbeeld te geven; en tevens het trage doordringen der nieuwere wetenschappen te onzent, in de eerste jaren der 16de eeuw, enigszins te verklaren.

Een begaafd vriend van Erasmus' jeugd, zijn tijdgenoot en weleer zijn augustijner gildebroeder in het klooster Emmaüs bij Stein, — Willem Hermansz. van Gouda, dichter en historieschrijver, — heeft in het latijn, als onderdeel van een onvoltooid gebleven uitvoeriger werk over de nederlandse geschiedenissen, een verhaal opgesteld van Karel van Egmond's bandietentocht naar Muiden en Weesp in 1506 of 1507.

Ik laat echter Weesp en Willem Hermansz. rusten en herdenk bij voorkeur Alkmaar, waar in 1517 een bloeiende

14

inrichting van gymnasiaal of aankomend hoger onderwijs bestond, door een andere struikroversdaad van Karel van Egmond onherstelbaar verwoest; ofschoon de bestuurder der school, de rector Johannes Murmellius, 's hertogs onderdaan was en een geboren Geldersman, afkomstig uit Roermond. Murmellius is een der schoolmannen geweest die het meest er toe bijgedragen hebben het door Erasmus verlangd beter onderwijs in de oude talen alom in Nederland te doen aannemen; en ofschoon hij bij Erasmus vergeleken (tien of twaalf jaren zijn oudere, en reeds vermaard toen Murmellius nog beginnen moest zich een naam te maken) in alles een man van den tweeden rang was, verdient hij de opmerkzaamheid die men in den laatsten tijd voor het eerst of opnieuw hem is gaan schenken.

Het waren de jaren die de vereniging der gezamenlijke nederlandse provinciën onder Karel V onmiddellijk voorafgingen, en van welke de geschiedschrijvers in het vervolg terecht de voltooiing van den Nederlandsen Staat zouden laten dagtekenen. Veel echter lag nog overhoop.

Er was een koning van Denemarken, gehuwd met een zuster van Karel V, die, op grond of onder voorwendsel dat de bruidschat zijner Isabelle nog niet voldaan was (in het overige ontzag hij zijn jonge vrouw niet zeer, maar leefde openlijk te Kopenhagen met een mooi hollands meisje uit Amsterdam), beslag legde op de nederlandse schepen in den Sont, bij tweehonderd tegelijk.

Grote schade voor de koopsteden van Noord-Holland! Maar van voorbijgaanden aard, en gering of vriendschappelijk, vergeleken bij de hekatomben van noord-hollandse mensen en noord-hollandse vaartuigen, in dezelfde jaren geofferd door een landgenoot: den friesen zeeschuimer Sappier of Sapper van Sylt of van Heemstra, bijgenaamd Groten Pier, — volgens de beschrijving een kerel als een boom, donker van uitzicht, breedgeschouderd, met een langen zwarten baard, van nature een ruw humorist, door de omstandigheden in een afzichtelijk wreedaard herschapen.

15

Uit persoonlijke wraak over bloedig onrecht in 1514 hem aangedaan door de oostenrijks-gezinden onder de Friezen (het doden van bloedverwanten; het verwoesten ener hem toebehorende hofstede; aanvankelijk schijnt hij landbouwer geweest te zijn) beschouwde hij de hollandse onderdanen van Karel V voortaan als zijn wettige prooi, naar lijf en goed. De boer werd boekanier, en liet door Karel van Egmond zich erkennen als het hoofd ener kleine vloot, eerlang de schrik van West-Friesland.

Galg en rad in zijn wapen voerend spookte deze woesteling vijf jaren lang op de nederlandse wateren, en vereerde zichzelf de zonderlingste titels: koning van Friesland, hertog van Sneek, graaf van Sloten, verwoester der Denen, wreker der Bremers, aanhouder der Hamburgers, kruis der Hollanders.

Het laatste was geen grootspraak. Een hollands admiraal, ten einde den friesen buiter te stuiten in zijn vaart, kondigde vrije contra-roverij tegen hem af: „De Heer Van Fleteren, admiraal van de Zuiderzee, consenteert en geeft oorlof van 's konings wege dat een iegelijk, wie hij zij, zonder dienst zal mogen roven, branden, pilliëren en doodslaan, de rebellen en vijanden des konings, en hun goederen aanvaarden en houden voor goede en vrije prijs en buit, zonder iemands wederzeggen. Gedaan te Enkhuizen, den 6den Augusti 1516." Dit hielp echter niet veel. Nog in hetzelfde jaar voer Pier, ditmaal met honderdvijftig schuiten en vierhonderd man, uit Friesland naar Medemblik, doodde er een groot aantal burgers, plunderde de stad, en keerde met een rijken buit huiswaarts.

Het jaar 1518 zag hem van nieuws in zee, schepen aanrandend, de bemanning afmakend en, wanneer onder hen zich Hollanders bevonden, dezen de voeten spoelend. In 1519 raakte hij bij Hoorn met een overmachtigen hollandsen vijand slaags zonder het onderspit te delven. Integendeel, hij veroverde elf schepen, elk met vijftig opvarenden, die, allen Hollanders, tot den laatsten man verdronken werden. Hoorn werd genomen en geplunderd; bij den af-

16

tocht een enkhuizer kog buitgemaakt; het volk overboord geworpen; het sidderend Enkhuizen voorbij naar Medemblik gezeild; nogmaals daar een aantal huizen verbrand, en de zegevierende steven weder naar Friesland gewend. Dit schijnt Pier van Heemstra's laatste wapenfeit geweest te zijn.

Honderd malen had de booswicht den dood door beulshanden verdiend, doch de rechters wilden of durfden hem niet aan. Rustig zette hij als een welgesteld burger zich neder te Sneek, en stierf niet lang daarna van schrik, aan de gevolgen ener spookverschijning. Het spook was niet de bloedige schim van een overboord geworpen vijand en slachtoffer, maar (en dit vermindert geenszins het fantastische in het leven van dezen hartstochtelijken man en gevreesden waterduivel) de lachwekkende van een bij ongeluk aan zijn eind gekomen dronkaard en halven gek, onder zijn eigen volgelingen.

VI

De ziel der gruwelen van Pier van Heemstra's bestaan was Karel van Egmond (1467—1537), laatste eigenlijke hertog van Gelderland, in wiens persoon het nederlands provincialisme der middeleeuwen den doodstrijd tegen de wordende nationale eenheid der toekomst gevoerd heeft.

Ware hertog Karel de waardige vertegenwoordiger van een toonbaar denkbeeld geweest, men zou eerbied, men zou bewondering gevoelen voor den vorst van een onnaspeurlijk gewest, die gedurende een halve eeuw het machtig Huis van Bourgondië-Oostenrijk de spits bood. Al konden wij de zaak voor welke hij streed niet liefhebben, wij zouden het zijn liefde doen.

Doch het behoeft niet. Zijn enige denkbeelden waren persoonlijke grieven, eigenzinnigheden, een zelfzuchtig dwingen om het onmogelijke, het nutteloze, het schadelijke. Liever turks dan paaps was de leus van dezen trouwelozen Nederlander; tegelijk zo paaps dat de scherpste plakkaten van Karel V tegen de lutheranen door hem nog verscherpt werden. Waren zijn onderdanen niet tussenbeide gekomen, hij zou, ten einde Gelderland niet aan Oostenrijk te zien vervallen, het hertogdom aan Frankrijk verpand hebben.

Ridderlijkheid en vaderlandsliefde waren Karel van Egmond gelijkelijk vreemd, waardig meester van Pier van Heemstra te water en van Maarten van Rossem aan den wal. Behalve een graftombe in de Eusebiuskerk te Arnhem, is van zijn vijftigjarigen worstelstrijd in de herinnering der nakomelingschap niets overgebleven dan één lange streep geplunderde steden, platgebrande dorpen, aangespoelde matrozenlijken, zieltogende soldaten. Zijn buitengewone gaven zelf, zijn moed, zijn vindingrijkheid, zijn volharding, het ontembare in zijn aard, zijn hem en zijn land tot verderf geweest. In een tijd toen slechts de eenheid Europa van de barbaarsheid redden kon, heeft hij tot iederen prijs een onafhankelijk miniatuurvorst willen zijn, toonbeeld van den noord-europesen middeleeuwsen despoot in zakformaat, die niets voor den handel of de nijverheid, niets voor de kunsten of de wetenschappen, niets voor anderen doet, en tevreden is, zo hij door het vergieten van stromen burgerbloed de dubbelzinnige vermaardheid zijner onbelangrijke voorouders handhaven, en uit hun betwiste nalatenschap voor zich een nutteloze hertogskroon redden kan.

De plundering van Alkmaar is voorgevallen tussen twee der oorlogsverklaringen van landgenoten aan landgenoten, wier zelden verbroken reeks, telkens na een even verraderlijk geschonden als lichtzinnig gesloten wapenstilstand, de eindeloze regering van Karel van Egmond gevormd heeft.

In het begin van 1515 hadden de Geldersen met de Hollanders vrede gemaakt, en hertog Karel was den koning van Frankrijk, die daarbij als bemiddelaar gediend had, met zesduizend man naar Italië gevolgd. Maar de Hollanders, werd hem daarginds gemeld, schonden het verdrag.

18

Hij kwam terug, zonder troepen, en ervoer dat het gerucht waarheid sprak, hoewel de anderen het tegendeel beweerden.

Karel maakte zich meester van Nieuwpoort, bij Schoonhoven, dat echter door de Hollanders onder Hendrik van Nassau spoedig hernomen werd. Zeventien personen uit Nieuwpoort, tien burgers en zeven edelen, zagen zich naar Den Haag voeren, omdat zij de Geldersen van leeftocht voorzien hadden. De edelen werden onthoofd, de burgers gehangen.

In den zomer van 1516 liep graaf Hendrik, stedehouder van keizer Karel in Holland, met zes- à zevenduizend man de Veluwe af, tot onder de muren van Arnhem te vuur en te zwaard alles verwoestend. Een gelders kasteel aan de Zuiderzee, het slot Hulkestein, werd door de Hollanders genomen. Kommandant en bezetting sloegen zij in de boeien, lieten het kasteel in de lucht springen, en staken de nabijliggende schepen in brand.

Toen was het dat Karel van Egmond zich niet alleen met Pier van Heemstra in betrekking stelde, maar ook een befaamde legerafdeling in dienst nam, die al geruimen tijd in Friesland naar bezigheid en soldij had omgezien.

Deze Zwarte Hoop, acht- of negenduizend man sterk, bestond eigenlijk uit Saksers, hannekemaaiers in het harnas, naar Friesland ontboden door een saksisch hertog, die daar leenman of stedehouder van den keizer van Duitsland was. Misschien was op dat ogenblik nergens in Europa een volmaakter roversbende te vinden dan deze uitgehongerde vreemdelingen, zonder dak, zonder klederen, zonder voedsel, met geen andere middelen van bestaan dan hun zijd- en hun schietgeweer. Twee saksische officieren, Andreas Pflug en Otto Schenck, waren hun opperbevelhebbers. Een dozijn berooide friese edelen, met geweld den bedelstaf zoekende te keren waartoe de staatkundige partijschappen hen dreigden te veroordelen, deden als luitenants dienst. Voor zover de manschappen geen Saksers waren, waren zij friese boeren en veldarbei-

ders, wrekers van geleden onrecht te land, zoals de matrozen van Groten Pier ter zee.

Van het loslaten dezer duivels in mensengedaante op
Noord-Holland, door Karel van Egmond in het voorjaar
van 1517, is Alkmaar het slachtoffer geweest. Eerst maakten zij zich meester van Dokkum, in Friesland zelf, en staken toen uit de Kuinder naar Medemblik over, waar zij op
het kasteel, door een hollands officier goed verdedigd,
het hoofd stieten, maar de ongelukkige stad stormender-
hand innamen en beroofden. Vandaar ging het, brand-
schattend, brandstichtend, moordend, plunderend, het ene
dorp vóór, het andere na met den grond gelijkmakend,
voorbij Hoorn naar Alkmaar, waar, in de tweede helft van
Juni, een gehele week op de meest barbaarse wijze huisgehouden werd. Den negenden dag, vrezende door de hollandse troepen te zullen ingesloten worden, staken zij de
stad op verschillende punten in brand, voerden de voornaamste ingezetenen als gijzelaars mede, trokken over Egmond en Beverwijk naar Sparendam, en geraakten van
daar, Amsterdam mijdend, naar de provincie Utrecht.

Te Kuilenburg of te Vianen kwamen zij de Lek over, en
zij nestelden zich in Asperen aan de Linge, waar de bevolking tot den laatsten man uitgemoord werd. Doch toen
keerde de kans. Hendrik van Nassau wist hun te Asperen
den toevoer van levensmiddelen af te snijden, zodat zij genoodzaakt waren deels naar Amersfoort de wijk te nemen,
deels naar de Veluwe. Het leger, bij buitengewone oproe-
ping in dorpen en steden door de Hollanders toen bijeen-
gebracht, moet talrijk geweest zijn; de Zwarte Hoop althans werd van verschillende zijden aangetast, en in zijn
gelederen een meedogenloze slachting aangericht. Eindelijk drongen de Hollanders tot vóór Arnhem door, waar
Karel van Egmond het zwaar te verantwoorden zou gekregen hebben, zo Frans I niet nogmaals tussenbeide gekomen was en Karel V niet naar Spanje verlangd had. Te
Utrecht werd een verdrag gesloten dat voor een korte poos
aan den oorlog een eind maakte.

20

VII

Men kan zeggen dat, gelijk in de jeugd van bijzondere personen, evenzo in het leven van jonge volken sommige hartstochten moeten uitgegist hebben, eer het tot vorming komen kan. De middeleeuwse Nederlanders althans, Vlamingen, Brabanders, Hollanders, Geldersen, Friezen, zijn een geslacht van onderlinge plunderaars, brandstichters, doodslagers geweest, en hun geschiedenis heeft slechts een aaneenschakeling van even bloedige als nietige burgeroorlogen te vertonen. Er wordt niet gestreden voor haardsteden of altaren; niet om het veroveren van een beteren regeringsvorm op een minder goeden; niet voor het stichten of handhaven ener nationaliteit. Allen spreken één taal. Allen zijn goede roomsen, ook wanneer zij van een bisschop in hoger beroep komen bij een paus, of van een paus bij een rijksdag. Allen zijn legitimisten en monarchalen, ook wanneer edelen of staten het gezag van den vorst zoeken te beperken, of er onder de burgers gevonden worden die een aandeel in het gemeentebestuur eisen. Zij vechten alleen omdat zij, van stad tot stad en van provincie tot provincie, elkander de gevoelens van dolle stieren toedragen; omdat des enen tongval den ander razend maakt; omdat zij gescheiden worden door de Maas of de Zuiderzee; omdat aan beide zijden een te groot gedeelte der bevolking nog geen vaste middelen van bestaan heeft, en de vorsten, door het voorspiegelen van de hoop op buit, wanneer zij matrozen voor hun koggen of soldaten voor hun legers en legertjes behoeven, altijd gewillige oren vinden.

Te midden der naweeën van dien toestand, door hem en zijn vriend Willem Hermansz van jongs af betreurd, groeide Erasmus op. Tussen de platgetreden voren van dien niet onvruchtbaren maar verwaarloosden nederlandsen bodem, is het goede zaad van het nationaal hoger onderwijs uitgestrooid moeten worden.

In een vorig hoofdstuk zagen wij dat de hogere vorming in Nederland oudtijds een invoer-artikel uit het buitenland was. Vóór de laatste jaren der 15de eeuw, te Deventer, toen Erasmus reeds een leerlustige knaap was, heeft in Nederland geen middelpunt van wetenschappelijk onderzoek bestaan, zwemend naar een universiteit. Men doodverft met dien naam kapittelscholen als de vijf utrechtse van weleer; abdijen als die van Egmond, van Middelburg, van Aduard of Adewert. Ten onrechte.

De Middelburgse abten waren mannen van de wereld, niet zonder zin voor architectuur, voor de beeldhouw- of de schilderkunst. De volksverbeelding van den natijd had reden hun abdij met twaalf torens te tooien. Albrecht Dürer heeft in 1521 met onderscheiding kunnen spreken over een *Kruisafneming* van Jan Gossaert boven het hoogaltaar hunner kerk. Hadden de beeldstormers van 1566 en de vlammen van 1567 minder verwoestingen aangericht, misschien bewonderden wij nog op dit ogenblik hun graftombe van graaf Willem II. Men beweert dat hun boekerij, in 1492 vernield door een brand, zeldzame en kostbare werken behelsde. Doch aan de wetenschap bewezen zij geen diensten. Zelfs is gedurende al den tijd van haar bestaan uit hun stichting niet één kroniek voortgekomen, belangrijk of onbelangrijk.

Het is dezelfde soort van loffelijke algemene beschaving, gepaard met hoofse manieren, die te Rijnsburg aangetroffen werd onder de vrouwen. Ook de rijnsburger abdij schijnt een samenstel van fraaie gebouwen vertoond te hebben, uitgebreid en bijgewerkt tot kort vóór de vernieling in den geuzentijd. Er was te Rijnsburg een bibliotheek. De nonnen hadden vermaardheid als zangeressen, getuigt Stoke; en misschien was het háár school van welke hij zegt dat de toekomstige graaf Floris V in zijn jeugd er heengezonden werd door zijn moei, om frans en duits of nederlands te leren. Doch een middelpunt, gelijk de angelsaksische abdij van Frideswida waar de hogeschool van Oxford uit voortkwam, is de abdij van Rijnsburg nooit geweest.

In dit opzicht althans onderscheidde zich gunstig de insgelijks in den geuzentijd verwoeste abdij van Egmond, aan wier archief wij Melis Stoke danken, en de door hem gebruikte latijnse kroniek van nog ouder dagtekening dan de zijne. Hadden de abten van Egmond minder kunstsmaak dan die van Middelburg, zij toonden meer liefhebberij voor de vaderlandse historie. Vergelijken wij echter hun bedrevenheid in dit vak met de veelszins voortreffelijke boeken die hun bibliotheek stoffeerden, dan moeten wij erkennen dat zij de gaaf misten in de eenzaamheid hun eigen geest te vormen en daarna op hun beurt anderen voor te lichten. Hun abdij heeft geen enkel noemenswaardig vernuft gekweekt. Niet van haar had Stoke zijn beste deel, maar van de natuur.

De abdijkerk te Adewert, kopij der kerk van den Heiligen Bernard te Clairvaux, had vóór 1580, toen de gereformeerden haar in brand staken, een groten naam. In het adewerts klooster zal de voortreffelijke Johannes Wessel (1420—1489) feitelijk een soort van academie aangetroffen hebben. Wessel kende enig grieks, enig hebreeuws; gold bij zijn leven voor het licht der wereld; was nog na zijn dood een verrassing voor niemand minder dan Luther; beslaat een eervolle plaats in de geschiedenis van het nederlands christendom vóór de hervorming.

Toch zijn wij genoodzaakt toe te geven dat zowel Gansfoort als zijn niet minder beroemde voorganger Geert Groote (1340—1384) veeleer bekwame katechiseermeesters geweest zijn, dan hoogleraren of mannen van het hoger onderwijs. Tevergeefs zal men in Wessels geschriften naar belangstelling in iets anders dan kerkelijke of theologische kwestiën omzien. Hij is de vraagbaak van den zonderlingsten aller nederlandse bisschoppen, David van Bourgondië, die iederen zomer, wanneer Gansfoort te Zwolle het gezelschap van Thomas a Kempis komt zoeken, kamers voor hem huurt in een logement of buiten, en zelf zich óók naar Zwolle of Vollenhove begeeft, ten einde op zijn gemak met Wessel te kunnen theologiseren. Zelfs wanneer

Gansfoort in vertrouwelijke gesprekken met zijn jongeren vriend en stadgenoot Rudolf Agricola, insgelijks een man met uitnemende gaven (1443—1485), zijn hart uitstort, dan handelt hij enkel over de rechtvaardiging door het geloof, beweent de duisternis der kerk, en houdt strafredenen tegen de ontheiliging der roomse mis of de schennis van het celibaat der priesters. Ondanks zijn veeljarig verblijf te Parijs, en zijn herhaalde reizen naar Italië (waar een zijner persoonlijke vrienden den pauselijken stoel bekleedde), is hij steeds zich in één kring van denkbeelden blijven bewegen en daar nooit uitgekomen.

Juist zulk een man was ook Geert Groote, minder geleerd dan Wessel Gansfoort, maar in de praktijk zijn meerdere. Hoe onwaarschijnlijk het klinke, Geert Groote heeft zo goed als zeker Petrarca te Avignon ontmoet; plaatsen uit Petrarca's werken vindt men met ingenomenheid aangehaald door een van Grootes onmiddellijke lee⸱lingen. Ons schijnen geen twee andere namen toe, zul⸱ ⸱en scherpe tegenstelling te vormen. Ware Geert Groote nog een paar jaren blijven leven (bewonderenswaardige zelfopoffering deed hem in zijn vollen bloeitijd weggenomen worden), een paus zou hem tot Inquisiteur van Nederland benoemd, en hij, geboren kettermeester, met beide handen de betrekking aangenomen hebben. Zelfs geen onnozelen joodsen kwakzalver kon hij met rust laten, maar dreef, met de hulp der deventerse politie, den armen drommel uit de stad; schreef ijlings naar Harderwijk, aan gelijkgezinde ketterjagende vrienden, opdat men ook daar hem weren zou; en beroemde er zich op, den man niet te hebben doen verminken of doden.

Grootes toornen tegen de priesters, die met huishoudsters leven, welt niet uit beledigd eergevoel (dat die mannen onbeschaamd genoeg zijn openlijk een heilige gelofte te schenden), maar uit een volstrekt onmaatschappelijk beginsel van celibaat-verering. Zelf uit overtuiging celibatair, beschouwt hij de afzondering der geslachten als het middel bij uitnemendheid tegen de kwalen der eeuw. De

24

arme vrouwelijke verpleegden in zijn Meester Geertshuis, te Deventer, mogen in de stad zelfs geen kraamvrouwen oppassen of voor baker uitgaan. Hij haat de vruchtbaarheid van het mensdom. Een gehele kolonie van fraterhuizen en zusterhuizen wordt door hem in het leven geroepen; mannelijke en vrouwelijke begijnhoven, waar het leven opgaat in eenzame of gemeenschappelijke godsdienstoefeningen; het naschrijven van handschriften de enige afleiding is voor den geest; het zuiveren van den tekst der bijbelse Vulgata als het hoogste punt beschouwd wordt waartoe de wetenschappelijke ontwikkeling kan of mag gaan. Het bouwen van den utrechtsen domtoren is Geert Groote een ergernis.

Erasmus schijnt ons in zijn recht wanneer hij, toen dit een eeuw en langer geduurd had, zich zijn leerjaren in het fraterhuis te 's Hertogenbosch herinnerend, schrijft: „Ik voor mij geloof dat er onder de Broeders mannen verkeren die geenszins te verachten zijn. Maar, daar zij gebrek hebben aan goede boeken; daar zij afgezonderd, naar vastgestelde regelen, in de duisternis leven, en zich niet met anderen, maar alleen met zichzelf moeten vergelijken; daar zij verder gedwongen zijn een goed deel van den dag zich aan een bepaalde taak, hetzij van gebeden, hetzij van handenarbeid te binden, zo zie ik niet, hoe zij met mogelijkheid de jeugd een vrijere opvoeding zouden kunnen verschaffen (pueritiam liberaliter instituere)."

Geert Groote, Thomas a Kempis, Wessel Gansfoort, beoogden niet in de eerste plaats het vrijzinnig vormen der jeugd. Toen paus Sixtus IV zijn ouden vriend Wessel aanspoorde een gedachtenis van hem te verlangen, toen vroeg Wessel niet om een handschrift van Virgilius, van Plato, van Homerus, of een der andere teksten voor het opsporen waarvan Petrarca en Boccaccio zich zoveel moeite gegeven hadden. Hij vroeg om een Nieuw Testament in het grieks, om een Oud in het hebreeuws; en de paus vergunde hem een keus te doen uit de verzameling in het Vaticaan. Het godsdienstige ging bij Wessel boven alles. Hij kende niets hogers dan joods-christelijke stichting uit de eerste hand.

In het deventerse en de verdere fraterhuizen wordt de geest van wetenschappelijk onderzoek rechtstreeks bestreden. In de *Imitatio Christi* vindt men de critiek met den minachtenden naam ,,curieusheydt" aangeduid, en waarschuwend voorgesteld als een deels nutteloze, deels schadelijke neiging, aan welke het den mens, zo hij zich een onvergankelijken schat wenst te verzamelen, niet betaamt toe te geven. Het: *Blijf gaarne onopgemerkt!* zit er stilzwijgend bij Geert Groote, uitdrukkelijk bij Thomas a Kempis, zo diep in, dat indien er: *Bemin de onkunde!* stond, de ene paradoxe ons niet sterker verbazen zou dan de andere. Bij al de mannen dezer school, het minst bij Agricola, vloeit, door de logica van het beginsel, het *ama nesciri* in een *ama nescire* weg. Niet krachtens, maar ondanks hun bedoelingen zijn zij voorlopers der renaissance geworden.

Egmond, Middelburg, Adewert, Zwolle, Utrecht, Amsterdam, Deventer, — misschien behoort, bij deze verloren posten der nederlandse wetenschap in de middeleeuwen, ook Leiden gevoegd te worden.

In 1372 werd daar ter stede door den schrijver van het *de Cura Reipublicae,* bekwaam jurist, ten dienste der letteroefenaren de vicarie van St. Andree gesticht; en wij veronderstellen terecht dat in den mond des volks deze inrichting niet als *Salomons Tempel* zou zijn blijven voortleven, indien er geen redenen bestaan hadden haar als een kweekbed van wetenschap of wijsheid aan te merken.

Een school of hogeschool echter is de leidse Tempel Salomo's nooit geweest; enkel een boekerij. En de overblijfselen van deze zijn in 1575 en vervolgens bij de bibliotheek der leidse academie kunnen gevoegd worden, zonder dat buiten den archeoloog Jan van Hout iemand een heldere voorstelling omtrent hun herkomst bezat.

VIII

De nederige arbeid van Murmellius bewijst; schitterender getuigenissen uit denzelfden tijd staven evenzeer, dat in het eerste vierdedeel der 16de eeuw in Nederland en in Noord-Europa een geestdrift voor de klassieke oudheid ontwaakt is, van welke bij de mannen der hervorming vóór de hervorming geen sporen aangetroffen worden. Uit dit tijdperk dagtekent te onzent een vroeger ongekende verering van het Rome der consuls en der Caesars.

Men moet in 1527, wanneer de aan het muiten geslagen troepen van Karel V, tot besluit van een italiaansen veldtocht, de stad der steden geplunderd hebben; men moet in de academische gehoorzaal te Wittenberg, onder Melanchthons voorzitterschap, den jongen redenaar van den dag over dien gruwel horen uitweiden. Met weemoed herdenkt hij het schenden van kerken, het verbrijzelen van praalgraven, het beroven van altaren. Met niet minder droefheid het vernietigen van boekerijen: „Zullen wij heilig en goddelijk noemen de gouden kelken van welke men zich bij de kerkelijke ceremoniën bedient, en niet de boeken in wier bladen de hemelse godspraken vervat zijn, de leer des geloofs, de lessen der aan het mensdom geopenbaarde wetenschap?" Twaalf dagen hebben de woestelingen onbeteugeld huisgehouden in de heilige stad, en door het vieren van spotmissen de saturnaliën van moord en diefstal voltooid! Het enige wat Melanchthon troost is de gedachte, dat spaanse soldaten van den keizer, geen duitse voor het minst, de heiligschennis voor hun rekening hebben.

Zo weeklaagde de byzantijnse Nicétas over het plunderen van Konstantinopel door de Kruisvaarders. Het Rome der oudheid, voortlevend in het Rome der pausen, is, ondanks den strijd over den godsdienst die aanvangt Europa in vlam te zetten, voor de mannen van dit tijdvak het eerwaardig vaderland van den geest. Parijs en de middeleeuwse scholastiek hebben opgehouden de aandacht te boeien. Aller ogen zijn op Italië gericht. Zij spreken over de aan Rome gepleegde schennis als gold het de eer hunner moeder of hunner zuster.

„Met hatelijken ijver," wordt tot de duitse studenten gezegd, „rakelen sommigen de ondeugden en de rampen op, welke door Rome over andere volken gebracht zijn. Doch een schelm is hij die het misdadige herdenkt, en het liefelijke vergeet! Ook werd door zulke bitsheden nooit één gebrek verholpen. Een vadermoorder noemen wij den man die, om zijn vader voor een misstap te tuchtigen, hem de ogen uitgraaft of de handen afhouwt. Of was het geen vadermoord, in naam van ik weet niet welke overtredingen, aan het vaderland zulk een gruwelijk vonnis te voltrekken? *Aller* tweede vaderland is Rome; allermeest van ons, academieburgers, die Romes taal spreken en aan Rome groter verplichtingen hebben dan de schare. Met de schare hebben wij de wet gemeen, niet de studie; en deze gaat alle andere menselijke voorrechten ver te boven. Helaas, wiens hart bloedt niet bij den aanblik der verminkte Stad, door Virgilius het sieraad des heelals genoemd, *pulcherrima rerum?* Eenmaal was zij heerseres over alle volken; zij alleen bezielde tot meer edele daden dan de overige natiën te samen. Uit haar zijn tot ons de wetten gekomen, de letteren, de godsdiensten, de beschaving, alle wetenschappen, alle levenswijsheid. Al ware het bewezen dat paus Clemens fouten heeft begaan, had het niet betaamd ter wille van zovele en zulke diensten de stad te sparen? Doch daar komt een razend leger, en verhaalt op ons aller vaderland (herzig ik) de schuld van den paus! Veel hebben wij aan onzen geboortegrond te danken; oneindig meer aan Rome. Zij is de vierschaar, voor welke alle volken hun rechten zijn komen bepleiten. Zij heeft in alle eeuwen op post gestaan als de schildwacht van den godsdienst. Zij strekte te allen tijde de geleerdste mannen tot woning. Aan de balling geworden kunst en letteren van Griekenland opende zij een toevluchtsoord. Nog niet lang geleden werden binnen haar muren de vrije wetenschappen als voor de tweede maal geboren. Uit haar verbreidden zij zich over alle landen, niet

28

anders dan door Triptolemus het tarwegraan is uitgestrooid, met de aarde tot zaaiveld. Hartelozen, indien zij
geweten hebben wat zij deden en zij van zulk een weldoenster zich de schuldenaren niet gevoelden! Zinnelozen,
indien zij er geen besef van hadden!"
Dit gaat zo voort, van bladzijde tot bladzijde.

IX

Murmellius was de tijdgenoot der vaders wier zonen met
ingenomenheid deze opwekkende taal aanhoorden, en als
een ander *l'art pour l'art!* de hulde aan Rome om Rome in
hun banier schreven.

Zijn loopbaan, vóór hij naar Alkmaar komt, is geheel die
van een belangstellend litterator dier dagen, met gaven.
Talentvolle jongelieden zonder middelen en uit geringe
ouders, bezield met liefde voor de studie, maar afkerig van
het kloosterleven, begonnen destijds een loffelijk middel
van bestaan in de geleerdheid te zoeken. Men werd toen
in Nederland geleerde, zoals men honderd jaren daarna
schilder of beeldhouwer werd. Noord-Europa gevoelde
door den roem van Italië zich tot naijver geprikkeld, en het
opkomend geslacht was zich bewust een achterstand te
moeten inhalen. Het aanbod lokte de vraag uit; en, al waren de vooruitzichten niet schitterend, de vraag kwam.
Was men knap, dan had men kans benoemd te worden tot
secretaris van een prins, van een prelaat, of verbonden als
repetitor aan aanzienlijke en vermogende studenten bij een
academie in het buitenland. Gaf men liever classicaal onderwijs te huis, dan privaatlessen in den vreemde, de gelegenheid stond open. De jongeren werden praeceptor, of
conrector aan een gymnasium hier of daar (de herschep-
ping van vele oude kapittelscholen in gymnasia dagtekent
van dit tijdvak); de ouderen, zo zij zich een naam gemaakt
hadden of een sterke roeping gevoelden, richtten een eigen
gymnasium op.

Zo stond de westfaalse boerenzoon Alexander Hegius,

in de wandeling Meester Sander genoemd, eerst vijf jaren aan het hoofd ener Groote-school te Wezel, daarna één jaar aan het hoofd ener stiftschool te Emmerik; tot hij in 1475 de stoute schoenen aantrok en naar Deventer kwam, waar de kapittelschool weliswaar nog sommige bekwame docenten, maar op dat tijdstip niet vele leerlingen meer telde. Hij benoemde er zichzelf, of werd er benoemd, tot rector van een gymnasium; en in de drie-en-twintig jaren die hij er werkzaam bleef, ging er zulk een roep van hem uit, dat vaak meer dan tweeduizend jongelieden tegelijk om zijnentwil te Deventer kwamen studeren. Het bedrijf van geleerde was een soortgelijke tevens literarische en maatschappelijke werkzaamheid geworden, als dat van dagbladschrijver in onze dagen.

De vader van Murmellius, roermonds ambachtsman of winkeliertje, spaarde wat hij kon, opdat de leergierige knaap de latijnse school zijner woonplaats bezoeken mocht. Het feit staaft dat omstreeks 1490 te Roermond zulk een inrichting gevonden werd, dank zij sommige gunsten van een toen overleden hertog van Gelderland; doch het onderwijs was er gebrekkig. Na den dood des vaders kuierde de zoon naar Deventer; en nadat hij gedurende een jaar of wat de lessen van Hegius had bijgewoond, ging hij te Keulen beproeven doctor in de letteren te worden. Verder echter dan doctorandus kon hij wegens gebrek aan middelen het vooreerst niet brengen, en hij trok naar Munster, in de hoop er een plaats aan een gymnasium te zullen vinden. Hij moet toen zo arm geweest zijn dat de overlevering hem een poos dienst laat nemen als soldaat, en, met een piek in de hand, solliciterend voor Rudolf von Langen verschijnen: een voornaam priesterlijk bevorderaar van het onderwijs in die stad. Mogelijk evenwel is dit slechts een fabel. De domheer Von Langen, juist aan het reorganiseren zijner domschool, ontdekte in den jongeling een buitengewonen aanleg voor het lesgeven; werd getroffen door zijn vaardigheid in het schrijven van latijnse verzen, en bood hem een conrectoraat aan.

Volle twaalf jaren bleef Murmellius in die, en in een soortgelijke betrekking aan een ander gymnasium, te Munster werkzaam; waar toen het woeste huishouden nog niet heerste dat vijf-en-twintig jaren later er de wederdopers zouden aanrichten. Hij onderscheidde zich door het uitgeven van een paar bundels eigen latijnse poëzie; eclogen en elegieën, deels van rechtzinnig-katholieken, deels van zedekundigen, deels van persoonlijken aard: gemoedsuitstortingen van het zelf-ondervondene. Vooral maakte hij naam door het samenstellen van verbeterde latijnse schoolboeken, zijn eigenlijke specialiteit: zowel beknopte spraakleren voor eerstbeginnenden als bloemlezingen uit latijnse dichters en prozaschrijvers van den ouderen of den lateren tijd. Alles uit de eerste hand, en naar nieuwe, door hemzelf uitgedachte methoden.

Een gestadig zich uitbreidende briefwisseling, welke hij met belangwekkende personen in Nederland en vooral in Duitsland onderhield, was een gevolg dier bedrijvigheid. Zijn schoolboeken en zijn verzen trokken om strijd de aandacht. Dichters (waaronder Ulrich von Hutten), geleerden (waaronder Bugenhagen), stelden zich met hem in betrekking. Vaders raadpleegden hem over de opvoeding hunner zonen. Andere vaders, wier zonen onder hem de lessen van het munsters gymnasium volgden, vroegen bericht omtrent gemaakte vorderingen. Door hun complimenteuse latijnse vormen schemert vertrouwen in zijn persoon, ingenomenheid met zijn leerwijs, bewondering voor zijn kunde en zijn gaven. Bij zijn vertrek naar Alkmaar bezat Murmellius vierhonderd brieven van dien aard, en kort na zijn vestiging in Noord-Holland gaf hij een klein getal der belangrijkste in het licht.

Een nederlands vriend vond hij in den egmonder monnik Balduïnus de Haga Comitum, samensteller van den catalogus der egmonder boekerij. Een gedicht van hem ter ere van Balduïnus is te vinden op het omslag of het schutblad dier lijst. Van twee andere persoonlijke vrienden van Murmellius, Hermann von dem Bussche en Allard van Amster-

31

dam, wordt gemeld dat zij af en toe in laatstgenoemde stad (Allard was er geboren) vertoefd en klassiek onderwijs gegeven hebben. Allard bepaalde zich tot privaatlessen, naar het schijnt; Hermann gaf in het openbaar college over een romeins blijspeldichter en een alexandrijns filosoof. Van die amsterdamse school echter is alleen de naam bewaard gebleven; en, hoe weinig ook, van de alkmaarse weten wij althans iets.

Vóór Murmellius was Bartholomeus van Keulen te Alkmaar werkzaam, en nog vroeger Antonius Vrye of Frye uit Soest: twee oudere tijdgenoten van hem, insgelijks filologen van zekeren naam, doch van wier leven en geschriften niet veel bekend is. Bartholomeus van Keulen, de laatstvorige ,,gymnasiarcha," zoals de officiële titel dier heren luidde, was in 1513 overleden of vertrokken; de alkmaarse magistraat zocht een geschikt opvolger; en vond dien in den pas drie-en-dertigjarigen munstersen conrector, door zijn handleidingen en door het advies van deskundigen voor de openstaande betrekking aangewezen.

Slechts vier jaren was Murmellius te Alkmaar werkzaam geweest, toen Karel van Egmond's zwarte bende een week lang de stad kwam plunderen en den negenden dag, bij het aftrekken, haar in brand stak. In deze vlammen, oorzaak ener schade welke de ingezetenen berekenden in geen halven mensenleeftijd te boven te kunnen komen, verdween ook het gymnasium van den nieuwen rector. De leerlingen namen bij honderdtallen de wijk, en waren blijde er het leven af te brengen. Aan geen huisvesting bij de burgers viel langer te denken, aan geen studiën, geen lessen. De inrichting, nog te jong om van zulk een schok zich te kunnen herstellen, ging voorgoed te gronde.

Van schier alles beroofd, verantwoordelijk voor een jonge vrouw en een hulpbehoevend kind, vlood Murmellius naar Zwolle. Een uitkomst scheen het dat, nog in hetzelfde jaar, het gymnasium te Deventer, waar hij onder Hegius gestudeerd had, openkwam. Met nieuwen moed aanvaardde hij er het rectoraat, doch verloor enige weken daarna op geheimzinnige wijze het leven.

X

Een echt stuk van 1523 bewaart de herinnering der alkmaarder school. Het is een gunstige beschikking, gedagtekend 5 Februari van dat jaar uit Brussel, waarin Karel V de Alkmaarders het derde deel hunner bede kwijtscheldt, op grond „dat omtrent ses jaeren geleden binnen die voorschreven stede geweest is een vermaerde schoole en congregatiën van veel clerken, so wel uyt onse landen als uytheemsche jongheeren, waer door die voorsz. stede met de inwoonders van dien grootelyx van excynsen, inkomste en neeringe profiteerde. Daerna, in den jaere 1517, de voorsz. stede onvoorzienelyk is ingenomen, die voorsz. klerken verjaegt, een gedeelte van de huysen verbrandt, en veel berooft syn geweest by de geldersche rebellen Vriesen onsen vyanden; immers die inwoonderen berooft van wyn, bier, coorn, vleesch, wollen, linnen, lakenen, kleederen, juweelen, kleynodien, ende huysraadt; de mans eensdeels gevangen; in al sulker voegen dat sy 't in dertig jaeren niet weder verhalen mogen. Bysonder aangemerkt dat die voorsz. rebellen Vriesen bovendien ten selven tyden binnen die voorsz. stede in stukken geslagen, verbrandt en vernielt hebben die tresorieren, banken en ander houtwerk aldaar wesende, ende bovendien gebrandt, gevangen, uytgeslagen en in de grondt verdurven hebben de dorpen ende landsluyden omtrent die voorsz. stede wonende; in alsulken manieren dat aldaar geen neeringe en is, nogh incomen, prosperityt, welvaeren, of profyt. Soo is 't enz."

Een halve eeuw later, in 1575, wendden burgemeesters en regeerders van Alkmaar zich tot Willem de Zwijger en vroegen een subsidie, opdat hun kwijnende „particuliere schoole mogte opgerecht en bequaem gemaekt worden, om daer inne spruiten der kennisse voor de Leidsche Universiteit aentequeeken." Dit buitengewoon verzoek grondden supplianten op de overweging „hoe zy een heerlyk School hadden gehad, tot groot gerief van Hollandt en Westvriesland, zulx dat bij hunne voorouderen over de negenhonderd klerken of leerlingen tot Alkmaer zyn geweest, ten tyde Bartholomeus Coloniensis en Johannes Murmellius aldaer lessen gaven."

Bij het aanvaarden van het rectoraat in 1514 kondigde Murmellius een *Schoolorde* af, die insgelijks van den omvang en de betekenis der alkmaarse inrichting een voorstelling doet bekomen. Het is geen programma van te behandelen auteurs of onderwerpen, maar een politie-reglement. Wij zien er uit dat de alkmaarse studenten voor het meerendeel aankomende jonge mannen geweest zijn; geen kinderen of knapen, zoals aan het gymnasium te Munster. Al liepen er vele vreemdelingen onder, de meesten waren denkelijk Nederlanders, uit verschillende steden en dorpen naar Alkmaar gekomen, en niet in een seminarie of in algemene kosthuizen gevestigd, maar op kamers bij burgers der stad. Zonder een universiteit te wezen, leefde het alkmaars gymnasium op den voet ener hogeschool. De volle vrijheid der leerlingen werd enkel door zedelijke voorschriften getemperd.

De meeste zinsneden van het manifest spreken voor zichzelf; en men zou alleen wensen, behalve den latijnsen tekst, ook een oud-nederlandse vertaling te bezitten: „De studenten zullen met de burgers bij wie zij inwonen, met hun kameraden in hetzelfde vertrek, en in het algemeen met hun medestudenten, wellevend en fatsoenlijk omgaan. — Zij zullen niemand beledigen, en afblijven van hetgeen hun niet toekomt. — Zij mogen noch buitenshuis slapen, noch 's nachts langs de straten zwieren. Zij mogen geen wijnhuizen bezoeken, niet in banketbakkerswinkels vertoeven, en nog veel minder met lichte vrouwen verkeren. — Het is de studenten verboden, degens of dolken te dragen. — Zij behoren voegzaam gekleed te gaan, met kortgeknipte haren. — Op Zon- en feestdagen moeten zij de heilige Mis en de predicatie bijwonen, door de week zich tijdig in het schoollokaal bevinden, met aandacht de voordracht des leraars volgen, te huis repetitie houden van het gehoorde, en zich voorbereiden voor de lessen van den volgenden dag. — Hun leus moet zijn: wel te leven en latijn te spreken."

XI

Ofschoon Alkmaar op de titelbladen van Murmellius' geschriften na 1513 een „voorname", „beroemde" en „aanvallige" stad van Holland genoemd wordt, en hij in 1516 de grafelijke inhuldiging van den nog niet zestienjarigen Karel V, als een goed onderdaan betaamde, met een bundeltje latijnse *Karelszangen* erkentelijk begroette, had hij het er niet onvoorwaardelijk naar zijn zin. Met welke gevoelens de plundering van 1517 hem vervulde, kunnen wij begrijpen. Onafhankelijk daarvan miste hij er zeer den omgang zijner geletterde oude vrienden te Munster, klaagde over een toezicht dat hem in de vrije keus zijner leermiddelen beperkte, en vond het een erg waterland. Den geboren Geldersman moet men dit laatste ten goede houden.

Er gaat een gerucht dat Murmellius, kort na zijn vlucht uit Alkmaar en zijn aanvaarden van het rectoraat te Deventer, door een afgunstig ambtgenoot vergiftigd, en die lelijke trek hem gespeeld is door Gerard Listrius, rector te Zwolle. De litteratoren der 15de en 16de eeuw haatten en vervolgden elkander met niet minder felheid, dan in de 16de en 17de eeuw de leden derzelfde kunstenaarsbent of de discipelen van voorname mededingende schilders deden in Italië, Frankrijk of Vlaanderen. Ook in de fraterhuizen werd somtijds een moord gepleegd. Spreekt, wat Listrius en Murmellius betreft, de overlevering waarheid, dan moeten wij erkennen dat het de moeite niet loonde af te geven op de zeden in de kloosters, of in naam van het humanisme de domheid der monniken te bestrijden, zo *dit* de vruchten der geleerdheid waren. Welke driften in een wereld die bij

35

den dienst der Muzen zwoer! Doch het onderzoek naar deze aangelegenheid zij de bijzondere levensbeschrijvers overgelaten.

Wij zouden wensen te weten op welke wijze de kosten van gymnasiën als het deventerse of het alkmaarse bestreden werden. Er bestaan echter daaromtrent geen stellige opgaven. De rector oefende een betrekkelijke alleenheerschappij uit. Zijn gezag over de scholieren was te onbeperkter, daar ook de leraren, zijn medehelpers, door hem aangesteld of ontslagen werden, en hij in alles de verantwoordelijke persoon was. Vermoedelijk ontving Murmellius te Alkmaar een vast traktement uit de gemeentekas, dan wel een toelaag als aanvulling van de schoolgelden, waaruit hij voor een gedeelte zichzelf en voor het overige zijn adjudanten salariëerde. Er waren inschrijvingsgelden, overschrijvingsgelden, en andere kleine emolumenten. Bovendien betaalde elke student drie schellingen collegegeld in het half jaar — het vierdedeel van hetgeen per jaar een ruime kamer kostte, groot genoeg voor twee jongelieden.

Men beweert dat die inkomsten, het verschil der geldswaarde in aanmerking genomen, niet buitensporig gering waren; vooral niet wanneer, zoals te Deventer en te Alkmaar, de studenten bij honderd- en honderdtallen mochten geteld worden. Het was een tijd dat men voor twee centen een pond vlees, voor twee dubbeltjes een paar schoenen, voor tien stuivers een schepel rogge kocht, en, bij kleine burgers aan huis, tegen betaling van tien gulden, voor twaalf maanden zich van kost en inwoning verzekerde.

Doch zelfs in het goedkope Alkmaar, en tijdens den volsten bloei der school, konden van drie schellingen per student en per semester de rector en de praeceptoren zich onmogelijk in den overvloed baden. Is Murmellius er nochtans op getrouwd met een meisje zonder geld (na zijn dood bleef zij in de bitterste armoede achter, zodat in het belang van haar en van haar kind een beroep op de goede vrienden gedaan moest worden), dan heeft hij minst genomen een sober bestaan geleid, en moeten wij met den stand den man hoogachten die, te midden van zo weinig comfort, on-verdroten zich wijdde aan een schijnbaar roemloze en dik-wijls ondankbare taak. De meeste dagen der week werd door iederen leraar zes uren daags les gegeven in vakken die wij thans nauwelijks weten te onderscheiden: filosofie, poëtica, rhetorica, dialectica, latijn.

Zo goed als zeker doceerde Murmellius te Alkmaar ook enig grieks. De methode had hij zich eigen gemaakt te Munster, toen in 1512 of 1513 een geleerde uit Keulen, die De Keyzer heette en zich Caesarius noemde, voor de lera-ren van het munsters gymnasium de geheimen van het vak op verzoek was gaan ontvouwen. Zo komt thans een piano-virtuoos les geven op een normaalschool, en in één cursus een geheel stel toekomstige concurrenten vormen.

Bewaard gebleven brieven van Caesarius aan Murmel-lius staven dat niet alle munsterse docenten goede betalers waren; zelfs de rector niet. Caesarius was blijven zitten met driehonderd griekse grammatica's, voor eigen reke-ning opzettelijk uit Parijs ontboden. Bij zijn vertrek uit Munster na afloop van den cursus, die een half jaar ge-duurd had, was hij, ten einde met zijn bediende op de te-rugreis naar Keulen geen gebrek te lijden, genoodzaakt ge-weest twee gulden te lenen van een bevriend munsters medicus. Het speet hem, bij zijn afscheidsbezoek aan den deftigen domheer Rudolf von Langen, niet te hebben dur-ven vragen om een westfaalse ham. Daarom droeg hij Murmellius op, hun gemeenschappelijken jongen vriend Johannes Hagemann bij gelegenheid te herinneren dat de-ze, uit erkentelijkheid voor bijzondere griekse vingerwij-zingen, hem *twee* westfaalse hammen beloofd had.

Die munsterse voorbereidingsjaren zijn misschien de ge-lukkigste en stellig de onbezorgdste tijd van Murmellius' leven geweest; wanneer hij, in 1512 en reeds vroeger, als vrijgezel een poos te Hamm ging doorbrengen en hij ten huize van zijn ouden vriend Fabri een kring van geleerden aantrof, stoute humanisten niet alleen, maar ook stoute drinkers. Niet dat hij in staat was hun het hoofd te bieden;

maar hun vrolijkheid, en de korte vacantie, wekten zijn dichtluim op, en sommige zijner beste verzen dagtekenen uit dien tijd. Hij gedacht er uit een erkentelijk hart zijn geboortestad Roermond. Hij prees er, in een onbewaakt ogenblik, de dapperheid van zijn landsheer, hertog Karel van Gelder.

Onder de oudere humanisten was het menigvuldig lichten van den beker geen ongewoon verschijnsel De geniale Rudolf Agricola, uitnemend letterkundige, geboren musicus, redenaar van naam, beminlijk mens, besproeide (onder vier ogen) zijn diepzinnigheden over de rechtvaardiging door het geloof somtijds zo overvloedig, en tot zo laat in den avond, dat hij op zijn benen niet staan kon, en de sobere Wessel Gansfoort hem met een lantaarn naar huis moest brengen. In Agricola was die onmatigheid te bevreemdender, omdat hij het leven overigens zeer ernstig opnam, en, toen hij in den bloei der jaren zijn einde voelde naderen, hij zich het gewaad van een franciskaner deed aantrekken, ten einde als monnik te sterven. Erasmus doelt op deze bijgelovigheid in een zijner *Samenspraken.*

XII

De werken van Murmellius, in klein-kwarto gedrukt met de bekende gotische handschriftletter van noord-europese getijboeken en bijbels der 15de eeuw, vallen bij het eerste doorbladeren tegen. Kan er een tijd geweest zijn dat er een nederlands geleerde, door het uitgeven van zulke nietigheden, naam maakte? Een bloemlezinkje van acht-en-veertig bladzijden uit de elegieën van Tibullus, Propertius, en Ovidius? Een commentaartje bij Cicero's *De Senectute?* Een ander bij Pulciano's *Rusticus?* Zoveel ciceroniaanse *Brieven* als twee-en-dertig pagina's bevatten kunnen? Een verbeterde tekst van Boëtius' *De consolatione philosophiae?* Zes satiren van Persius? Drie van Juvenalis? Lesjes voor eerstbeginnenden, bij elkander gesteld onder den naam van *Pappa?* een polemisch geschriftje, des auteurs zwanenzang, dat den vreemden titel *Scoparius* draagt?

Ik kan alleen nazeggen dat de onaanzienlijke *Pappa* in minder dan vijftig jaren twee-en-dertig malen herdrukt is, telkens duizend exemplaren. De bloemlezing uit Tibullus enz. beleefde in 1789, meer dan derd'halve eeuw na des schrijvers overlijden, haar zeven-en-zeventigste uitgaaf. Dergelijke onsterfelijkheid verraadt een buitengewoon talent van samenstelling, en wijst op een paedagogische roeping.

De oudste drukken van Murmellius zijn uit een technisch oogpunt belangrijk. De auteur is zich bewust geweest typografische eerstelingen te leveren, en heeft er dankbaar roem op gedragen een zoon van het grote duitse vaderland te zijn, welks schranderheid de drukkunst met beweegbare letters vond. Bijna al de eerste of tweede uitgaven zijner werken zijn te Deventer verschenen; en de stukken wijzen uit dat opkomst en bloei der typografie, in die stad, met het onderwijs van Hegius verband gehouden hebben. De deventerse Fraters, mannen van den ouden stempel, begrepen niet welke toekomst voor de nieuwe uitvinding weggelegd was. Aan zichzelf overgelaten, zouden zij met het kopiëren van handschriften voortgegaan zijn. Vóór Meester Sander bestond er te Deventer geen drukkerij; door zijn invloed verrezen er twee voor één, en Murmellius is ten einde toe, voor het verspreiden zijner geschriften, van zijn oude deventerse betrekkingen gebruik blijven maken.

Met zijn *Scoparius* of *Baanveger* bedoelde hij opruiming van verouderde leerboeken te prediken; en ongetwijfeld had de mode der italiaanse navolging een aandeel in dien ijver. De knapste mannen van het tijdvak-zelf waren ondanks de gebrekkige hulpmiddelen knap geworden. Het zou de tanden der zonen niet reddeloos verstompt hebben, nog een poos de zure druiven der vaderen te blijven eten. Evenwel, hetgeen wij van de middeleeuwse schoolboeken weten doet ons begrijpen dat hervorming wenselijk was, en geeft ons meteen den sleutel tot het schijnbaar onnozele en kinderachtige van Murmellius' surrogaten.

In een tijd toen er op de latijnse scholen nog bijna geen grieks onderwezen werd, was het verstandig het aanschaffen van een goed grieks woordenboek den *docenten* in de eerste plaats tot plicht te stellen; en alleen *wij* hebben schuld indien het ons vreemd toeschijnt dat de paedagoog, die zulke makke aanbevelingen voordraagt, zichzelf bij een revolutionairen bezem vergelijkt.

Niet anders wat die kleine latijnse tekstuitgaven betreft. Het onderwijs in de spraakleer had sedert driehonderd jaren nagenoeg geen vorderingen gemaakt. De aangehaalde voorbeelden waren aan kerkvaders of aan middeleeuwse auteurs ontleend. De latijnse taalregels vormden afgetrokken bepalingen, vervat in duistere latijnse bastaardverzen van middeleeuws fabricaat. Murmellius wist wat hij deed toen hij in plaats daarvan de leerlingen onaanzienlijke proeven van zuiver latijn in handen gaf, proza en poëzie, nu uit een beroemd auteur der italiaanse renaissance getrokken, dan uit een romeins schrijver van den natijd, meestal uit romeinse dichters en redenaars van den eersten rang. Alleen langzaam, door het toedienen van geringe hoeveelheden tegengif tegelijk, kon hij hopen zijn doel te zullen bereiken. Toen het ei eenmaal door hem overeind gezet was, werden de tijdgenoten door het voortreffelijke der methode om strijd getroffen. De opgang van Murmellius' onderwijs te Alkmaar, de toeloop zijner negenhonderd studenten, behoeven geen nadere verklaring.

Van het nederig peil waartoe hij zich getroostte af te dalen kan best van al zijn *Pappa* ons een denkbeeld geven. Had men vóór hem de knapen latijn geleerd uit latijnse boeken, *hij* nam de moedertaal te baat en herleidde, al moest zijn wetenschappelijke bevoegdheid daardoor in verdenking komen, de spraakleer tot haar eenvoudigste uitdrukking. Gesprekjes in het nederlands, van knapen met knapen, — elke kleine volzin met de latijnse vertaling er onder of er boven, — deze was de vorm, een rechte melkspijsvorm, waarin hij zijn taalregels de jeugd als met den paplepel ingaf.

Nederlands noem ik de moederspraak dier dialogen. Werkelijk kan men eruit zien hoe in die dagen, evenals driehonderd jaren tevoren tijdens de kruisvaartprediking van Meester Olivier in 1214, te Munster en te Keulen, te Deventer en te Alkmaar, overal in Nederland en in West-Duitsland waar het schoolboek van Murmellius bij het elementair klassiek onderwijs in gebruik was, één idioom volstond. Het is ongeveer de taal welke Erasmus in zijn kinderjaren sprak en hoorde spreken, en van welke hij op later leeftijd ten onrechte meende (moeten wij geloven) dat zij voor het fijner uitdrukken van samengestelder begrippen ongeschikt was, laat staan voor de vlucht van dichtkunst of welsprekendheid:

,,Miin broer und ick hebben voor eyn half iaer ein luchtige kamer om twelf schillinc gehuert. — Paulus, geaccusiert der uytblivinghe, heft twe placken van den meister ontfanghen. — Ick heb Antonium notiirt dat die heft duyts gesproken. — Ic heb Peter notiirt der irreverencien: want hi voer einen pryester sinen hoet nicht afgenommen en heft. — Ik brenge dy ein potken half. — Ic can die gien gelic doen. — Het en sii saeck dat du mi gelic sals doen, ic sal dit cruiksken dich vor den cop werpen. — Onse hertoch sal morgen heerschowinch doen. — Pawelis suster is so ser suverlic dat dair nicht boven en sy."

Uit het verband blijkt dat onder de jongelieden die zo spreken (en waarvan de enen reeds naar de mooie zusters hunner kameraden kijken, de anderen aan de parade van het garnizoen de voorkeur geven; dezen getuchtigd worden door den rector of conrector, genen elkander den bierkroes naar het hoofd werpen) zich knapen van niet ouder dan tien jaren bevinden. De zeden, die het leerboek schildert, zijn naief; somtijds ruw. Johannes beklaagt zich dat Peter op zijn broek gespuwd, Paulus op of in zijn schoenen gewaterd, de onmatige Anton 's nachts het bed verontreinigd heeft. Er volgen echter vele voorschriften die op het aanleren van goede manieren betrekking hebben: ,,Du en salst nicht in die schottel steken broot dattu mit dynen tanden beroert hebbes, — Du salst gaen an die luchter syde des ghenen die werdiger is dan du." Er wordt aan het hart gedacht: ,,Du salst gedechtig syn der vrunde die van dy syn, ghelick als diin tegenwordige vrunden." Er komen wijze spreekwoorden: ,,*Homo bulla*, ein mensche is ghelick als een brulken opgelopen in den water."

Zo dit alles meer gelders dan hollands klinkt, het werd voor het minst ten westen der Zuiderzee even goed verstaan als ten oosten.

XIII

Mijn lezers mogen niet klagen over dit langdurig vertoeven in de kraamkamer van ons hoger onderwijs. Maar de opmerking staat hun vrij dat het eerste beginselen zonder wiekslag geweest zijn. Goede wil, toewijding, zelfopoffering, niets ontbrak, behalve Erasmus en het genie.

De rotterdamse Heilige, als Vondel hem noemen zou, wekt onze belangstelling inzonderheid als landgenoot en omdat hij in onderscheiding der vermaarde oorlogslieden welke na hem de Republiek der Verenigde Provinciën zou voortbrengen, op zo eervolle wijs den nederlandsen volksaard in vredestijd vertegenwoordigd heeft: anderen met het penseel in de hand, hij met de pen. Alleen de omstandigheden zijn oorzaak geweest dat niet reeds door Erasmus een zichtbare noord-nederlandse academie is kunnen gesticht worden, gelijk van hem en zijn geschriften de eerste onzichtbare dagtekent.

Wel is waar zag na zijn vijf-en-twintigste of dertigste jaar zijn geboortegrond hem nauwelijks terug, en is hij daarna meer voor Europa dan voor Nederland gaan leven. Maar, geen Fransman geworden, geen Engelsman, geen Spanjaard of Italiaan, geen Zwitser zelfs, — ofschoon hij te Bazel zich meer op zijn gemak voelde dan overal elders, — de sporen zijner afkomst en zijner opvoeding zijn nooit

42

verdwenen. Welke vlucht daarna zijn studiën mogen genomen hebben, zodat hij in het wetenschappelijke den gezichtseinder zijner meeste land- en tijdgenoten ontvoer, het eerste derde deel zijns levens is op zijn verdere vorming, door de kracht der aantrekking niet minder dan der afstoting, van beslissenden invloed geweest. Nederland openbaarde hem aan zichzelf, en zulke indrukken zijn onuitwisbaar.

Litterarische en theologische vijanden hebben, de enen bij zijn leven, de anderen kort na zijn dood, door uit te brengen dat hij de zoon was van een zuid-hollands dorpspastoor, in strijd met kerkgeloften bij een noord-brabantse dienstbode of huishoudster gewonnen, een smet op zijn geboorte menen te werpen.

Uit een maatschappelijk oogpunt terecht, uit een algemener en edelmoediger ten onrechte. Het strekt den nederlandsen dienstbodestand en den lageren nederlandsen clerus der 15de eeuw tot eer, zulk een buitengewoon kind het aanzijn gegeven te hebben. Noem het een speling der natuur; noem het een waarschuwing der Voorzienigheid aan den onwetenden oud-nederlandsen adel; een les aan den etenden en drinkenden oud-nederlandsen burgerstand; niemand zal beweren dat er termen waren aan de wetenschappelijke toekomst van een volk te twijfelen, uit welks onderste lagen, in de ongunstigste omstandigheden, Erasmus kon voortkomen.

Het verwekken van dit kind was niet de eerste dergelijke fout des vaders. Dezelfde huishoudster had hem reeds vroeger een zoontje geschonken; en naar het schijnt legde de kerkelijke overheid, tot straf van den recidivist, hem een bedevaart naar Rome op. Zo verdween hij voor een poos uit de omstreken van Gouda, en de huishoudster ging bij zijn rotterdamse bloedverwanten haar bevalling verbeiden.

Van Erasmus Senior weet men weinig méér dan dat hij, al spoedig in Nederland en op zijn standplaats teruggekomen, er overleden is, toen zijn jongste zoon twaalf of dertien jaren telde. De moeder stierf een weinig vroeger, te Deventer, waar zij met den genialen knaap zich heen begeven had om voor zijn gezondheid te waken, terwijl hij er de lessen van den aantrekkelijken en onvermijdelijken Hegius volgde. Zij schijnt een zorgvuldige verpleegster geweest te zijn. Wellicht paarde zij, dochter van een chirurg uit Zevenbergen, aan haar liefhebbend moederlijk instinkt sommige technische bekwaamheden. Een boosaardige deventerse epidemie nam haar in den bloei des levens weg.

De nederlandse dorpspastoors der 15de eeuw waren geen suikerlords; en toen vader en moeder het tijdelijke gezegend hadden, vonden de jonge Erasmus en zijn broeder een sobere nalatenschap te delen. De zevenbergse heelmeester, grootvader van moederszijde, ongetwijfeld tevens baardscheerder van beroep, kan evenmin een man van vermogen geweest zijn. De rotterdamse familie van vaderskant, ouders van tien kinderen, deden om het openhouden van al die monden (vóór die kleine woning bevond zich een loofhut) niet onmogelijk een bier- of wijnhuis. Een voogd, te Gouda, was schoolmeester, was plakmajoor, en wist de twee jonge wezen, nadat te vergeefs beproefd was den jongste smaak te doen vinden in een fraterhuis te 's Hertogenbosch, geen beteren raad te geven dan in een eigenlijk gezegd klooster den kost voor het eten te gaan zoeken.

Gewone geesten zwichten voor zulke omstandigheden, en onderwerpen zich. Buitengewone, maar van den tweeden rang, gaan de voorrechten van rijkdom en geboorte benijden, en beschouwen carrière-maken weldra als het hoogste. Het bewonderenswaardige in Erasmus is dat, toen in vervolg van tijd zijn bestaan eenmaal verzekerd was, de aanbiedingen van koningen, keizers en pausen stelselmatig door hem afgeslagen zijn. Door de ondervinding geleerd haatte hij een armoede die tot bedelen doemt, een afkomst welke aan het platburgerlijke vermaagschapt. Maar zijn edel hart en zijn groot verstand behoedden hem voor de dwaling, in de een of andere richting aan het uit-

44

wendige meer te hechten dan het waard is. Zij heeft hem diensten bewezen, de nederlandse schooierswereld, uit welke hij voortkwam. Het gemene klooster zelf is hem een weldadige leerschool geweest.

Te Gouda letterwijs gemaakt, is het kind naar Utrecht gezonden om het kerkgezang te leren, en te zien of hij als koorknaap zijn brood verdienen kon. Mogelijk oefende hij reeds toen zich in het tekenen of schilderen: wat hij, even-als de muziek, naderhand voor goed liet varen. De letteren, niet de kunsten, waren zijn sterkste natuurlijke neiging; lezen zijn hartstocht.

Een middelnederlandse litteratuur bestond er voor hem niet, evenmin als een middeleeuws-europese in verschillende landstalen. Er zijn geen blijken dat hij Villehardouin, Joinville, Dante, gekend of bemind heeft. Naar vaderland-se auteurs der oudheid, Maerlant, Stoke *(litterae inamoe-nae)*, zag hij niet om, maar kende op zijn twaalfde jaar den gehelen Horatius en den gehelen Terentius van buiten.

Van zijn vorderingen te Deventer, naderhand in Den Bos, weten wij alleen dat hij zelf op later leeftijd er een geringen dunk van koesterde. Ondanks merkbare tekenen van beterschap waren de onderwijs-methoden in Neder-land toen nog niet veel zaaks, vond hij. Het is waar, dat zijn eigen vermaardheid als man, en de zucht der neder-landse filologen hem op zijde te streven, een betere toe-komst heeft doen aanbreken.

Zijn eerste wezenlijk merkwaardige arbeid in latijns proza, te zamen met vrij wat latijnse verzen (ook de poëzie werd in vervolg van tijd door hem losgelaten), dagtekent van zijn achttiende jaar of daaromtrent: zijn proeftijd als augustijner-monnik in het klooster Emmaüs, te Stein bij Gouda. In tien of elf korte hoofdstukken, vele jaren daarna vermeerderd met een corrigerend en herroepend twaalfde, is het een pleidooi ten gunste van het monachale leven, en handelt *Over het vlieden der wereld.*

De stijl van dit werkje verschilt zeer van dien der *Imita-tio Christi.* In plaats van uit de hoogte, in naam der nietigheid van het ondermaanse, een heilig leven te *gebieden*, zoals Thomas a Kempis doet, *betoogt* de jonge Erasmus met tal van redeneringen (de vorm is die van een brief, door een denkbeeldig oom aan een denkbeeldigen neef gericht), dat de belangen van een goed geweten, een onbesproken wandel, een vredig uiteinde, de belangen ook der vrije, ongestoorde, veelzijdige studie, het kloosterleven krachtig aanbevelen. Het is reeds een geheel andere soort van latijn dan zestig of zeventig jaren te voren Thomas plag te schrijven en tot het laatst aanhield; meer het klassieke naderend; beschikkend over een veel groter aantal woorden en zegswijzen; getuigend van een veel gemeenzamer omgang met de schriften der oudheid. Aanhalingen uit den bijbel worden niet gemist, doch zijn betrekkelijk zeldzaam, en vormen in geen geval den hoofdinhoud, gelijk bij Thomas.

Nochtans wortelt ook Erasmus' geschrift rechtstreeks in de mystiek van den tijd en van het land; en de ene augustijner-monnik geeft, waar het op verheerlijken der kloostergeloften aankomt, den ander niets toe. Een geheel hoofdstuk bij Erasmus, langer dan één der vorige, is gewijd aan het schilderen der godsdienstige geestdrift van een vriendinnetje zijner kinderjaren, toen een volwassen meisje, dat ondanks de gebeden van vader en moeder, ondanks de tranen en omhelzingen van broeder en zuster, in het aannemen van den sluier volhardde. Hij spreekt over deze Margareta als over een voorbeeldige geloofsheldin, en wijst er met bewondering op dat in den kring der schreiende ouders, bloedverwanten en huisvrienden (hij zelf was bij het toneel tegenwoordig en noemt het hartverscheurend), zij de enige was om wier lippen een rustige glimlach speelde.

Zelfzuchtiger, zo men wil, doch niet minder warm of welgemeend, is zijn hulde aan de kloostercel als studeerkamer, waar slechts boeken en nogmaals boeken gevonden worden, ja, maar die onder het lezen den jongen wijze in een paradijs verkeert, een hof van Eden. Anderen mogen aan de herberg, anderen aan de danszaal de voorkeur geven, *hij* houdt het met dit park der letterwereld; met die stromen, bossen, weiden, waar, tussen het gras, de rozen en de leliën bloeien of de violen zich verschuilen. Verlangt de ziel naar goddelijk onderricht uit de eerste hand, de jonge kloosterling grijpt naar het Oude of het Nieuwe Testament. Wenst hij een kerkvader of een godgeleerde te raadplegen, hij haalt het boek voor den dag en slaat op zijn knieën het open. Heeft hij uit de wereld een oude liefde voor de ongewijde Muze medegebracht, hij mag in zijn vrije uren, mits het een platonische genegenheid blijve, ook aan déze neiging toegeven. Wie gevormd werd in de school der profeten, apostelen, commentatoren en theologen, weet bij de heidense wijsgeren en dichters de medicinale van de giftplanten te onderscheiden. In zijn litterarischen bloemtuin is hij koningen te rijk, en trotseert Sardanapalussen.

Een ander klein prozawerk van Erasmus uit deze periode is zijn lijkrede op een goudse weduwe, moeder van drie huwbare dochters en in de kracht harer jaren gestorven. Haar echtgenoot of haar vader, schijnt het, had haar een aanzienlijk vermogen nagelaten, en zij maakte daarvan een edelmoedig gebruik, zodat zij als een weldoenster bekend stond. Daarbij was zij buitengemeen vroom en een gulle gastvrouw, die de kloosterbroeders van Emmaüs geregeld ten eten vroeg. Erasmus, wien zij meer dan één der andere jongelieden genegen was, bewondert haar onbegrensde godsdienstigheid, en brengt daarvan voorbeelden bij. Niet alleen wijdde zij onafgebroken haar zorgen aan een groot hospitaal te Gouda; maar ieder jaar, op Goeden Vrijdag, nodigde zij te harent dertien armen, wie zij, vóór het aan tafel gaan, zelf de voeten wies. Een harer dochters, pas zes weken gehuwd, werd door een noodlottige ziekte aangetast. De moeder deed Erasmus hiervan kennis geven; en in de mening haar dodelijk bedroefd te zullen vinden, snelde hij naar haar woning. Doch Bertha van Heyen, zo heette de matrone, zeide tot hem toen haar dochter den adem

had uitgeblazen: „Gij komt mij troosten, als ware ik ge-
krenkt in mijn rechten of moedwillig geplaagd; maar is niet
hij, die mijn dochter mij ontneemt, dezelfde die haar mij
gegeven heeft? Ben ik tot weeklagen bevoegd? Zij is heen-
gegaan tot straf voor mijn ongerechtigheden."

XIV

Het verdient opmerking dat Erasmus, die later de monniken zo ijverig nagezeten, zo geestig en openhartig de
jonge meisjes van de wereld vermaand heeft geen nonnen
te worden, met zoveel ingenomenheid over het offer der
Margareta zijner jonge jaren spreekt en over het „hokje"
van Thomas a Kempis. Maar het is óók merkwaardig dat
reeds in de hulde aan Bertha van Heyen uitdrukkingen
voorkomen die op een begin van ontgoocheling wijzen.

Schier onmiddellijk heeft Erasmus gevoeld dat de meeste hollandse monniken zijner dagen onopgevoede lieden
waren, en zij in het gezelschap ener beschaafde vrouw zich
niet wisten te gedragen. „Wanneer wij bij Bertha aan tafel
zaten," herinnert hij, „en een onzer zich van uitdrukkingen
bediende die den goeden naam van den medemens benadelen konden, dan maakte zij aan het verderfelijk gepraat
terstond een einde, zeggende: „Ik bid u, broeders, laat mij
aan mijn dis geen woorden uit uw mond vernemen waardoor een afwezige beledigd wordt! Spaart mij ook het over-
brengen van zaken die derden niet tot eer strekken: dit
vleit mijn oren niet."''

Zulk een vrouw, gevoelde hij, behoefde den sluier niet
aan te nemen om een voortreffelijke christin te mogen heten. Sprekend van haar jeugd: „Zij was schoon," zegt hij,
„zij was rijk, zij was een toonbeeld van deugd en godsvrucht; waarom trok zij zich niet uit de wereld terug, en
ging zij niet in een klooster? zult gij vragen. Zeker, dit ware voorzichtiger geweest. Maar volgens mij is het verweg
schoner eretitel, te midden van de verleidingen der ondeugd
een rein en onschuldig leven te leiden, en met zelfbewust-

48

heid zijn eigen weg te gaan, terwijl de wereld om ons heen jaagt en drijft. Alleen de deugd stelt daartoe in staat."

Vroeg heeft Erasmus het klooster bemind; met welgevallen de tonsuur aanvaard; door den bisschop van Utrecht zich tot priester laten wijden. De drang van buiten, welke daarbij gebezigd mag zijn, heeft hoogstens voor de helft uit overreding bestaan. Voor méér dan de helft was het toetreden vrijwillig.

Doch even vroeg heeft hij gevoeld dat voor het verwezenlijken van een ideaal als het zijne, (een leven voor de studie, van de studie, om de studie), het klooster gemist kon worden, en veeleer den naam van struikelblok of ergernis dan van hulpmiddel verdiende. Niemand had hem ,,in de kap gestoken," gelijk naderhand de minachtende zegswijs luidde. Uit eigen overtuiging, zo niet uit eigen beweging, had hij zich den strop om den hals gehaald. Maar, pas was het koord bevestigd of hij gevoelde dat het een koord was, en zijn bestaan dat van een vogel op een kruk geleek.

In die stemming schreef hij te zelfder tijd de *Ode aan een vriend,* welke zulk een diepe neerslachtigheid ademt, en die bewijst dat het hem gemakkelijker viel anderen met woorden de kloosterkevie smakelijk te maken, dan voor de vleugelen van zijn eigen geest zich met zo weinig ruimte te vergenoegen: ,,Wee mij! Door droefheid, wanhoop en arbeid word ik verteerd. Een wreed lot gunt mij geen ogenblik verademing, brengt niet de geringste verzachting voor mijn leed. Treurige dagen voor, treurige na! Door welke misdaad heb ik den Hemel beledigd, dat ik een straf moet lijden de martelingen waardig van den Styx? De aarde ten minste wordt na de zomerhitte door lange dagen vol schaduw en nevelen verkwikt; de sneeuw komt en verdwijnt, naarmate de velden haar behoeven of kunnen ontberen. Mij brengen de seizoenen geen stilling van pijn; onafgebroken vervullen de droefgeestige zorgen mijn ziel; tranen doen gedurig mijn oogleden zwellen."

Is het moeilijk een glimlach te onderdrukken wanneer men bedenkt hoe weinig de jonge man, die onder zijn leed zo diep gebukt ging, nodig had om gelukkig te zijn? Welk gering verschil, voor het uitwendige, er bestond tussen de kloostercel zijner jeugd, die hij verwenste, en de studeercel van zijn manlijken leeftijd, naderhand zijn hemel op aarde?

Nooit heeft Erasmus naar een huwelijk getaald; nooit het als zijn roeping beschouwd huisvader te worden; nooit een openbare betrekking willen vervullen. Wanneer hij in den vollen bloei der jaren de samenspraak van *den Officier en den Karthuizer* schrijft, ontwerpt hij van den laatste zulk een innemend beeld, dat hij er zelf jaloers van schijnt. Maar die geïdealiseerde karthuizer is een monnik op het geduldig papier; en, zo Erasmus te Stein en in het klooster Emmaüs gebleven was, dan ware voor het leven zijn lot dat van een monnik der werkelijkheid geweest.

Niet om nieuwe banden of om bandeloosheid was het hem te doen, maar om vrijheid. Zijn land, gevoelde hij, was groter dan zijn klooster, de wereld groter dan zijn land, en er viel daarbuiten een even nuttige als roemrijke levenstaak te vervullen. In zijn cel zelf had de beweging der eeuw hem aangegrepen; uit zijn boeken was de tegenstelling ener barbaarse omgeving en van een hogeren standaard van beschaving hem openbaar geworden; naar *die* lucht en *dat* licht strekte zijn verlangen zich uit. Zó ten minste verklaren wij ons zijn ongeduldig bijten in de staven van zijn tralievenster, tien jaren lang.

Er is in Erasmus' leven, nadat als geleide van een jongen schotsen koningszoon gunstiger omstandigheden hem eindelijk naar Rome gevoerd hadden, en hij in de drukkerij van Aldo Manuzio de proefbladen zijner herziene *Spreekwoorden* had mogen corrigeren; er is een tijd gekomen dat één ding bij hem nog boven Italië ging: Bazel en de vrijheid. Met de jaren is het hem duidelijk geworden dat een werkzaamheid, als die zijner dromen, niet gebonden was aan het land of de stad waar het toeval de beschaving der oudheid, uit het Oosten verdreven, een vluchthaven had doen vinden. Onverschillig dat de Italianen hem niet nodig hadden; zij voor het openbaar onderwijs hem niet gebruiken konden; zijn nederlands accent, bij het latijn spreken, een hinderpaal was. Niet in het spreken lag zijn grootste kracht, maar in het schrijven. Hij was in de wieg gelegd voor leermeester van Noord-Europa met de pen.

Maar in zijn jeugd hunkerde hij slechts naar Italië; en voor de tweede maal is hij de wanhoop ten prooi, wanneer, na een snel vervlogen uitzicht op welstand en onafhanke-lijkheid, de vloek der armoede hem opnieuw aan de plaats bindt.

Het heeft niet gebaat dat een bisschop van Kamerijk, verlegen om een bekwaam secretaris, daarover naar Utrecht schreef en, op aanbeveling van den prior van Em-maüs, onzen veelbelovenden augustijner in dienst nam. Het doel waarvoor die prelaat hem wilde gebruiken werd gemist, en het enige wat de ex-secretaris bij zijn wisselen van loopbaan gewonnen had was, dat hij zich naar Parijs had kunnen verplaatsen.

Zijn studiën kon hij daar voortzetten ja, en door het ge-ven van privaatlessen aan een rijken engelsen knaap of jongeling, lord Mountjoy, er in zijn onderhoud voorzien. Verdiende hij een kleinigheid extra, door voor boekver-kopers te werken, dan kon hij zich een uitstapje naar Zee-land, naar Engeland veroorloven, en oude kennismakingen gaan vernieuwen of nieuwe aanknopen. Doch wat gaf dit voor de bevordering der grote zaak, wanneer hij naging dat hij de volle dertig reeds achter den rug had, en hij van den enen dag op den anderen nog altijd voor zijn brood moest vechten?

Bovendien was Parijs het einddoel zijner wensen niet. Parijs had opgehouden het brandpunt der beschaving van den dag te zijn. Het vrijzinnig Collège de France bestond nog niet. Officiëel had aan de Sorbonne de middeleeuwse scholastiek nog het hoogste woord. Parijs werd tijdelijk overschaduwd door Rome. Wie op dat ogenblik naar ken-nis uit de eerste hand haakte, had zich naar Italië te be-geven. Alleen een in Italië gehaalde doctorale hoed stem-pelde toen den man van studie tot iets meer dan de meesten.

Wij raken hier aan een maatschappelijken misstand der 16de eeuw, welke eerst driehonderd jaren later, in sommige grote landen of grote steden van Europa, weggenomen is. Walter Scott kon, ofschoon hij aanvankelijk slechts door Engelsen gelezen werd, een fortuin bijeenverzamelen. Erasmus heeft, in weerwil dat zijn latijn hem den toegang tot de beschaafde en welvarende kringen van een geheel werelddeel ontsloot, het nooit verder kunnen brengen dan het vinden van een uitgever.

Het enige wat wij zeggen kunnen is dat het in de 15de eeuw nog erger was. De voortreffelijke Froissart, die als dolend ridder van de pen enigszins als een voorloper van Erasmus beschouwd kan worden; Froissart, óók van afkomst een burgerjongen, óók opgeleid voor priester, óók als particulier secretaris zijn loopbaan aangevangen, heeft geen andere keus gehad dan óf zijn talent te begraven, óf een tafelschuimer te worden. Er was voor zulke geboren auteurs, in onmin met de kloostercel, niet geschikt voor de routine van het openbaar onderwijs, in de middeleeuwse samenleving geen plaats. Al de dichters van dien tijd, wanneer zij alleen dichters zijn, zijn schooiers. Al de prozaschrijvers, wier enig kapitaal in portefeuille hun proza is, lijden gebrek.

Door het vinden der boekdrukkunst is die wanverhouding allengs uitgesleten. Doch Erasmus was jong in een tijdperk van overgang, toen er reeds vele boeken gedrukt werden, maar nog lang niet genoeg om, behalve het dekken van de kosten der uitgaaf, ook in het levensonderhoud van den schrijver te voorzien. Onbemiddelde auteurs verbonden zich als correctoren aan de drukkerijen, en ontvingen daggelden. Van honorarium voor werken van eigen geest was geen spraak. Het gold zelfs niet voor eervol, geld aan te nemen van een uitgever. De onbemiddelde zocht het vermogend patronaat van een man of een vrouw van de wereld.

Froissart, die niet studeerde; die met geen ander doel dan het verzamelen van historische anekdoten uit den

52

mond van tijdgenoten nu het ene, dan het andere land be-
zocht; die met voorbeeldige vlijt er zich toe bepaalde zijn
reeds voltooide verhalen om- en nogmaals om te werken,
— Froissart had genoeg, heden aan de gunst ener henegouwse prinses, koningin van Engeland geworden, morgen aan de edelmoedigheid van een half henegouwsen
graaf van Blois. Hij kon zijn werk verrichten zo maar zijn
bed en zijn dis gespreid waren, en de beschermers niet onbescheiden veel offers van zijn vrijheid vergden.

Erasmus is genen dele. Deze had voor zijn studiën on-
ophoudelijk nieuwe hulpmiddelen nodig; moest op verschillende plaatsen bibliotheken gaan raadplegen, of gaan
spreken met geleerde mannen; kon er niet komen zonder
het minimum ener eigen boekerij of het diminutief ener
eigen studeerkamer.

Niet dat hij van het leven of van zijn vak zoveel eiste als
vijftig jaren te voren den italiaansen filoloog Filelfo in den
schoot gevallen was. Op zijn achttiende jaar was Filelfo
hoogleraar in het grieks te Padua geweest. Venetië had
hem het ereburgerschap aangeboden, en daarbij een zending naar Konstantinopel, waar hij zijn griekse studiën
naar hartelust kon uitbreiden. Een hertog van Milaan had
hem overvloedig begiftigd; een paus door schitterende
aanbiedingen hem naar Rome gelokt.

Maar al vlamde Erasmus' eerzucht niet op zulke wijd-
luftige onderscheidingen; al zou de herinnering van Filelfo's klagelijk uiteinde, het gerucht van Filelfo's ondragelijk
humeur, hem eer waarschuwend afgeschrikt dan aangemoedigd hebben, hij kende zijn behoeften. Zijn wensen
waren: een mak, maar welgebouwd en welgezadeld paard
voor hem zelf, om naar rechts en naar links zich vrij te kunnen bewegen; nog een paard voor zijn boeken en schrijf-
benodigdheden; een derde paard voor een vlug en knap
bediende, desnoods in staat uit naam zijns meesters een
litterarische boodschap te gaan verrichten; eindelijk, een
klein vast inkomen, genoeg om in het onderhoud van knaap
en dieren ongestoord te kunnen voorzien, en onverdeeld

zich aan zijn studiën te kunnen wijden. Voor het overige niemands knecht, niemands afhankelijk huisgenoot, niemands loontrekkend dienaar.

Gedurende den gehelen namiddag van zijn zeventigjarig leven is deze bescheiden overvloed Erasmus' deel geweest; en hij heeft zijn eenmaal verworven onafhankelijkheid verdedigd met de angstvallige zorg van iemand die bij ondervinding den bitteren bijsmaak van het brood der maatschappelijke ballingschap kende, en hoe zwaar het valt vreemde trappen te beklimmen. Een nederlandse Statenvergadering bood wel wat laat hem een eervol geschenk in geld aan; engelse vrienden hielpen hem aan een of meer prebenden; keizer Karel V benoemde hem tot honorair staatsraad, met vrijheid zijn tractement (indien het betaald werd) te verteren op de plaats zijner keus.

Jaren lang heeft Erasmus op die wijs, eerst bij afwisseling, daarna voor goed, onbezorgd te Bazel kunnen leven; heeft naar welgevallen zich kunnen verplaatsen; te Freiburg zich een huis kunnen doen bouwen; paus Paulus III voor een kardinaalshoed kunnen bedanken; het zich niet behoeven aan te trekken dat de inkomsten van een door dien kerkvoogd hem toegedacht deventers prioraat hem ontgingen.

Hadden de krachten slechts toegereikt, zijn middelen zouden in het laatste levensjaar hem niet verboden hebben Besançon als woonplaats te kiezen, en er den bazelsen hervormingsijver te gaan ontwijken. Uit zijn nalatenschap, die 7000 dukaten bedroeg, konden de algemene armen te Bazel ruim bedacht worden, en goede vrienden tot een aandenken een of ander kostbaar voorwerp ontvangen.

XV

Heeft Shakespeare het zaliger gevonden een huis en een inboedel te kunnen kopen? Of was Erasmus gelukkiger iets te kunnen nalaten? Een testament te kunnen dicteren aan een notaris?

54

Wie zich een voorstelling wenst te vormen van hetgeen, toen het zonnetje van den betrekkelijken voorspoed nog door moest breken, Erasmus in zijn jongelingsjaren uitgestaan en geleden heeft, denke zich een man als onzen voortreffelijken land- en ouderen tijdgenoot Groen van Prinsterer (sommige portretten van Erasmus en sommige van Groen vertonen een zweem van gelijkenis), en vrage zich hoe het zulk een fijnbewerktuigden geest in een tenger lichaam te moede zou geweest zijn, zo hij gedurende de eerste veertig levensjaren met een gemene soort van armoede had moeten worstelen? Te moede, ondanks het gunstig verschil tussen de maatschappelijke toestanden en hulpmiddelen in de eerste helft der 19de eeuw en de laatste helft der 15de. Ondanks het stammen uit een met onderscheiding bekend geslacht, en het niet schrijnen of knagen van als een stigma beschouwde kloostergeloften. Enkel onder het dagelijks stuiten van een groot verstand op een botte omgeving; van een gevoelig hart op de algemene onverschilligheid; van uitgezochte kundigheden op een onwetendheid van de ruwste soort. Onder het botsen, in één woord, van een schuw en stil ideaal op het walgelijke ener werkelijkheid, die, nachtmerrie bij dag, zulk een geest bovenal van een lompe en luidruchtige paardenmarkt doet dromen.

Voor alle mannen met buitengewone gaven, die als vondelingen in het leven geworpen worden, is de wereld een harde leerschool; het hardst voor mannen met een vrouwelijken aard, op wier genie de tegenspoeden, welke andere karakters louteren of sterken, de werking van een hagelslag op een korenveld doen.

Het hangt samen met het bijzondere in Erasmus dat de teleurstellingen zijner lange leerjaren niet in staat zijn geweest zijn humeur te bederven, al prikkelden zij in hoge mate zijn ongeduld. In een eeuw toen alle mensen in alle dingen met heftigheid partij kozen, en men geen goed burger scheen te kunnen zijn zo men niet of wit of zwart, vierkant vóór of vierkant tegen was, wist hij met ongeëvenaarde geestkracht zich voor uitersten te hoeden en, gelijk hij tot een werelddeel het woord richtte, een werelddeel te staan.

De lutheranen hebben hem verweten onverbeterlijk rooms, de roomsen meer dan een halve lutheraan te zijn. Humanisten hebben hem gehavend als een afvallige, en theologen wegens zijn humanisme hem uitgemaakt voor een libertijn. Een filoloog heeft hem gescholden wegens zijn berispen ener ciceroniaanse latiniteit; en zijn roem was latijnse brieven te kunnen schrijven, zo fraai als sedert Cicero iemand in Europa gedaan had. Een paus aanvaardde de opdracht van zijn Nieuw Testament, en een pausgezind keizer liet door dienaren der Inquisitie de exemplaren ophalen en vernietigen. Tijd- en landgenoten van hem zijn levend verbrand wegens het voorstaan van meningen die ook de zijne waren; en hijzelf zou al zijn meningen verloochend hebben, liever dan één zijner medemensen op het schavot te brengen. Geboren Nederlander, was hij tegelijk een geboren cosmopoliet. Voortgekomen uit het volk, haatte hij noch het volk, noch de burgers, noch de edelen. Gehoorzaam zoon der katholieke kerk, was hij onvermoeid in het plagen harer bestuurders. Onkundige monniken waren het schrikbeeld van den gewezen augustijner; doch hij vond de lutherse hagepredikers geen aanwinst voor de beschaving. Gekroonde hoofden vereerden hem met hun vriendschap; toch ontsnapten zelfs de dragers ener driedubbele niet altijd aan zijn critiek. Hij was misschien de wijste man van zijn tijd, en zou blijven leven als type van den lofredenaar der dwaasheid.

Er bestaan van Erasmus, behalve zijn boeken, meer dan achttienhonderd brieven. Geen ander mensenleven der 16de eeuw is in dezelfde mate, uit duizend bijzonderheden, bekend als het zijne. Doch te vergeefs zal men iemand zoeken die meer dan hij een man uit één stuk geweest is; hetgeen de kunstkenners een rok zonder naad, de manskledermakers onzer dagen, in de dieventaal der mode, *un complet* noemen. Al zijn deugden hebben de daarbij behorende gebreken tot foelie; al zijn gebreken zijn de gebreken zijner deugden.

Of op welke andere wijs te verklaren dat in zijn jeugd, ondanks de gevoeligheid zijner zenuwen, de armoede gemakkelijker zijn lichaam dan zijn geest ten onder zou gebracht hebben; en in de dagen zelf van zijn verblijf te Parijs of te Orleans, toen een schamel kosthuis de enige weelde was die hij zich veroorloven kon, het aandacht schenken aan een vechtpartij tussen zijn hospita en haar dienstmaagd hem geen onwaardig tijdverdrijf scheen?

Ik doel op een der brieven uit het jaar 1500 of daaromtrent, die, in vacantiedagen uit Nederland aan vrienden in Engeland of Frankrijk, op werkdagen uit Frankrijk aan vrienden in Nederland gericht, van Erasmus' toen bovendrijvende stemming, en van het ongemeen karakter dat levenslang het zijne geweest is, ons zulk een goed denkbeeld geven.

Een geletterd en welgesteld nederlands koopman, van wien wij niets anders weten dan dat hij Christiaan heette en een jongere broeder door hem naar Parijs gezonden was om onder Erasmus' leiding zijn studiën te voltooien of aan te vangen, bekomt van daar nu en dan een schrijven.

„Ik heb," meldt Erasmus hem op een keer, „ik heb het buitengewoon druk gehad vandaag. Waarmede? zult gij vragen. Antwoord: met het bijwonen ener toneel-, ener boeiende toneelvoorstelling.

„Was het een blijspel, was het een treurspel? Al naar gij het nemen wilt. Weet alleen dat geen der spelers dramatisch uitgedost was; het stuk telde maar één bedrijf; geen fluiten begeleidden het koor; de vertoners hadden geen hoge schoeisels aan, maar gingen barvoets; er werd niet gedanst; het toneel was de vlakke bodem, mijn eetvertrek het amphitheater. Naarmate zij zich verwikkelde werd de handeling spraakzamer, en omstreeks de ontknoping was de luidruchtigheid volkomen.

„Gij denkt dat ik voor uw amusement een klucht verzin? Toch niet, Christiaan, ik ben historieschrijver. De voorstelling waarvan ik getuige was, werd gegeven door mijn huiswaardin, in tweegevecht met haar maarte. De klaroen had reeds geruimen tijd weerklonken vóór de strijd aanving; ik bedoel, er ging een heftige woordenwisseling vooraf. Op dit gebied stonden zij elkander, en geen van beide partijen behaalde de overwinning. De handeling geschiedde in den tuin, terwijl ik voor het venster der eetkamer zwijgend, doch niet schreiend, stond toe te zien.

,,Maar nu de catastrophe! Na afloop van den strijd kwam de gedienstige in mijn zitkamer de bedden doen, en onder een praatje maakte ik haar mijn compliment dat zij wat kraaien en schelden aanging haar meesteres niets toegegeven had, doch betuigde tevens mijn leedwezen dat zij dapperder scheen in het roeren harer tong dan van haar handen. Want de waardin, een gespierde virago en athletisch gebouwd vrouwspersoon, had de gewoonte haar knoken te doen nederkomen op het hoofd der arme maarte, veel kleiner dan zij. Hebt gij geen nagels, vroeg ik haar, dat gij dit geduldig verdraagt?

,,Lachend antwoordde zij dat het haar minder aan moed dan aan krachten haperde. — Denkt gij, vroeg ik, dat het in den oorlog bovenal op krachten aankomt? In iedere militaire ontmoeting is het plan het voornaamste. — Zij vroeg welk plan ik haar aan de hand kon doen. — De eerste maal dat zij weder de handen aan u slaat, zeide ik, moet gij onmiddellijk haar de muts van het hoofd rukken (te Parijs hebben de vrouwen van zekeren leeftijd de zonderlinge hebbelijkheid zwarte mutsen te dragen) en haar dan in het haar vliegen.

,,Ik dacht in het minst niet dat zij deze scherts ernstig opnemen zou; maar 's avonds, tegen etenstijd, kwam een der jonge mannen die met uw broeder en mij in ditzelfde kosthuis wonen, ademloos naar binnen lopen en riep: Vrienden, zo gij een bloedige kloppartij wilt zien, komt dan spoedig! — Wij repten ons wat wij konden, en vonden onze hospita en haar meid slaags in den tuin. Niet zonder moeite scheidden wij haar. De stukken getuigden hoe moord-

58

dadig de strijd geweest was. Hier een muts, daar een sluier, de bodem bestrooid met vlokken haar; zo meedogenloos waren zij elkander te lijf gegaan.

„Aan tafel verhaalde de waardin, ten zeerste verbolgen, hoe brutaal de maarte zich gedragen had. — Ik wilde haar terecht zetten, zeide zij (zij meende: Ik wilde haar de kracht mijner vuisten doen gevoelen), toen zij in een oogwenk mij de muts van het hoofd rukte. (Het werd mij duidelijk dat ik niet te vergeefs gesproken had.) En toen, ging zij voort, toen smeet de helleveeg mij de muts in het gelaat (dit punt was door mij niet aangeroerd), en toen, toen trok zij mij hier, en hier, en hier, de haren uit, ziet!

„Hemel en aarde nam zij tot getuige, nog nooit zulk een boosaardig klein ding in haar dienst gehad te hebben. Wij vestigden haar aandacht op het menselijk: 't Kan verkeren, en op de wisselvalligheden der krijgskansen. Intussen wenste ik mijzelf geluk dat zij mij niet verdacht zijdelings in de zaak betrokken geweest te zijn, anders zou ik op mijn beurt ondervonden hebben dat zij een tong tot haar dienst had."

Ook bij Dante vindt men ergens zulk een toneel geschilderd, en zelfs gaat Dante nog verder: hij deelt de eigen woorden der kijvenden mede. Doch Erasmus heeft niet, zoals Dante op die plaats, een literarisch bijoogmerk. Hij vist alleen uit den weedom van zijn knechtsbestaan de vermakelijke anecdote. Met hetzelfde nederlandse schilderstalent als zijn toekomstige vriend Quinten Metsijs het in die dagen de antwerpse woekeraars doet, tekent hij twee vechtende parijse wijven.

XVI

De vrouwen hebben in het volgend leven van Erasmus zo weinig plaats ingenomen, en, hoewel de boeken hem nooit van de gezelligheid konden vervreemden, zijn bekende kamergeleerdheid doet dit nochtans op een afstand zo natuurlijk schijnen, dat wij van zijn verplichtingen aan het zwakkere geslacht, de keren dat die voor de geschiedenis zijner ontwikkeling in aanmerking komen, gaarne melding maken.

Een nederlandse vrouw uit het volk, zijn moeder, heeft met liefde over zijn kinderjaren gewaakt; een nederlandse poortersvrouw den jongen monnik haar vriendschap geschonken en het eerst hem van zijn mede-kloosterlingen onderscheiden; een nederlandse edelvrouw het eerst in zijn toekomst geloofd, en hem ontvangen in haar huis.

Zij was weduwe en deugdzaam, evenals Bertha van Heyen, maar vele jaren jonger dan deze; een vrouw van de grote wereld, min of meer patrones van wetenschappen en letteren; doordrongen van het besef dat zij haar kinderen, en in de eerste plaats haar enigen zoon, een waardige opvoeding schuldig was. Had het van haar afgehangen, Erasmus' kansen op lotsverbetering, in de moeilijke jaren van zijn zwerven tussen Engeland en Frankrijk, zouden niet enkel kansen gebleven, het uitzicht zou een werkelijkheid geworden zijn.

Door haar huwelijk met een afstammeling uit het Huis van Bourgondië, zoon eens halven broeders van Karel den Stoute, was Anna van Borssele een prinses van den bloede, vermaagschapt, toen Erasmus haar leerde kennen, aan den spaansen troonopvolger Filips den Schone (1478—1506). Haar moeder was een Bourbon; haar vader, met of na den abt van Middelburg, eerste edele van Zeeland; zijzelf, als enig kind, de erfgenaam van al haar vaders inkomsten en bezittingen als heer van Vlissingen, van Veere, van Cortgene, en verdere plaatsen op de zeeuwse eilanden. Haar beeltenis, in half middeleeuws-, half renaissance-gewaad, vult nog heden een der zeven nissen van het fraaie veerse raadhuis, voltooid door haar kleinzoon, Maximiliaan van Bourgondië.

De geduchte aderlatingen aan welke Karel de Stoute, Maximiliaan van Oostenrijk, Filips van Spanje, als graven van Holland en Zeeland gewoon waren hun zeeuwse en hollandse edelen te onderwerpen; heffingen in geld, in schepen, in troepen, belastingen in den vorm van kostbare opdrachten of gezantschappen; schijnen ten laatste zelfs een zo aanzienlijk fortuin als dat van Anna's vader, Wolferd VI van Borssele, uitgeput te hebben. De schitterende erfdochter aanvaardde een met schulden bezwaarde nalatenschap.

Misschien had een tweede huwelijk, met een man van een groot vermogen, al ware het van minder rang of meer leeftijd, alles weder in het gelijk kunnen brengen. Doch de dertigjarige weduwe, die in haar eersten echt niet op rozen gesluimerd had, wilde daar niet van horen. Juist in den tijd harer kennismaking met Erasmus, slechts vier of vijf jaren haar oudere, had zij haar zinnen op een jonkman van buitengewone schoonheid maar van middelmatige geboorte en weinig inkomsten gezet, zekeren heer Lodewijk van Montfoort, berooid Adonis. Het pleit voor haar volharding dat zij tenslotte den man harer keus, dien zij binnen weinige jaren verliezen zou, als heer van Veere heeft weten te doen huldigen; doch het huwelijk mishaagde de bloedverwanten van bourgondische zijde zeer. Processen en inbeslagnemingen waren het gevolg. De schijnbare millionaire was inderdaad betrekkelijk arm.

Had Erasmus dit alles van het begin af geweten, hij zou, toen een zijner zeeuwse of noord-brabantse vrienden gouverneur van prinses Anna's zoontje geworden was en in brieven naar Parijs hem een- en andermaal den lof der moeder en van den knaap gezongen had, zich niet verblijd hebben met een dode mus. Deze hersenschim was de laatste grote teleurstelling zijner jeugd.

Sedert hij gehoor gegeven had aan de uitnodiging der prinses, haar op het kasteel Cortgene een bezoek te komen brengen; hij aan haar voorgesteld was; hij van haar beminnelijk karakter, haar degelijkheid, haar smaak voor de fraaie letteren, den gunstigsten indruk ontvangen had en verblind was door den schijn van grootheid harer levenswijs; verbeeldde hij zich dat zij slechts één woord behoefde te spreken om hem tot het ondernemen der vurig begeerde italiaanse reis in staat te stellen. Haar gulle ontvangst; haar beloften in den eersten tijd, — toen zij zelf nog niet wist hoe vijandig de betrekkingen van haar eersten man haar gezind waren, en hoe afhankelijk haar nieuwe huwelijksplannen háár maken zouden, — versterkten hem in dien waan. De herinnering der goede dagen, op Cortgene doorgebracht, liet hem niet weder los. Een vorstin van dien rang, gebiedster over een halve provincie, nicht van den souverein, levend op zulk een voet, scheen hem toe zich in goud te baden. Niemand moest het gemakkelijker vallen, niemand aangenamer zijn dan haar, een armen augustijner-monnik met een aanleg als den zijnen en nog zonder betrekking , in de gelegenheid te stellen zijn studiën te gaan voltooien. Was het niet eervol voor een nederlandse edelvrouw, de erkende beschermster te heten van een geleerde, die zich voorbestemd grondlegger der noord-europese renaissance gevoelde?

Een half dozijn brieven, onder den versen indruk der even snel verijdelde als opgewekte verwachting uit Nederland en uit Parijs geschreven, doen ons van dit jongste maatschappelijk stormpje in Erasmus' binnenste met belangstelling getuigen zijn. Twee of drie zijn gericht aan den zeeuwsen gouverneur van den kleinen Adolf van Bourgondië, Jacobus Battus, vriend van Erasmus' jongelingsjaren, man van niet gewone bekwaamheden, door den dood weggenomen eer hij zijn volle maat had kunnen geven. Een voert het adres van den jongen lord Mountjoy, Erasmus' engelsen kwekeling te Parijs. Een het adres van prinses Anna zelf. Het is een lofdicht in proza, geschreven toen de schone vooruitzichten nog niet vernietigd waren.

Moesten wij alleen naar dien laatsten brief oordelen, wij zouden van den stand der zaken geen duidelijke voorstelling, en bovendien noch van Erasmus' goeden smaak, noch van den goeden smaak der prinses, een gunstige mening bekomen. Zulke offers aan de tijdsgelegenheid vormen zelden, na zo vele jaren, een aangename lectuur. Het is niet natuurlijk den briefvorm te bezigen ten einde een dame haar eigen levensgeschiedenis te verhalen, uit te weiden in haar verdiensten als vorstin, als vrouw, als jonge moeder, en de lotgevallen van haar geslacht in herinnering te brengen. Nog stijver is het, indien zij bij toeval Anna heet, daarbij de zuster van koningin Dido, de grootmoeder van het kind Jezus, en de moeder van den profeet Samuel, om beurten te pas te doen komen. Erasmus zelf vond dien stijl even slecht als wij, en hij heeft voor een keer er zich alleen van bediend omdat hij zich voorstelde dat het zo behoorde.

Zijn eigenlijke mening leren wij eerst uit de brieven aan Battus kennen; enerzijds zijn levendige hoop dat alles nu goed zal gaan, en tegelijk zeker voorgevoel dat de zaken een verkeerde wending zullen nemen. Het treft hem een zo beleefde uitnodiging ontvangen te hebben; en in zijn schroom is hij maar half zeker, ten huize der prinses een goede vertoning te zullen maken. Maar het verwondert hem tevens dat zij ten behoeve der reis hem een afgeleefd paard zendt, en als reisgeld een zo geringe som dat de kosten daarmede onmogelijk goed gemaakt kunnen worden. Kan warmte het einde zijn van zulk een koel begin? vraagt hij zich af.

Na de persoonlijke kennismaking is hij opgetogen over haar wellevendheid, haar vriendelijkheid, haar goedhartigheid. Zij belooft hem een jaargeld van tweehonderd gouden franken; en hij twijfelt niet of Battus zal, opdat hij al vast naar Italië vertrekken kunne, haar weten te bewegen hem een wissel van dat bedrag op een parijs huis te doen zenden. Hij is bezig de eerste uitgaaf zijner *Adagia* (achthonderd griekse en latijnse spreekwoorden, toepasselijk uitgebreid) voor de pers gereed te maken. Zijn plan is, dat boek op te dragen aan haar zoontje Adolf. Hij correspondeert onderwijl met haar in het frans; ongetwijfeld vrezend dat te veel latijn haar afschrikken zal. Maar een vol jaar verloopt, en hij bekomt niets.

Zonder afgunst verneemt hij dat Battus intussen een anderen jongen Nederlander aan haar voorgesteld, en zij

63

ook dezen minzaam ontvangen heeft. Die andere, Willem van Gouda, is een voormalig stadgenoot en mede-kloosterling, een talentvol dichter, een boezemvriend. Het pleit, erkent Erasmus, voor het oordeel der prinses, behagen in hem te vinden. Maar het zou hem niettemin leed doen zo hijzelf, dientengevolge, moest achterstaan; en hij is niet overtuigd dat vriend Willem die, als dichters zijn, gaarne in gezelschap gaat en een goed glas drinkt, van haar gaven een even nuttig gebruik zal maken als door hem gedaan zou zijn.

Battus schrijft naar Parijs dat de financiën der prinses niet in den bloeiendsten staat verkeren; en over niet langen tijd, bij een nieuw bezoek aan Zeeland, zal Erasmus persoonlijk zich kunnen vergewissen dat dit helaas geen verzinselen zijn. Hij zal dan bevinden dat haar goederen op hoog bevel zijn gesequestreerd, haar persoon onder toezicht is gesteld en zij veeleer in de termen valt onderstand te ontvangen dan te verlenen. Doch aanvankelijk, nog onder den indruk van den staat dien zij voert, houdt hij dit voor praatjes, en hij schrijft haar verlegenheid hieraan toe dat zij ter wille van den jongen bruidegom, dien zij liefheeft, buitensporige verteringen maakt.

,,Zij verdoet," schrijft hij terug, ,,zij verdoet tijd en geld aan haar Lodewijk *(nugatur et lusitat);* en zo *dit* haar voorwendsel is om niets te geven, dan voorzie ik dat zij *nooit* iets geven zal; want zulke verontschuldigingen hebben de groten altijd bij de hand. Een fraaie zaak, inderdaad, dat zij niet een paar honderd franken voor mij kan afzonderen, waar zulke kapitale sommen in den bodemlozen put der huishouding verdwijnen! Aan middelen voor het onderhoud van ik weet niet welke domme priesters heeft zij geen gebrek; maar om de onafhankelijkheid te verzekeren van een die boeken zou kunnen schrijven, waardig onsterfelijk te blijven voortleven, — houd mij deze grootspraak ten goede! — daarvoor schiet niet over. Laat het zo zijn dat zij in ongelegenheid geraakt is; dit is haar eigen schuld. Waarom legt zij het aan met dien welgemaakten saletjonker *(bellus ille homunculus),* in plaats van, zoals haar jaren en de hulpbehoevendheid harer sekse betamen zou, te hertrouwen met een achtbaar en ingetogen man? Zet zij zich dit niet uit de kruin, dan voorzie ik dat zij in nog groter moeilijkheden geraken zal. En meen niet dat ik zo spreek uit enigerlei vijandige gezindheid! Integendeel, ik heb haar lief; gelijk niet meer dan mijn plicht is, wanneer ik bedenk hoe voorkomend zij mij ontvangen heeft. Maar ik bid u, welk verschil zou het maken, voor een fortuin als het hare, zo ik tweehonderd franken bekwam? Op mijn woord, zeven uren daarna zou zij zich nauwelijks herinneren het geld te hebben weggeschonken!"

In deze harde verwijten klinkt iets van den toon die weinige jaren later door Benvenuto Cellini, overigens door zijn opvliegendheid en zijn lichaamskracht den zwakken en stillen Erasmus zo ongelijk, in zijn gedenkschriften zal aangeslagen worden. Het is de taal der zelfzucht van het genie dat van zijn toekomst zich bewust is, de wereld cijnsplichtig aan zich acht, en in den prikkelbaren hoogmoed zijner onstoffelijke waarde het tussenbeide komen van geldelijke hindernissen niet verdragen kan.

Wij gevoelen dat er in Europa een nieuwe macht ontstaan is, de macht van den geest, welke in de binnenkamer, en in vertrouwelijke gemoedsuitstortingen aan vrienden, op het papier, zich de meerdere van den rijkdom en den evenknie der geboorte weet. Alleen op zijn talent laat Erasmus zich voorstaan; niet op deugden waarin hij mag uitmunten, of op den invloed zijner augustijner orde, of op zijn priesterlijke wijding. In het ongeduld van zijn hoger verstandelijk gezag, hakend naar het ogenblik dat wereldlijke en kerkvorsten hem als een gelijke in hun kring zullen opnemen, verwenst en vertreedt hij in gedachte de van wuftheid beschuldigde vrouw, wier nietige bestemming bij het vervullen der zijne, die zoveel gewichtiger is, hem in den weg staat.

Een andere brief aan Battus, van wat vroeger of wat later dagtekening, en waarin hetzelfde thema behandeld wordt, maar schertsend, verzacht aanmerkelijk dezen indruk. Battus bekomt daar het verzoek, bij het voordragen van de belangen zijns vriends aan de prinses, den kleinen Adolf als tussenpersoon te bezigen. Adolf moet als pleitbezorger van Erasmus, die zulke fraaie brieven aan zijn moeder schrijft, een van buiten geleerd vertederend lesje opzeggen. Battus zelf moet de prinses doen opmerken dat Erasmus te bescheiden is om rechtstreeks haar met zijn wensen bekend te maken; dat iemand met zulk een zwakke gezondheid niet naar Italië reizen kan, zonder veel geld uit te geven; dat de kloosterbroeders in haar dienst hoogstens in een of twee kerken den lof harer deugden weten te verbreiden, terwijl de boeken van Erasmus gelezen zullen worden door Grieken, door Latijnen, door alle volken der aarde; dat men zulke ongeletterde theologen als de anderen slechts voor het grijpen heeft, maar *zijn* gelijke nauwelijks éénmaal in verscheiden eeuwen voorkomt. ,,Tenzij," vervolgt de briefschrijver, ,,tenzij uw geweten te nauw is om ten behoeve van uw vriend wat noodleugens te verkopen."

Ik ding niets af op het geestige dezer voorstelling. De plaats is belangrijk als teken van het voorgevoel ener vermaardheid, wier meeste onderpanden op dat tijdstip nog geleverd moesten worden. Toen Erasmus dit schreef bestond er van hem, behalve zijn *Ponjaard van den Christenridder*, nog geen ander noemenswaardig boek dan de oudste zeer onvolledige uitgaaf zijner *Spreekwoorden*. Doch het komt mij voor dat de bozere brief de eeuw en de verhoudingen juister schildert.

Het aangenaam verhaal zijner eerste ontmoeting met Anna van Borssele in een van het kasteel Cortgene gedagtekend schrijven aan lord Mountjoy (een overstroming deed in 1532 dien feodalen burcht in de golven verdwijnen), is de beste verontschuldiging van Erasmus' daarop gevolgde onrechtvaardige achterdocht. Meer dan twintig jaren heeft hij prinses Anna overleefd, en lang vóór haar dood hadden zij elkander voor goed uit het oog verloren.

Zijn schuld was het niet dat hij, op zijn in betrekking komen met een landgenoot van dien rang en die gaven, weleer verwachtingen bouwde; de hare niet, dat zij hem teleurstellen moest. Haar onvermogen heeft op den duur *hem* niet geschaad; en voor haar welwillende oogmerken heeft in de geschiedenis zijn latere roem *haar* met een plaats beloond, die tegen een paar knorrige uitvallen ten dage van zijn strijd meer dan opweegt.

Als schilderij is de brief aan lord Mountjoy, geschreven in de eerste dagen ener Februarimaand, onder het invallen van een halven dooi na lange en felle vorst, een keurig nederlands wintergezicht. De beschrijving vraagt geen andere toelichting dan dat het kasteel Cortgene vlak tegenover Veere lag, en het vaarwater tussen Walcheren en Noord-Beveland tijdelijk een ijsbaan aanbood.

,,Eindelijk," meldt Erasmus aan lord William, ,,eindelijk ben ik hier behouden aangekomen, ik mag zeggen in spijt der verenigde machten van hemel en hel. Welk een verschrikkelijke reis! Spreek niet van Hercules of van Ulysses: voortaan acht ik beiden als kinderen. Iuno, den dichters steeds ongezind, verklaarde mij den oorlog. Ouder gewoonte stookte zij Æolus op; en ware het slechts bij stormen gebleven![1] Alle wapenen des hemels bracht zij tegen mij in het veld, — vinnige koude, sneeuw, hagel, regen, mist, één kort begrip der verenigde vormen van slecht weer. Nu zond zij die plagen afzonderlijk, dan te zamen.

,,Den eersten nacht ging het, na langdurig regenen, weder fel vriezen; hetgeen den weg zeer moeilijk maakte. Voeg daarbij een overvloedige hoeveelheid sneeuw, vervolgens hagel, vervolgens nogmaals regen, die, zodra hij den bodem of een boomstam raakte, ijs werd. De weg was over zijn volle breedte één ijskorst; niet effen, maar golvend, en met een scherpe punt op den top van iederen kleinen heuvel. De bomen waren met ijs bekleed, zo dik en zo zwaar dat de toppen van sommigen den grond raakten.

---

1 Toespelingen op de Odyssea en de Aeneïs.

Van anderen waren de takken afgescheurd, van anderen de stammen door midden gespleten; nog anderen waren geheel ontworteld. Verschillende landlieden, mannen van jaren, betuigden mij zulk een schouwspel nog niet beleefd te hebben. Intussen moesten onze paarden nu door sneeuwhopen waden, dan zich een weg banen door met ijs begroeide dorenstruiken, dan sporen volgen, hard als steen door de vorst en daarna door den ijzel gescherpt, dan over een bevroren sneeuwkorst treden die niet stevig genoeg was om hen te dragen, maar wel om hun de enkels te kwetsen.

„Hoe denkt gij dat Erasmus in dien stand van zaken te moede was? De verbijstering van zijn paard deelde zich mede aan den berijder. Zo vaak het dier de oren spitste zonk mijn moed, en telkens als het stortte sprong mijn hart overeind. Het ene ogenblik bekroop mij de vrees getroffen te zijn door het noodlot van Bellerofon, het andere verwenste ik mijn lichtzinnigheid die geleerdheid en leven mij had doen toevertrouwen aan een redeloos dier.

„Doch verneem een avontuur dat gij wanen zoudt aan de waarachtige fabelen van Lucianus ontleend te zijn, ware het niet in levenden lijve mij zelf overkomen, en ware niet Battus er ooggetuige van geweest.[1]

„Het kasteel lag vóór ons, en een baan van ijs scheidde er ons van. Het woei dien dag zo hevig dat van de andere zijde twee mannen te vergeefs den overtocht beproefd hadden. De wind had hen omvergeworpen en gedood. Doch ik, gelukkig, had hem in den rug. Ik ging op den rand van den dijk zitten en liet mij naar beneden glijden, zeilde de ijsvlakte over, en bestuurde mijn vaart met een stok die dienst deed als roer. Nieuwe soort van navigatie!

„Op de gehele reis naar hier ben ik bijna geen schepsel tegengekomen; en niemand kwam mij achterop, zo ongunstig was het weer. Eerst den vierden dag is de zon zich

---

1 Battus was misschien, tot een niet nader aangeduid punt, van Cortgene hem tegemoet komen rijden.

komen vertonen, indien het vertonen heten mag. Eén voordeel was voor mij aan het samentreffen van al die tegenspoeden verbonden, dat ik minder bang behoefde te zijn voor dieven. Niettemin *was* ik bang voor hen, gelijk de plicht is van ieder die een gevulde beurs op zak heeft.

„Ziedaar het verhaal mijner reis. Was zij een aaneenschakeling van ellenden, hetgeen volgde was louter liefelijkheid. In welstand bereikte ik het slot van Anna, vrouwe van Veere. Hoe zal ik de beleefdheid, de vriendelijkheid, de edelmoedigheid dezer dame beschrijven? Rhetorische bloemen, dit weet ik, zijn verdacht; inzonderheid bij hen die als gij er slag van hebben ze aan te wenden. Doch in dit geval, geloof mij, maak ik mij aan generlei overdrijving schuldig, en het is veeleer mijn kunst die te kort schiet bij de werkelijkheid. Een zediger, verstandiger, bevalliger of vriendelijker vrouw werd door de natuur nooit gevormd. Van haar heusheid heb ik de uitstekendste blijken ontvangen, en zonder dat ik in de gelegenheid was haar één dienst te bewijzen, heeft zij in de hoogste mate mij aan zich verplicht."

XVII

Hier moeten wij scheiden van Erasmus.

Op zijn verderen levensloop, zeide ik reeds, is door zijn landgenoten weinig invloed uitgeoefend. Zo de diensten welke nederlandse vrouwen hem bewezen niet verder zouden reiken dan het einde zijner leerjaren, aan de beweging zijner wandeljaren bleven de nederlandse mannen nagenoeg vreemd. Ons bestek eist alleen dat wij, na zulk een ruim gebruik van zijn brieven gemaakt te hebben, ook de betekenis trachten aan te duiden van de twee andere werken die, ondanks hun idioom, tot heden hem doen voortleven als den man van een nieuwen tijd. De kleine wijsgerige satire, bedoel ik, die zijn populairste geschrift blijven zou, en zijn tachtig korter en langer dialogen over allerlei onderwerpen van den dag.

Men beweert dat de volgende anekdoten historisch zijn niet alleen, doch men noemt met naam en toenaam de noord-nederlandse stad waar de stukjes gespeeld zullen hebben.

Te Dordrecht was een priester die heimelijk enige levende krabben op het kerkhof zette, aan wier zijden hij brandende waskaarsjes geplakt had. Het kruipen dezer dieren tussen de graven, bij avond, deed de uitwerking ener schrikbarende spokerij, zodat de gemeente zich eerbiedig op een afstand hield. ,,Als het volk hierover zeer verschrikt was (gaat de oude dordrechtse stedenbeschrijver voort, aan wiens zelfbehagelijk anti- papistische vertolking ener bladzijde van Erasmus ik deze plaats ontleen), zo riep de priester van den stoel dat het zielen waren van afgestorvenen, dewelke baden door missen en aalmoezen van haar pijn verlost te zijn. Het bedrog kwam uit, doordat twee of drie krabben, die de priester vergeten had op te nemen, met de kaarsjes onder de ruigte gevonden werden. Hij verzon nog een ander stuk werks. Hij woonde bij een nicht die zeer rijk was; en als 't middernacht was kwam hij in haar kamer met een wit laken om, gelijk of hij een geest ware geweest, enige woorden binnensmonds mommelende, hopende dat de vrouw een exorcist zou ontbieden of zelve hem zou aanspreken. Maar zij, een mannelijk hart hebbende, heeft heimelijk een van haar neven gebeden dat hij zekeren nacht in haar kamer wilde waken. Hij, welgewapend zijnde tegen spokerij, en wel gedronken hebbende om niet vervaard te zijn, werd in het bed verborgen. De geest kwam op de gewoonlijke manier, ik weet niet hoe droevig stenende. De exorcist wordt wakker, springt op, en, nog niet heel nuchteren, tijt hem aan. De geest meende hem met huilen en gebaar te verschrikken. Maar: *Zijt gij de Duivel,* zeide de dronkaard, *ik ben zijn Moêr,* en sloeg hem lustig met een stuk houts. Hij zou hem afgemaakt hebben, ten ware de priester, veranderende van stem, geroepen hadde: *Hou op, ik ben geen geest, ik ben Heer Jan.* Op die bekende stem sprong de vrouw uit het bed, en scheidde hen."

Een man van Erasmus' rang in de wetenschap had in een andere omgeving en een anderen tijd niet behoeven af te dalen tot het boekstaven van zulke grollen. Het verdient opmerking dat Erasmus' strijd tegen de eigenlijk gezegde monniken, hun luiheid, hun onkunde, hun brassen, hun losbandigheid, ons niet bijzonder treft. Sedert den *Roman de Renart,* den *Roman de la Rose,* de vertellingen van Boccaccio, was deze satire een afgezaagd onderwerp. Dante laat reeds den Heiligen Benediktus klagen over het snel verwelken der idealen van het kloosterleven. ,,In minder tijd dan een eikel behoeft om eik te worden," zucht bij hem de stichter der benediktijner-orde (eerste helft der 6de eeuw), ,,ziet men de verhevenste instellingen in haar eigen tegenbeeld ontaarden." Reeds de Heilige Bonifacius (eerste helft der 8ste) hangt in zijn brieven een tafereel van monachale misbruiken op, hetwelk volgende eeuwen niet donkerder kleuren konden.

Het enige nieuwe in Erasmus' strijd tegen de kloosters was dat hij niet hun hervorming bedoelde, maar hun opruiming, als voortaan overbodig geworden normaal bestanddeel der samenleving. Als bijzondere genootschappen tot bevordering van in- en uitwendige zending, als instellingen van liefdadigheid, als toevluchtsoorden der vrijwillige wereldverzaking, als brandpunten ener naar den Heiligen Benediktus te noemen geleerdheid, mochten de kloosters zijnentwege blijven. In alle andere opzichten hadden zij volgens hem voor goed uitgediend.

Werkelijk was aan de universiteiten voor de wetenschap een nieuw kweekbed ontsloten. Het onderwijzend personeel voor lagere en middelbare scholen behoefde niet langer uit de kloosters getrokken te worden. Er was een onderwijzersstand van leken ontstaan. Later zou die klasse dagelijks talrijker worden, naarmate het veldwinnend protestantisme onder het humanisme der lagere rangen meer aanhangers wierf.

Maar wat rechtstreeks Erasmus en zijn tijd kenmerkt is dat partijkiezen vóór het gezond verstand tegen het bijgeloof, zoals in het ontmaskeren van dien dordrechtsen boerenbedrieger. Dit was iets moderns. Te dezen aanzien is in den boezem van het katholicisme, wat het onoverwinnelijke van zijn afkeer, de hevigheid zijner satire, het profane of goddeloze der uitdrukking betreft, Erasmus de Voltaire der 16de eeuw geweest. Hij moet in de eindelijke zegepraal der rede zeer vast geloofd hebben, dat hij met een onverdeeld gemoed zo lustig aan de pijlers der legende heeft kunnen staan schudden.

In een zijner *Samenspraken* verhaalt hij van een storm op zee, en van sommige dwaze kerkgeloften der passagiers, wanneer het hachelijk ogenblik van pompen of vergaan gekomen is. Erasmus is in den loop der jaren uit Frankrijk en Nederland zo dikwijls naar Engeland overgestoken, dat wij het toneel der handelingen die hij beschrijft onwillekeurig op de Noordzee of in het Kanaal zoeken. ,,En,'' laat de verteller zich vragen; na reeds door een ander voorbeeld de zonderlinge werking van het gevaar op de eensklaps ontwakende vroomheid der mensen geschilderd te hebben, kenbaar aan het inroepen der bescherming van verschillende heiligen; ,,en was er niemand die aan den Heiligen Christoffel dacht? — Jawel; en zelfs kon ik mijn lachen niet houden toen één hunner, bang dat hij niet verstaan zou worden, den Christoffel der kathedraal van Parijs, een beeld als een berg, luidkeels een waskaars beloofde *zo groot als hij zelf*. Met inspanning van al zijn krachten had hij dit een- en andermaal uitgegalmd, toen een goede kennis nevens hem met den elleboog hem aanstiet en fluisterend tot hem zeide: Bedenk wat gij belooft; al verkocht gij al uw bezittingen, een waskaars van dat gewicht zoudt gij niet kunnen betalen. Zwijg, domoor, beet de ander hem toe, nog zachter sprekend, opdat de Heilige Christoffel het niet horen zou; denkt gij dat ik het meen? *Een vetkaars zal hij hebben,* meer niet; zo ik maar eenmaal weder aan den wal ben. — De botterik! Dat was zeker een Hollander? — Neen, maar het was een Zeeuw.''

Landgenoten zomin als vreemdelingen, leken zomin als

priesters, worden, wanneer Erasmus dit onderwerp aanroert, door hem gespaard. Aan alles is merkbaar dat hij met welgevallen een dier tijden beleeft welke men daarna, in Duitsland, met den naam van *Aufklärungsperiode* zou aanduiden. Hij vindt het genoegelijk, te velde te trekken tegen de „betoverde wereld" zijner eeuw. De vrees, met het onkruid ook de tarwe te zullen uitrukken, kwelt hem niet. Het zou hem een lust zijn, zelfs schamele lieden, als marskramers en schepelingen, in een „verlichte denkwijs" te zien delen.

In dit opzicht heeft er in Erasmus' brein, sedert hij het klooster verliet, een volstrekte omwenteling plaats gegrepen; en wij kunnen ons voorstellen dat menig vroom katholiek zijner dagen, over zoveel stoute spotternijen als hij zich veroorloofde, bedenkelijk het hoofd heeft geschud. Wat wilde deze Rotterdammer? Aan welk gezag ontleende hij het recht, op die wijs en in die mate het volksgeloof aan te randen? Zou de wereld schoner zijn, wanneer hij van haar betovering haar ontzwaveld had?

In den ijver zijner polemiek ziet Erasmus dit alles voorbij, en gaat alleen met de eisen der beschaving en van het maatschappelijke te rade. Hij die als jongeling het vriendinnetje bewonderde dat ondanks de gebeden van vader en moeder den sluier aannam, verheerlijkt in zijn dialogen, nu hij een man geworden is, de eerbare vrijerij van een minnend paar: *de Jongeling en het Meisje*. Wanneer geestelijken of leken, die geen hebreeuws verstaan, alle hebreeuwse boeken zouden willen verbranden en zij de nagedachtenis van Reuchlin, uitgever der eerste hebreeuwse spraakleer, zoveel mogelijk zwart maken, dan schrijft hij, naar de mode van den tijd Reuchlins naam in het grieks vertalend, de *Hemelvaart van Capnio*, en wijst den verlichten geleerde in de verblijven der gelukzaligen een ereplaats aan.

In de *Bekentenissen van den Soldaat* komt de onzin van het oorlogvoeren aan het licht, beoordeeld naar den huurling die niet voor zijn vaderland of voor een beginsel vecht,

73

maar alleen om uit plunderen te gaan en zich te verrijken.
— ,,Dat ziet er geleerd uit: Mercurius bij het vertrek, Vulcanus bij de thuiskomst! — Van welke Vulcanussen en
welke Mercuriussen spreekt gij? — Ik bedoel dat gij, die
bij het heengaan vleugelen aan de voeten scheent te hebben, thans hinkt. — Zo doet gewoonlijk die uit den oorlog
komt. — En wat dreef u naar den oorlog, beminnaar van
het hazenpad? — De hoop op buit had mij courage gegeven. — Gij keert dus huiswaarts met een som van belang?
— Met een ledigen buidel, ja. — Dit ontheft u van de zorg
het gestolene terug te geven. — Dat deed ik reeds lang geleden. *Alles* gaf ik terug. — Aan wie? — Aan Trijntje,
aan Wijntje, en aan het verkeerbord.''

Op dien toon gaat de samenspraak voort, tot ook het
plegen van heiligschennis in de kerken gebiecht wordt. —
,,Ik vrees dat gij naar Rome zult moeten, om voor zovele
misdaden vergiffenis te bekomen. — Mij is een kortere
weg bekend: ik zal naar de dominikanen gaan en met de
commissarissen het op een akkoord werpen. — Maar die
altaarroof? — Al zou ik Christus zelf geplunderd en hem
het hoofd van den romp geslagen hebben, zij bezitten overal aflaten voor; alles wordt door hen geschikt. — Bekommerde het u niet somtijds wat er van uw ziel worden zou,
indien gij sneuveldet? — Geen ogenblik. Ik was volkomen
gerust, want op een keer had ik mij de Heilige Barbara
aanbevolen. — Nam zij u onder haar bescherming? — Zeker, ik zag haar mij zachtjes toeknikken. — Wanneer
meendet gij dit te zien? Op welk uur van den dag? 's Morgens? — Neen, 's middags na tafel. — Maar op dat ogenblik, wil ik wedden, zaagt gij ook de bomen wandelen? —
Die man raadt alles!''

De samenspraak _Charon_ is tegen de oorlogvoerende
vorsten gericht en duidt stoutweg, bijna met even zovele
woorden, keizer Karel V en de koningen Frans I en Hendrik VIII als de voorname mensenslachters van het tijdvak
aan. Zij overvoeren in zulke mate de markt der onderwereld dat de oude opgelapte helleschuit te klein en te

74

wrak geworden, en Charon naar de aarde gekomen is om
een nieuwe en grotere te bestellen.

Charon is in zijn schik. Hoe meer zielen, is het ook bij
hem, maar niet in de gezellige betekenis die de levenden
aan het spreekwoord hechten, hoe meer vreugd. Hij vreest
alleen dat „zekere polygraaf daarboven" hem afbreuk
doen zal, door te welsprekend tegen den oorlog te schrijven en den vrede aan te bevelen. — „Maak u niet onge-
rust," wordt hem geantwoord, „die man predikt voor
dove oren."

Behalve om dit ten tonele voeren van Erasmus door
zichzelf, is deze dialoog ook merkwaardig om een zinspeling op de meedogenloze en bloedige geloofsvervolging in
die dagen, teken van de wassende macht der ketterij. —
„Indien er nu de ene of andere goede God opstaat die de
vorsten met elkander verzoent," klaagt Charon, „dan ben
ik een bedorven man." — „Geen nood," verzekert men
hem, „te dien aanzien kunt gij op beide oren rustig slapen.
In de eerste tien jaren komt er geen vrede. Alleen de paus
van Rome vermaant ijverig tot eendracht; maar hij schuurt
den moriaan. Er zijn ook steden die zuchtend onder schro-
melijke rampen gebukt gaan; er zijn pruttelende volken die
het een ongerechtigheid noemen dat ter wille der eerzucht,
der bijzondere veten van twee of drie personen de wereld
onderstboven gekeerd worde; maar geloof mij, ondanks
de redelijkste vertogen zal het woord aan de Furiën blijven.
Wat ik echter zeggen wilde: waarom komt gij naar de
aarde ten behoeve uwer nieuwe schuit? Kon Vulcanus u
niet helpen? — Nu nog fraaier! Ik bedank voor een schip
van metaal. — Voor een kleinigheid hadt gij van hier een
scheepstimmerman kunnen ontbieden. — Dat is zo; maar
wij hebben beneden gebrek aan materiaal. — Hoe nu? En
al die bossen? — Alles gekapt. Zelfs het hout in de Elysese
Velden. — Mag ik vragen met welk doel? — *Voor het
verbranden van de schimmen der ketters.* Zij komen in zul-
ken getale dat wij onlangs steenkolen zijn moeten gaan
delven."

In den *Cykloop-evangeliedrager* worden de slechte lutheranen tentoongesteld. Een ridder die Polyfemus heet en dien men, om zijn ongunstig uiterlijk, zo men hem op zee of in een bos ontmoette, voor een struikrover of een boekanier zou aanzien, pocht op het bezit van een Nieuw Testament (een Nieuw Testament in de latijnse vertaling van Erasmus), dat hij zorgvuldig heeft doen binden en met kleuren versieren. — „Een franciskaner bij ons in de buurt," verhaalt hij, „voer gestadig tegen het Nieuwe Testament van Erasmus uit. Ik ging hem spreken onder vier ogen, pakte met de linkerhand hem bij de haren, en deed hem de kracht van mijn rechtervuist gevoelen. Zijn ganse bakhuis, zó takelde ik hem toe, was één bult. Is dat niet het bewijs dat ik het evangelie liefheb? Daarna heb ik, bij wijs van absolutie, er hem nog drie builen mede op den schedel geslagen: een in naam des Vaders, een in naam des Zoons, een in naam van den Heiligen Geest. — Niet onevangelisch, inderdaad! Dat noem ik het evangelie verdedigen *met* het evangelie. — Een ander franciskaan maakte het nog bonter, en ging in zijn razen tegen Erasmus iedere maat te buiten. Door evangelischen ijver vervoerd trad ik dreigend op hem toe, noodzaakte hem gekniel vergiffenis te vragen, en te erkennen dat zijn boze woorden waren ingegeven door den Duivel. Had hij geaarzeld, mijn hellebaard zou zijn nedergekomen op zijn kruin. Ik blaakte van strijdlust, en zag er uit als een vertoornde Mars. Verschillende personen zijn van dit toneel getuige geweest.[1] — Het verwondert mij dat de man niet op de plaats doodgebleven is. Maar zeg mij, om op ons gesprek van daareven terug te komen, hoe staat het bij u met de kuisheid? — De jaren zullen mij ingetogenheid leren, hoop ik; doch ik weiger niet u in vertrouwen te bekennen dat ik nog geen model-evangelische ben, enkel een uit den groten hoop. Wij Evangelischen hebben vier evangeliën, en jagen bovenal vier dingen na: een goede

1 Dit en het vorige ziet op de bejegening welke van Ulrich von Hutten's zijde, in de burcht van Franz von Sickingen, de keulse kettermeester Hoochstraten zal ondervonden hebben.

tafel, inschikkelijke vrouwen, enig kapitaal, en alles doen waar wij lust in hebben. Zijn die ons deel, dan heffen wij den beker en roepen in geestvervoering: Iö Pæan! leve het evangelie! het rijk van Christus kome! — Zo leven epikuristen, niet de evangeliedragers. — Toegestemd; maar gij weet dat Christus almachtig is, en hij in een oogwenk andere mensen van ons maken kan. — Ook zwijnen kan hij van u maken; gemakkelijker zelfs, daar houd ik het voor, dan brave lieden. Het wordt tijd dat gij van dit beestachtig leven afscheid neemt. — Ik ontken dit te minder, daar de profeten onzer dagen het naderend einde der wereld aankondigen. Ik verbeid de hand van Christus. — Zo? Nu, dan moogt gij toezien dat die hand u kneedbaar vinde. En waaruit leiden uw profeten af dat het einde der wereld aanstaande is? — Omdat, zeggen zij, de mensen thans evenzo leven als in de dagen vóór den Zondvloed. Zij eten, zij drinken, zij tafelen, zij nemen en geven ten huwelijk, zij lopen vreemde vrouwen na, zij kopen en verkopen, zij woekeren, zij bouwen; de koningen voeren oorlog, de priesters peinzen op vermeerdering van inkomsten, de theologen breien syllogismen, de monniken dweilen waar men ga, het volk komt in opstand, Erasmus schrijft samenspraken; alle plagen tegelijk zijn over ons uitgestort: honger, dorst, inbraak, oorlog, pest, beroerten, geldgebrek. Zijn dit geen tekenen dat het menselijk geslacht zijn einde nadert?"

Bij het beoordelen van deze en dergelijke tiraden moet men op het bijzondere niet te veel nadruk leggen. Erasmus kan onder het schetsen van zijn Evangeliedrager somtijds aan een bepaald persoon gedacht hebben, doch de meeste trekken van het beeld zijn aan de onwaardige lutheranen in het algemeen ontleend. Hij leed er onder, dat zulke lieden zich van zijn naam en zijn Nieuw Testament bedienden als schild van hun ondeugden, hun hartstochten of hun chiliasme. De filoloog gruwde van dit beduimelen zijner denkbeelden door de schare; en hij wreekte zich in het latijn.

Verschillende beroemde bladzijden uit Erasmus' *Sa-*

menspraken, zuivere kleine genre-schilderijen zonder pole-
mische strekking, kan men overal aangehaald vinden. Zijn
beschrijving van sommige duitse logementen, als tegenstelling van sommige franse, in het hoofdstuk *Herbergen.* Zijn
geschiedenis van den *Paardekoper,* die meende bedot te
hebben en zelf bedot werd. Zijn onschuldige *Tartufferie:*
de ontmoeting van twee literarische vrienden die zoeken
te verbergen dat het latijns proza, waarin zij elkander toe-
spreken, latijnse verzen zijn. Zijn *Dichterlijk Gastmaal,*
waar een vrijpostige dienstmaagd haar onpractischen
meester verwijt slechts verstand te hebben van konjektu-
rensmeden, en dat hij beetwortels voor kropsla aanziet.

Opmerkelijk is de karakterbeschrijving van een zwitsers dorpsherbergier, bij wien twee franciscanen logies en
een plaats aan tafel komen vragen. Erasmus trekt partij
voor die rechtschapen monniken, en de waard zelf dankt
hen ten slotte voor hun aangenaam onderhoud. Doch aanvankelijk is de man uit het volk louter achterdocht en on-
wil; en wanneer zijn vrouw een goed woord voor de broeders komt doen, dan snauwt hij haar af:

,,Welke diersoort komt daar aan? — Beste vriend, wij
zijn knechten Gods, zonen van den Heiligen Franciscus.
— Ik kan niet beoordelen of God schik heeft in zulke
knechten; ik voor mij zou er niet gaarne veel van in huis
hebben. Wanneer het op eten en drinken aankomt, dan zijt
gijlieden heel wat mans; maar om te werken hebt gij handen noch voeten. Och kom! zijt gij zonen van den Heiligen
Franciscus? Gij spreekt altijd over Franciscus' maagdelij-
ken staat; hoe komt hij dan aan al die zonen? — Wij zijn
zijn zonen naar den geest. — Nu, dan beklaag ik uw vader;
want ulieder geest is uw slechtste deel. — Gij schijnt ons
voor ontaarde leden onzer orde aan te zien; weet dat wij
observanten zijn. — Des te scherper zal ik u observeren,
dat gij niets kwaads uitvoert; uw observanten zijn mij bij
uitnemendheid tegen de borst. Tanden brengen zij mede,
maar geen geld; en zulke gasten kan ik missen. Ik weet
zeer goed dat gijlieden beweert voor ons te arbeiden; maar

zal ik u tonen hoe gij arbeidt? Kijkt eens naar deze prent hier, aan uw linkerhand. De vos houdt een boetpredikatie; maar op zijn rug, uit de kap zijner pij, komt een ganzehals te voorschijn. Die wolf, daar, geeft een biechteling de absolutie; maar onder zijn voorkleed, dat gij ziet zwellen, is een lamsbout verstopt. Gindse aap in franciscanergewaad waakt bij een zieke: de ene hand houdt een crucifix omhoog, de andere grabbelt in 's kranken beurs."

Nu komt de vrouw tussenbeide:

,,Vriend, laat die twee van nacht onder ons dak blijven. Licht dat gij als boete voor uw vele zonden dit ene goede werk verricht. Het zijn brave lieden. Naderhand zal het u tot voordeel gedijen. — Hoor die wijfjestaalman! Vast ligt gijlieden onder één dek. Ik haat een vrouw die andere mannen dan den haren braaf noemt. — Zo meen ik het niet. Maar bedenk hoe vaak gij misdreven hebt door dobbelen, drinken, vechten, ruzie maken. Eén aalmoes voor zoveel zonden zal geen weelde zijn. Werp deze broeders niet uit. Op uw sterfbed zult gij om hen vragen. Potsenmakers en koordedansers laat gij toe bij de vleet; en hen jaagt gij weg? — Zult gij uitscheiden met uw gepreek? Voort, naar uw keuken! — Ik ga al."

XVIII

Deze toon der *Samenspraken;* te vaak slechts gedachtenwisselingen van den auteur met zijn lezers, gekleed in vragen en antwoorden welke de ten tonele gevoerde personen in den mond gelegd worden; is geheel dezelfde als van den *Lof der Dwaasheid.* Wie het niet wist zou niet geloven dat het kleinere geschrift tien of vijftien jaren vóór het grotere voltooid werd, — gewichtige jaren in Erasmus' leven, want toen hij de *Colloquia Familiaria* uitgaf was hij een beroemd man, terwijl bij het verschijnen der *Stultitiae Laus* Europa van zijn bestaan zich nog nauwelijks bewust was.

De tijdgenoten hebben in dit boekje bovenal een satire

van de maatschappelijke en kerkelijke misbruiken der eeuw gezien; en werkelijk behoeft men het slechts te doorbladeren om zich te vergewissen dat de auteur zich heeft voorgesteld al schertsend een zwaren slag te slaan.

Zijn aanval op de verschillende geestelijke orden is geweldig. ,,Zonder het zelfbedrog dat zij aan mijn invloed danken,'' laat hij de Dwaasheid zeggen, ,,zouden deze lieden de rampzaligsten der mensen zijn. De gehele wereld haat hen; zelfs hen toevallig te ontmoeten geldt voor een boos voorteken. Niettemin zijn zij met zichzelf ten hoogste ingenomen, en laten zij op hun goede werken zich zoveel voorstaan dat één hemel hun te klein dunkt voor hun verdiensten, — niet bedenkend dat Christus in den oordeelsdag al die kerkgebaren en nietige overleveringen versmaden, en alleen vragen zal naar het nakomen van zijn liefdegebod. Een zal dan zijn buik vertonen, gezwollen van het vis-eten. Een ander tien mud psalmen uitstorten. Een derde opsommen hoeveel duizend keren hij gevast heeft, en dat zijn maagziekte voortkomt uit het veelvuldig gebruiken van maar één maaltijd daags. Een zal zulk een stapel ceremoniën komen aandragen, dat zeven vrachtschuiten dien nauwelijks zouden kunnen laden. Een zich beroemen in geen zestig jaren een stuk geld te hebben aangeraakt, tenzij met dubbel omwoelde vingers. Een zijn pij laten zien, zo vies en vet dat geen schipper haar zou willen aantrekken. Een zal laten klinken dat hij als een spons vijf-en-vijftig jaren heeft vastgezeten aan dezelfde plaats; een bewijzen dat hij door het gestadig metten-zingen hees, een dat hij door de eenzaamheid stompzinnig, een dat door het stelselmatig zwijgen zijn tong stijf geworden is. Waar, zal Christus hen in de rede vallen, vrezend dat zij anders honderd uit zullen roemen, waar komen deze nieuwe Joden vandaan? Er is maar één wet die ik voor de mijne erken, en van haar hoor ik niet reppen. Onverholen en zonder gelijkenissen heb ik weleer het erfdeel mijns Vaders toegezegd, niet aan pijen, schietgebeden, onthoudingen van spijs of drank, maar aan werken der barmhartigheid. Ik

erken niet voor de mijnen wie zichzelf in die mate over-
schatten, en heiliger willen schijnen dan ik. — Met welke
gezichten zullen zij elkander aanzien, denkt gij, wanneer
zij deze taal vernemen, en bemerken dat zij de minderen
geacht worden van matrozen en koetsiers? Onderwijl zijn
zij zalig in hope, dank zij mijn gunst."

De lofrede op zichzelf, welke Erasmus de Dwaasheid
laat houden, is gedeeltelijk onoprecht, naar men ziet. Een
noodlottige verblinding in het zedelijke wordt voorgesteld
kwanswijs als een goede gaaf des Hemels; voor het minst
als een aangename zwakheid welke men de arme menselijke natuur ten goede moet houden. Hoe radeloos ongelukkig zouden de monniken zijn, indien zij wisten wat
Christus eigenlijk van hen denkt!

Voor iemand die het wapen der ironie wist te han-
teren was dit een gelukkige vondst, en Erasmus blijft niet
in gebreke de ader te ontginnen. ,,Indien een bisschop,"
gaat de schijnbaar zachtmoedige Dwaasheid voort, ,,in-
dien een bisschop overwoog om welke reden hij een linnen
overkleed draagt, blank als sneeuw, zinnebeeld van een
smetteloos leven; wat de verbindingsknoop tussen de twee
hoornen van zijn mijter betekent: een volmaakte kennis
van beide Testamenten, het Oude en het Nieuwe; wat het
schoeisel zijner handen: de zuivere en door niets mense-
lijks verontreinigde bediening der sacramenten; wat de
herderlijke kromstaf: het zorgvuldig weiden der toever-
trouwde kudde; wat het vooruitgedragen crucifix: de zegepraal over alle menselijke hartstochten, — zou hij dan niet
een verdrietig en kommervol leven leiden?

,,Indien de opperste kerkvoogden, Christus' stedehou-
ders, het leven van Christus poogden na te volgen, zijn
armoede, zijn leren, zijn kruis, zijn doodsverachting: ware
er dan op aarde een droefgeestiger bestaan denkbaar? Wie
zou zijn gehele fortuin opofferen voor het kopen van den
pauselijken rang? Wie door het zwaard, door vergif, door
allerlei geweldenarijen, in het bezit van het gekochte zich
willen handhaven? Geen paus met één grein wijsheid, één

korrel van het door Christus geprezen zout, zou dit verlangen. En zo heeft de wereld het aan mij te danken dat geen sterveling weelderiger en onbezorgder leeft dan Hunne Heiligheden, die in voldoende mate Christus het zijne menen gegeven te hebben, wanneer zij te midden van symbolische en schier bij het toneel geborgde handelingen hun opper-bisschopsbedrijf uitoefenen. Wonderen verrichten, dit ware ouderwets; den volke het evangelie verkondigen, een vermoeiend werk; den bijbel verklaren, schoolmeesterachtig; bidden, tijdrovend; tranen storten, onwaardig en verwijfd; armoede lijden, niet fatsoenlijk; geslagen worden, vernederend en onbestaanbaar met den rang van personen die te nauwernood de bloem der koningen tot het kussen hunner gezegende voeten toelaten; sterven, eindelijk, hoogst verdrietig; gekruisigd worden, een onuitwisbaar schandmerk. Bouwvallige grijsaards worden er onder hen gevonden die den krijgsmoed van jongelingen ten toon spreiden,[1] en noch hun schatkist vrezen te ledigen, noch tegen veldtochten opzien, noch het als een schrikbeeld aanmerken de wetten, den godsdienst, den vrede, en alle menselijke zaken onderstboven te keren."

Bij al de satirieke schrijvers van het tijdvak vindt men deze invektieven terug; niet het schaarst bij de gewezen monniken onder hen. Erasmus, Skelton, Luther, Rabelais, allen zijn renegaten van het klooster- en het priesterleven; allen hebben bij ondervinding den valsen schijn ener overeengekomen wereldverzaking leren kennen. Ongevoelig voor de beschuldiging zich als apostelen des vleses aan te stellen, ijveren zij uit alle macht voor het natuurleven, en hameren wat zij kunnen op het kerkdom. Het enige wat Erasmus onderscheidt (en na hem de schrijvers der *Obscuranten-brieven* onderscheiden zal) is dat zijn latijn hem ontoegankelijk maakt voor het volk.

In een andere reeks plaatsen van den *Lof der Dwaasheid* heeft deze opgehouden een ondeugd te zijn, maar

1 Toespeling op den oorlogzuchtigen paus Julius II.

82

blijft zij nog steeds een berispelijke neiging. De mens vindt behagen in uitspanningen die vergefelijk potsierlijk waren, indien zij er niet toe bijdroegen hem in zijn aange- boren woestheid te stijven. Aldus de hartstocht der vorsten en der grote heren voor het jachtvermaak.

Inzonderheid door zijn herhaald logeren op de landgoe- deren van engelse edelen kende Erasmus uit eigen aan- schouwen de tragi-komische praktijken, destijds bij het jagen in gebruik; en zijn jongste engelse levensbeschrijver doet hem recht wanneer hij het volgende, — waar men de antipathie van den eenzijdig ontwikkelden letterkundige namens het gezond verstand en de zachte zeden tegen de buitensporigheden en de wreedheid van het *sport* hoort opkomen, — voor een persoonlijke herinnering houdt:

,,Van één soort met de ziende blinden zijn zij voor wie de jacht boven alles gaat, en wier gemoed, beweren zij, door een niet onder woorden te brengen gevoel van wel- behagen overstroomd wordt, wanneer zij de verfoeilijke melodie der waldhorens of het bassen der honden ver- nemen. Er zijn er, op mijn woord, wier reuk door den drek zelf der honden aangenaam wordt geprikkeld, als ware het kaneel. En welk een genot, wanneer het gevangen dier ontweid ligt te worden! Het gepeupel mag ossen en scha- pen slachten: het afmaken van wild is den edelman voor- behouden. Deze, het hoofd ontbloot, de knie gebogen, trekt een mes dat voor dit doel bestemd is en voor geen ander gebruikt mag worden. In zekere orde, met zekere ge- baren, snijdt hij plechtstatig zekere stukken uit. Hoewel de omstanders hetzelfde toneel ontelbare malen bijge- woond hebben, staan zij op nieuw eerbiedig zwijgend toe te zien, niet anders dan of er een nog onbekende godsdien- stige handeling gevierd werd. Zij wie daarna het voor- recht te beurt valt te mogen proeven van de vangst, stel- len dit met een bevordering in den adelstand gelijk. Vraagt men of deze jagers door hun gestadig nazetten en eten van wild wel iets hogers bereiken dan dat zij zelf allengs in weinig minder dan wilde dieren ontaarden? Neen; maar onderwijl verbeelden zij zich niettemin een koningsleven te leiden."

Thans komen de paragrafen waar de dwaasheid begint te zwemen naar een deugd; in zulke mate dat wij haar niet geheel kunnen veroordelen zonder het gemenebest van een nuttig steunsel, of het leven der bijzondere personen van een onschuldig en aangenaam tijdverdrijf te beroven.

Tot afwisseling ontleen ik een bladzijde aan een andere *Stultitae Laus*, geschreven door een jongere tijdgenote van Erasmus in Frankrijk, Louise Labé (1525—1565). Sommige trekken zijner vinding zijn door de schone lyonese Cordière in haar *Débat de Folie et d'Amour* zo gelukkig nagevolgd, dat de europese letterkunde van het tijdvak misschien geen volmaakter proef van erasmiaansen renaissance-stijl in de landstaal heeft aan te wijzen.[1]

Men hore Mercurius, advokaat van Folie, de merkbare tekenen van waanzin bij het verliefd jong meisje opsommen. De gedachte en de wendingen zijn van Erasmus; maar ons geeft dit oude frans een betere voorstelling van den algemenen toon zijner satire, dan de beste vertaling in hedendaags nederlands vermag. ,,Et dans tous ces actes de la pauvrette," pleit Mercurius, ,,quels traits trouvez-vous que de Folie? Avoir le coeur séparé de soymesme, être maintenant en paix, ores en guerre, ores en treves; couvrir et cacher sa douleur; changer visage mile fois le iour: sentir le sang qui lui rougit la face, y montant: puis soudein s'enfuit, la laissant palle, ainsi que honte, espérance, ou peur, nous gouvernent. Chercher ce qui nous tourmente, feingnant le fuir, et néanmoins avoir crainte de le trouver: n'avoir qu'un petit ris entre mile soupirs: se tromper soymesme: brusler de loin: geler de près: un parler interrompu: un silence venant tout à coup: ne sont-ce tous signes d'une personne aliénée de son bon entendement?"

Nog een thema van Erasmus wordt door de uitnemende

1 Débat de Folie et d'Amour, in de Œuvres de Louise Labé, parijse uitgaaf van 1871, gedrukt bij Johannes Enschedé en Zonen. — Studie over Louise Labé bij Sainte-Beuve, Nouveaux Lundis IV bl. 289 vgg.

prozaschrijfster, tevens dichteres, niet minder bevallig uitgewerkt. Het is: dat de samenleving grote verplichtingen heeft aan den moed en het blind zelfvertrouwen van enkele onbesuisden: waaghalzen en dwazen inderdaad, maar gevierder burgers van hun land somtijds dan de wikkende wijzen en voorzichtigen. Weder voert Mercurius het woord en concludeert: ,,Pour le dire en un mot, mettez moy au monde un homme totalement sage d'un coté et un fol de l'autre: et prenez garde lequel sera plus estimé. Monsieur le sage attendra que l'on le prie, et demeurera avec sagesse tout seul, sans que l'on l'apelle à gouverner les villes, sans que l'on l'apelle en conseil; il voudra escouter, aller posément où il sera mandé: et on ha afaire de gens qui soient pronts et diligens, qui faillent plus tot que demeurer en chemin. *Il aura tout loisir d'aller planter des chous.* Le fol ira tant et viendra, en donnera tant à tort et à travers, qu'il rencontrera en fin quelque cerveau pareil au sien qui le poussera: et se fera estimer grand homme. Le fol se mettra entre dix mile arquebuzades, et possible en eschapera; il sera estimé, loué, prisé, suivi d'un chacun. Il dressera quelque entreprise escervelée, de laquelle s'il retourne il sera mis iusques au Ciel. Et trouverez vray, en somme, que pour *un* homme sage dont on parlera au monde, y en aura dix mile fols qui seront à la vogue de peuple."

Het voorname onderscheid, tussen het *Débat de Folie et d'Amour* en den *Lof der Dwaasheid* is, dat onder de vele betekenissen waarin Erasmus om beurten zich van hetzelfde woord bedient, één allengs en ongemerkt de overhand gaat krijgen. Al vroeg had zijn moeilijke jeugd hem tot op den bodem der samenleving leren zien, en menig ander zou in zijn plaats misanthroop geworden zijn. Hem daarentegen vermaakt in de eenzaamheid de gedachte dat alle menselijke handelingen en drijfveren haar humoristische zijde hebben. Hij stelt zijn opmerkingen te boek; en zo ontstaat, uit zijn eigen levensbeschouwing, zijn satire. Het treft hem dat elke vader en elke moeder hun uiltje voor een valk aanzien, elk jong meisje haar minnaar voor een fenix houdt, elke jonge man in de ogen zijner beminde zich den Hemel ziet ontsluiten. Echtgenoten verdragen elkander uit blindheid voor elkanders gebreken, bemerkt hij. Stokpaarden vormen het gewone vervoermiddel van denkers, dichters en geleerden. Volken zijn grote kinderen. De scepters der koningen gelijken somtijds zotskolven. De voortplanting van het menselijk geslacht onderstelt lachwekkende gemeenzaamheden. Ieder heeft zijn eerzucht, en ieders eerzucht haakt naar een onderscheiding. Eenvoudigen ontcijferen somtijds raadselen, aan wier oplossing de wijzen en de verstandigen hun vlijt en hun olie verspilden.

„Zegt niet," vraagt de Dwaasheid, „zegt niet tot lof der Brabanders een brabants spreekwoord: *Hoe ouder hoe gekker?* Hetgeen betekent dat dit volk meer dan enig ander zich door een gezelligen aard onderscheidt, en door de gebreken van den ouderdom in mindere mate gekweld wordt. Niet anders mijn Hollanders, door ligging en levenstrant de Brabanders zo nauw verwant. En waarom zou ik niet *mijn* Hollanders zeggen, daar zij aan hun volharden in mijn dienst hun bijnaam danken, en zij zich dien zo weinig schamen dat zij hem als hun voornaamsten eretitel beschouwen? Laat anderen dan de Medea's, de Circe's, de Venussen, de Aurora's, en weet ik welke toverbronnen aangaan! Anderen bij andere godinnen het geheim der bloedvernieuwing zoeken! *Bij mij alleen vindt men daartoe het vermogen, bij mij de praktijk."*

Even diep als Holbein, die in een verloren ogenblik zijn boekje illustreerde, gevoelt Erasmus dat het leven der mensen met het uitvoeren van een dodendans gelijk staat. De onverbiddelijke god Terminus is hem geen ogenblik uit de gedachten. Doch de herinnering verbittert hem niet. Over geen onderwerp kan hij nadenken, of altijd gluurt in zijn verbeelding over den schouder der godinnen van deugd, waarheid, schoonheid, de glimlachende met de bellenkap, de alomtegenwoordige Fantasie. Het geloof, de wetenschap, de liefde, de geestdrift, de zelfopoffering, alles schijnt hem toe slechts tot op zekere hoogte ernst te zijn, en geen ernst te kunnen blijven, tenzij door een *grain de folie* voor bederf bewaard.

Van een zijner invallende gedachten, den Hofnar, hebben andere grote vernuften der 16de eeuw levende wezens weten te maken, even populair geworden als de algemene beschaving zelf: Rabelais van Panurge, Cervantes van Sancho, Shakespeare van Falstaff. Maar allen was hij vóór met de opmerking dat er een natuurlijk verband bestond tussen de vrijpostigheid dier geestige zotten en het goed humeur waarmede zelfs lichtgeraakte koningen hun aanmerkingen verdroegen. Het was een gelukkig denkbeeld van Erasmus, een van de vele menswordingen der fantasie op deze wijs aanschouwelijk te maken.

De misbouwde knaap in dienst van keizer Karel V, dien Antonis Mor voortreffelijk schilderde, treedt onwillekeurig ons voor den geest, wanneer de Dwaasheid diepzinnig maar lachend redeneert: „Kan het ulieden ontgaan dat zelfs machtige vorsten hun gezelschap op den hoogsten prijs stellen, zodat zonder dezen de maaltijd noch de wandeling smaakt, en zij niet één uur buiten mijn narren kunnen? Fluks geven zij die dwazen de voorkeur boven hun stemmige wijzen, hoewel ook dezen fatsoenshalve door hen nagehouden worden. De reden is niet ver te zoeken, dunkt mij. De wijzen hebben de vorsten niets dan onaangename zaken mede te delen, en, steunend op hun uitgebreide kennis, ontzien zij zich niet altijd, tedere oren bijtend te grieven. De narren daarentegen brengen voort hetgeen waarop de vorsten alom en bovenal belust zijn: kwinkslagen, geestigheden, dingen die doen schaterlachen en zich verkneukelen. Voeg daar het niet te versmaden voorrecht bij, dat *zij* alleen in hun eenvoudigheid de zaken bij haar waren naam noemen! En ik vraag u, wat is loffelijker dan de gulle waarheid?

„Maar de oren der vorsten schuwen de waarheid, zal iemand beweren, en bovenal om die reden mijden zij de wijzen in hun dienst; vrezend dat er onder hen een onafhankelijk man gevonden worde, die den moed heeft meer te letten op hetgeen is dan op hetgeen behaagt.

„Ik erken dit: de koningen is de waarheid hatelijk. Doch hetgeen ik in mijn narren bewonder is juist dat niet alleen waarheden, maar onbewimpelde strafredenen uit hun mond met instemming aangehoord worden; zodat dezelfde openhartigheid die een wijze het hoofd zou kosten, in de hoogste mate welgevallig is indien zij betracht wordt door een dwaas. De waarheid namelijk bezit, wanneer zij van niets kwetsends vergezeld gaat, een natuurlijk bekoringsvermogen; maar alleen aan de narren verleenden de goden die gaaf."

De heldin van Erasmus heet Moria, en gelooft in haar olympische afkomst. Met niet minder recht zouden wij haar Love-in-Idleness kunnen dopen; naar den naam van het bloempje door welks sap, uitgedrukt op de oogleden zijner sluimerende gade, Oberon in Shakespeares *Midsummernight's Dream* Titania met de dwaaste begoochelingen straft. Moria beroemt er zich op, tegelijk de ziel der wereld en het levend zelfbedrog te zijn. Zij is het die bij mensen en onsterfelijken de beminlijke chronische ziekte der hersenschimmen onderhoudt, en door hun hersenschimmen hen gelukkig maakt. „Ik rijd bij de stervelingen veelvuldig over de tong," is haar eerste woord het beste; „want meent niet dat ik onkundig zij hoe kwalijk bij de keur der dwazen de dwaasheid aangeschreven staat! Nochtans houd ik vol dat mijn genie, en het mijne alleen, goden en mensen het gemoed verkwikt. Redenaars van beroep slagen te nauwernood, door lange en langdurig overdachte toespraken, de hoorders hun zorgen te doen vergeten: ik, ik behoef mij slechts te vertonen, en een ongekende vrolijkheid verspreidt zich over de aangezichten, een onzichtbare hand strijkt de voorhoofden glad, er rijst een vriendelijk toejuichend lachen. Wat mijn herkomst betreft, weet dat ik noch Chaos, noch Orcus, noch Saturnus, noch Iapetus tot vader heb, of hoe die afgeleefde en vermolmde goden heten mogen; maar Plutus, den enigen waren aarde-

en hemelvader: wat Hesiodus, Homerus en Iupiter zelf beweren mogen. En niet den Plutus van Aristofanes, reeds met één voet in het graf, reeds van het gezicht beroofd; maar den nog ongedeerden, tintelend van jongelingsvuur. En niet van jongelingsvuur alleen, maar ook en vooral van den onversneden nektar dien hij op een keer met volle teugen aan den godenmaaltijd dronk. Mijn moeder was Neotès, aanvalligste en levenslustigste der nimfen, de belichaamde Jeugd."

Het toppunt zijner paradoxale stelling wordt door Erasmus bereikt wanneer hij, in de laatste bladzijden van zijn geschrift, met verwijzing naar teksten uit het Nieuwe Testament, waar gesproken wordt over de dwaasheid des Kruises, over de dwaasheid Gods welke wijzer is dan de mensen, ook van het christendom zelf een goddelijke comedie en van de christelijke vroomheid, welke alle aardse voorrechten versmaadt ten einde den hemel te winnen, een soort van heiligen waanzin maakt. „Geeft daarbij wel acht," zegt Moria, „dat het de kinderen zijn, de grijsaards, de vrouwen, de armen van geest, die door de godsdienstoefeningen het meest bekoord worden en, slechts natuurkinderen zijnde, het ijverigst zich om de altaren verdringen. Let er ook op dat de godsdienststichters in den regel felle vijanden der letteren zijn, en belijdenis doen van een verwonderlijke eenvoudigheid."

Dit scepticisme is het beste bewijs dat men ten onrechte Sebastiaan Brand's *Narrenschiff,* welks oudste druk tot 1494 teruggaat, als een voorloper van Erasmus' *Lof der Dwaasheid* pleegt aan te duiden. Er zijn vele plaatsen in Erasmus' boekje waar hij op hetzelfde aanbeeld slaat als Brand en, tot rechtvaardiging van zijn geloof aan de algemene heerschappij van den onzin, evenzo op talloze dwazen wijst (boeken-narren, vrouwen-narren, gouden-kalfnarren, wijn- en bier-narren, gelijk de straatsburgse burgemeester ze noemt) die het geluk in allerlei onwezenlijke genoegens of voorrechten zoeken. Brands boetpredikersbedoeling echter is Erasmus vreemd; en bij den Rotterdammer vormt de éne, door den Straatsburger onveranderlijk berispte dwaasheid, slechts een incident. De schuit van Brand is een platboomd vaartuig, hetwelk desverkiezend op rollen gezet, en op vastenavond door de straten gevoerd kan worden. Met Erasmus' schuitje, vlug getuigd, kan men in weerwil van den ranken bouw een reis om de wereld doen. Zijn boot schijnt een wimpel van het fosforescerend vuur te voeren, dat, volgens de etymologen, zijn naam aan den Heiligen Erasmus der christelijke oudheid dankt.[1]

Ondanks het hemelsbreed verschil van taal en omvang komt geen ander geschrift der 16de eeuw, wat de filosofische strekking betreft, het boekje van onzen landgenoot nader dan de grote roman van Rabelais, verschenen van 1533 tot 1544, en insgelijks een de gehele samenleving omvattende satire. Erasmus' *Dwaasheid* heet bij Rabelais *la Dive Bouteille,* vertegenwoordigster derzelfde welwillende wijsbegeerte of levensbeschouwing die, te midden der onzekerheid en dikwijls gemaakte deftigheid van het ondermaanse, het goed recht van den roes der vrolijkheid handhaaft. Levendig hebben beiden beseft, Erasmus en Rabelais, dat de mens, al spant zijn scherpzinnigheid haar beste krachten in, toch niet achter het geheim van zijn wezen komen kan; geloof en eeuwig leven moeten kunnen verdragen, tot het gebied der fantasie gebracht te worden; en ons bestaan, trots elk onderzoek, een ondoorgrondelijk mengsel blijft van komisch en tragisch, verheven en alledaags.

Wat de inkleding betreft is de *Lof der Dwaasheid* een offer aan de mode. De geletterde wereld van Erasmus' dagen had voor het eerst weder kennis gemaakt met de werken van sommige griekse sofisten, of met de sofistische

1 De spaanse en italiaanse matrozen der Middellandse Zee, wier patroon de Heilige Erasmus is (in 304 onder Diocletianus den marteldood gestorven als bisschop van Formiae, thans Mola di Gaëta), verbasterden zijn naam tot Eramo, Ermo, Elmo, overgebleven in St. Elmsvuur. Zijn leven in de Acta Sanctorum; schilderij van zijn dood, door Dirc Bouts of Stuerbout van Haarlem, in de Sint Pieterskerk te Leuven.

uitspanningen van voorname griekse redenaars en schrijvers. Als met een nieuwigheid vermaakte men zich met den
Lof der Mug door Lucianus, met Lucianus' ironischen *Lof
van Phalaris,* den siciliaansen tiran. Men herinnerde zich
met welgevallen dat Glauco schertsend den *Lof van het
Onrecht,* Synesius den *Lof der Kaalheid,* Favorinus den
Lof van Thersites, den mismaakten homerischen zwetser,
en den *Lof der Derdendaagse Koorts* geschreven had. Die
voorbeelden stonden Erasmus voor den geest en hij ver-
hoogde meteen het pikante van het genre door, in den mond
der Dwaasheid, die niet uit haar rol mocht vallen, een lofrede op zichzelf te leggen. Zij, niet hij, is de sofist die van
het begin tot het einde der *declamatio* het woord voert.

In de 18de eeuw is Erasmus geestig nagevolgd door
Mandeville, wiens bijen-fabel een vermomde *Lof der Ondeugd* in de maatschappij; door Holberg, wiens onder-
aardse reis van Klaas Klim vaak een *Lof der Lichtzinnigheid* in den staat is. Doch niemand heeft een geheel samen-
gesteld dat, in zo hoge mate, evenals de schrijver zelf, het
karakter van een natuurproduct bezit. De *Lof der Dwaasheid* is niet diepzinnig gelijk een stelsel van metafysica,
maar gelijk een artisjok. De kern der vrucht smaakt zoet,
en geeft een juiste voorstelling van den bloedzuiverenden
invloed der werken van Erasmus in het algemeen. Een
voor een kan men de puntige bladen, die haar kroon vormen, afplukken. Zelf een specerij, behoeven zij niet afzonderlijk in olie en azijn gedoopt, of met zout en peper ge-
kruid te worden.

Indien onze nederlandse schilders van den tegenwoordigen tijd te bewegen waren, voor een poos zich aan de om-
helzing hunner dorpsvertellingen te ontrukken, dan zouden zij door het behandelen van een historisch onderwerp
roem kunnen behalen: Erasmus te viervoet, gevolgd door
zijn burgerlijken rijknecht, door zijn rijdende bibliotheek,
en opziend uit het schrijfboek waarin hij bezig is gelukkige
invallen voor den *Lof der Dwaasheid* op te tekenen.

Werkelijk is het kleine geschrift, dat door de vergankelijkheid nu weldra sedert vier eeuwen geëerbiedigd werd, op deze wijs zo niet voltooid, dan toch aangevangen: in den zadel, gedurende de eerste terugreis uit Italië in 1509. Erasmus telde op dat tijdstip, naar de gewone berekening, twee-en-veertig jaren; had Rome en Venetië gezien; had te Turijn den doctorstitel gehaald; zou in Engeland bij lord Mountjoy of bij Thomas Morus gaan logeren, buiten; werd op dat ogenblik door zorgen noch ziekte gekweld; en was, nog onberoemd, juist in de stemming een werk der verbeelding te dichten waarin hij, onder den sluier der allegorie, den teugel vieren kon aan zijn luim.

XIX

Betrekkelijk vroegtijdig schijnt Erasmus, hoe jong van harte hij ten einde toe moge gebleven zijn, vreemden aan een grijsaard te hebben doen denken; hetgeen, wanneer men zijn zwervend leven en de tien folianten zijner werken in aanmerking neemt, die lang niet al de weleer door hem gecorrigeerde drukproeven behelzen, in zichzelf niet buitengewoon te verwonderen is. Krachtiger lichamen dan het zijne zouden, van zulk een ingespannen bezig-zijn, na verloop van zeker aantal jaren de sporen vertoond hebben.

Ik maak deze opmerking naar aanleiding der karaktervolle apostrofe aan Erasmus in het dagverhaal van Albert Dürer's zuid-nederlandse reis van 1521, toen Dürer zelf de vijftig genaderd was, Erasmus hoogstens zes of zeven jaren ouder kon zijn.

Het is bekend dat Erasmus op dat tijdstip te Antwerpen vertoefde, bevriend met den stads-secretaris Ægidius en met Quinten Metsys den schilder, en dat, kort na Pinksteren van genoemd jaar, er in de stad een onrustbarend gerucht liep. Maarten Luther, heette het, die op den rijksdag te Worms zulk een stoute taal gevoerd had (men begreep niet dadelijk dat de keurvorst van Saksen hem met voordacht had doen oplichten en op den Wartburg in veiligheid brengen); Luther was in de handen zijner vijanden

92

gevallen! Ondanks het keizerlijk vrijgeleide hadden zij hem gevangen! Vermoord misschien!

Dürer, die in dezelfde dagen te Antwerpen verscheiden openbare personen portretteerde en onder anderen ook Erasmus uittekende, kan in de algemene dwaling niet lang gedeeld hebben. Bij het eerste vernemen evenwel maakte de tijding op hem, tevens goed rooms en goed hervormingsgezind, een verpletterenden indruk. De vereerder van den onversaagden jongen Luther achtte door dezen slag de zaak van den godsdienst verloren, en tekende, overstelpt door droefheid, in zijn dagboek een weeklacht in proza op, — bladzijden die voor de geschiedenis te meer waarde hebben, en van hetgeen destijds omging in de gemoederen een te juister voorstelling geven, omdat hier noch een theoloog, noch een monnik, noch een letterkundige spreekt, maar een eenvoudig, welonderwezen burger, slechts buitengewoon als kunstenaar en den godsdienst enkel om haar zelf liefhebbend, als verhevensten vorm van het schone en zuiverste bron der deugd.

Onder het voortschrijven met bewogen gemoed en ongeoefende pen valt het Dürer in dat, zo Luther verloren is, Erasmus nog leeft, deze op dat ogenblik zich in de onmiddellijke nabijheid bevindt, en zolang Erasmus strijdvaardig blijft, de Christenheid niet behoeft te wanhopen. ,,O gij alle vrome Christenmensen,'' is het laatste woord zijner hulde aan Luther, ,,helpt mij vlijtig bewenen dezen godgeestigen mens, en God bidden dat hij ons een ander verlicht man zende! O Erasme Roterodame, hoor gij ridder des Heren Christus: rijd nevens den Heer Christus voort: bescherm de waarheid: verkrijg der martelaren kroon: *gij zijt toch reeds een oud manneken*. Ik heb u horen zeggen dat gij u zelven nog twee jaren toegegeven hebt, in welke gij nog dacht iets te doen. Leg dezelve wel aan, het evangelie en het ware christelijk geloof ten goede, en laat u dan horen. Dan zullen de poorten der helle, gelijk Christus zegt, niets tegen u vermogen; en schoon gij hier uw meester Christus gelijkvormig wierdt, en in dezen tijd schande van de leugenaars leedt, en daarom een kleinen tijd des te eer stierft, zo zult gij toch eer uit den dood in het leven komen en door Christus verheerlijkt worden. O Erasmus, houd u hier zo dat God u roeme, gelijk van David geschreven staat; want gij moogt het doen, en voorwaar gij moogt den Goliath slaan."

In haar huiselijkheid vind ik dit de merkwaardigste voorstelling welke de tijdgenoten van Erasmus ons van zijn persoon en zijn karakter gegeven hebben. Altijd wordt uit zijn brieven het gezegde aangehaald: ,,Niet allen bezitten kracht genoeg voor het martelaarschap; ik zou bij het ontstaan van enig rumoer, vrees ik, het voorbeeld van Petrus volgen." Altijd het ironische: ,,Laten anderen het martelaarschap begeren, ik acht mij zulk een eer niet waardig."

In gewone omstandigheden zou men de braafheid prijzen van den man die op het papier durfde stellen hetgeen duizenden niet wagen zichzelf te bekennen, laat staan aan anderen mede te delen. Erasmus op het schavot ware een even grote tegenstrijdigheid geweest, als in onze dagen het sneuvelen van een predikant of een pastoor in een tweegevecht zijn zou. Hem echter heeft het niet gebaat uitdrukkelijk te verzekeren: ,,Ik ben bereid te sterven voor Christus, indien hijzelf mij daartoe de kracht geeft; maar sterven voor Luther, dat doe ik niet."

De gangbare geschiedenis heeft van die vaste zetten. Wanneer paus Julius II oorlog voert, dan noemen wij hem een onwaardig stedehouder van den God der liefde; Zwingli daarentegen, die bij de zwitserse huurtroepen van Julius als aalmoezenier diende, hem bewonderen wij wanneer hij in den slag bij Kappel, aanvoerder van een leger, valt met het zwaard in de vuist; en niets verhindert ons te erkennen dat die soldaat, gewezen priester, een zeer verstandige leer van het Heilig Avondmaal heeft uitgedacht. Wij nemen het Luther noch Calvijn kwalijk te zijn gestorven in hun bed, hoewel beiden onschuldig bloed op het geweten hadden. Maar Erasmus, die nooit een vlieg kwaad

94

deed, nooit om een ander zwaard dan zijn pen vroeg, Erasmus noemen wij laf, omdat hij terugdeinsde voor den brandstapel. Hij alleen had door beulshanden behoren om te komen, vinden wij.

Deze ongelijkheid aan ons zelf kan slechts hieruit voortkomen dat Luther, Zwingli en Calvijn, ondanks gebreken die zij met voorbeeldigen ootmoed de eersten waren te belijden, de zaak van den vooruitgang gediend hebben; Erasmus, ondanks zijn deugden, de zaak van het behoud of der reactie; en het van te voren bij ons vaststaat dat wie dit laatste doet minder diensten aan de samenleving bewijst.

De feiten met dat al komen alleen tot hun recht, wanneer wij bij het beschouwen van Erasmus ons op het medegevoelend standpunt van Albert Dürer plaatsen; die weliswaar hem al vroeg voor een oud manneke, maar tevens voor een dapperen kleinen David en ridder van den Heer Christus hield. Het is de schuld van Hendrik de Keyser niet dat de bronzen reus op de rotterdamse Markt aan die voorstelling zo weinig beantwoordt: op den top ener Vendôme-zuil zou het fraaie beeld beter geplaatst zijn dan op dat lage voetstuk. De Erasmus van het Louvre-Museum, door Holbein, is een alles afdoende rechtvaardiging van Dürers zienswijs.

Erasmus leefde in zulk een moeilijken tijd dat het ons niet betaamt over het gebruik dat hij van zijn bewonderenswaardige gaven gemaakt heeft een beslissend oordeel te vellen, en wij er ons bij moeten nederleggen dat hij, gelijk de bijbel zegt, ten volle verzekerd is geweest in zijn eigen gemoed. Voorts mag het onze nationale eigenliefde strelen dat slechts driemalen in de geschiedenis van Europa één vernuft zulk een europese vermaardheid bezeten, en de beschaving van zijn tijd in zulke mate beheerst heeft: Petrarca in de 14de, Erasmus in de 16de, Voltaire in de 18de eeuw.

Erasmus is een eenzijdig literarisch genie geweest. Hij heeft noch in de wiskunde uitgemunt, noch als jurist, noch als geschiedschrijver. In de leerstellige godgeleerdheid en de bijbelse uitlegkunde was hij een dilettant, in de staatkunde een dromer. Zelfs als wetenschappelijk filoloog liet hij te wensen over: zijn tekst van het Nieuwe Testament heeft te langen tijd voor klassiek gegolden. De *Thesaurus linguae latinae* van Robert Estienne (1532), vooral de *Thesaurus linguae graecae* van Henri Estienne Jr. (1572), waren werken van blijvender waarde dan de geleerde uitgaven van *zijn* hand.

Doch hij was het belichaamd gezond verstand zijner eeuw, en dankte aan zijn fabelachtige vaardigheid in het schrijven ener dode taal het voorrecht, in een tijd toen in alle landen van Europa wie maar een glimp van opvoeding had het latijn even gemakkelijk als de moedertaal verstond, door het bespelen van één klavier aller aandacht te kunnen boeien.

Ook om die reden hield hij van Bazel, en was een zwitsers typograaf een zijner beminndste vrienden. Niet in een hoekje met een boekje wilde hij wonen, zoals Thomas a Kempis, maar tussen de bergen met een drukpers. Met dien hefboom was hij zich bewust een wereld te kunnen vertillen; en zijn schoonste eretitel is misschien dat hij onder dit gevaarlijk zelfgevoel vergelijkenderwijs zo nederig, en altijd zo eenvoudig gebleven is.

1882

PIETER CORNELISZ HOOFT

I

„Mejuffrouw, — Ik schaam mij voor de rijpe wijsheid Uwer Ed., in zulk een groente van jeugd, 't geen ik mij niet schamen zoude voor Salomo zelven. Want dat een persoon, die mijn jaren, de wereld gezien, en enige kennisse heeft aan dat deel der geleerdheid, waardoor men een redelijke voogdije over zijn zinnen gewint, zich laat vervoeren van de liefde t'ener juffrouwe tot dodelijk krank wordens toe, zoude bij dien wetenden Koning niet alleen vergiffenisse maar medelijden waardig gevonden worden, als die zichzelf voor desgelijken verloop niet heeft geweten te hoeden. Bij U Ed. en zie ik niets dat mijn ongeregeldheid verschonen kan, als die gunste waarin 't U Ed. edelhartigheid geliefd heeft mij, uit enkele heusheid, t'ontvangen. Deze, en de nood, verkrachten de schaamte"......

Ging het ons als den knaap in Van Alphen's gedichtje, en vonden wij op straat een papiertje van dezen inhoud, tien tegen één dat het, instede van aan een vergenoegden man, ons aan Delavignes *Ecole des Vieillards,* en aan een dier najaarshartstochten in het leven eens ouden vrijers of bedaagden weduwnaars denken deed, waar de wereld de schouders over ophaalt, jongelieden om meesmuilen, en die dcor de gematigdsten en barmhartigsten anachronismen genoemd worden.

Een man van leeftijd en die zich daarvoor aanmeldt, zou men zeggen; iemand die het nodig acht opzettelijk te gewagen van zijn boeke- en wereldkennis; die zich heer en voogd over zijn zinnen noemt, en ook werkelijk in de termen schijnt te vallen deze benaming op zichzelf te kunnen toepassen: zulk een man behoorde zich te wachten voor een vervoering waarvan hijzelf getuigt dat zij de schaamte bij hem zwichten doet. Aan wijzen en verstandigen als hij voegt de ziekte der geleerden; passen de groter en kleiner kwalen wier onogelijke lijst voor alle eeuwen door Bilder-

dijk berijmd werd. In geen geval betaamt hem een verliefd-
heid tot dodelijk krank wordens toe; allerminst indien het
voorwerp dier genegenheid een vriendelijk meisje is, zich
onderscheidend ja door vroege rijpheid van oordeel, maar
tevens een jeugdige onder de jongsten.

Doch heffen wij dit misverstand op! Niet aan zijn beminde schreef Hooft in den zomer van '27 dit ootmoedig briefje, maar aan haar dochter.

Mevrouw de Wed. Bartelotti, van zichzelve Heleonora
Hellemans, woonachtig te Zevenbergen, was in den loop
van dien zomer voor enigen tijd met haar meisje Suzanna
naar Amsterdam gekomen, te gast bij bloedverwanten of
goede vrienden. Daar leerde Hooft haar kennen. Een
schitterend schone vrouw van even dertig jaren; hij destijds een vijfenveertiger. Van afkomst een aanzienlijke en
welgestelde Antwerpse; hij, in weerwil van zijn muidens
drossaartschap, een Amsterdammer door en door. Groot
werd alras de genegenheid van dezen zoon der noordelijke
koopstad voor deze telg der zuidelijke; te groter, omdat
sedert drie jaren zijn huiselijke haard een woestenij geleek.
In 1610 gehuwd met Christina van Erp, had hij na een gelukkige verbintenis van omtrent veertien jaren, binnen
zeventien maanden niet slechts in den bloei van haar le-
venstijd deze voortreffelijke vrouw, maar ook de twee
enige van vier hem nog overgebleven spruiten verloren:
een kleinen jongen van drie, en een allesbelovenden knaap
van twaalf. Dode aan dode was uit zijn huis naar de kerk
gedragen: eerst de kinderen, toen de moeder. Eenzaam en
verlaten was alleen de vader achtergebleven. Dit gebeurde
in den zomer van '24, en op den geteisterden man daalde
neder hetgeen hij zelf in een zijner gedichten een „nare
nacht van benauwde drie jaren" noemt.

Welken indruk, aan het einde van dit tijdsverloop, op
hem het ontmoeten der brabantse weduwe maakte, verna-
men wij voor een deel uit den brief aan haar Suzanna; een
meisje dat toen nauwelijks veertien of vijftien jaren oud
kon zijn. Reikhalzend zag hij enerzijds uit naar herstel van

zijn verloren geluk: en niet weinig werd aan den anderen kant de hartstocht des beroofden geprikkeld door den tegenstand dien hij bij het voorwerp zijner liefde ontmoette.

Mevrouw Bartelotti of, gelijk Hooft haar noemt, Mejoffrouwe Heleonora Hellemans, toonde weliswaar zich niet ongevoelig voor de haar bewezen hulde; doch er was een gedienstige geest in het spel, een kennis of vriendin, die haar van Hooft, om zijn bekende vrijzinnigheid in het kerkelijke, afkerig zocht te maken. Deze onverwachte tegenkanting, veroorzaakt door inblazingen voor wier oorsprong hij weinig hoogachting koesterde — de dame in kwestie, volgens hem, werd in dit stuk door enkel afgunst gedreven — droeg het hare bij om hem naar lichaam en ziel te ontstemmen. ,,Ik heb mijn genegenheid tot uw moeder zo weinig geweten te matigen," schreef hij Suzanna, ,,dat ze mij in doodsgevaar gevoerd heeft; in voege buiten hope is dat ik haar immermeer levend zien zal, tenzij ze mij, en dat wel haast, doe zien een levende verzekering van haar genade." Zijn ziekte bestond in ,,een zorgelijk accident met koortsen vermengd, gecauseerd, naar 't oordeel der medicijns, uit melancholye."

Doch lezen wij eerst den opmerkelijken brief aan Heleonora zelve, waar hij het biljet aan Suzanna bijvoegde en die haar eerst in handen kwam toen zij de terugreis naar Zevenbergen reeds weder aanvaard had. Hij is geschreven en verzonden in de onderstelling dat Leonore zich nog te Amsterdam en aan het huis harer vrienden bevond:

,,Mejuffrouw,

,,'t Geen dat ik lang gevreesd heb en UE. (helaas!) altijd in den wind geslagen, daar is het nu toe gekomen. Want het gaat zeker dat ik mij in staat vinde van niet te kunnen gaan tot UE. woonplaats toe zonder mijn leven te wagen, en onzeker of ik het behouden zal, zo ik schoon mijn rust houde. D'oorzaak daarvan is een kwale, gesproten uit de kwellingen die 't UE. beliefd heeft mijn liefde toe te leggen t'haren loon, moedwilliglijk. Nochtans en heb ik mij in deze diepten van droefheid niet geworpen, maar kortswijl, gezelschap, en allerlei onderhoud gezocht, om mijn zinnen te verleiden en hun door de vergetelheid, als een slaapdrank, dit wee ongevoelig te maken. Vindende alles te vergeefs en mij met de dood op de lippen, verre van de oren die haar nabijzijnde zo luttel gehoors gaven, zo komt mijn pen, nadat ze mijn uiterste wille ontworpen heeft, op dit papier mijn uiterste gebeden voor UE. uitstorten; opdat, indien UE. gemoed mij eeuwelijk moet gesloten zijn, ik mij ten minste gekweten hebbe jegens mijzelven, en niets verzuimd van 't geen dat dienen kan tot de behoudenisse mijns levens.

,,Ik zal UE. dan niet meer vergen, in de waagschaal te leggen de redenen die UE. het trouwen aan- of afraden; maar bidde UE. gelieve een- en andermaal te overleggen 't geen zich in onze laatste onderhandelinge heeft toegedragen. Te weten hoe waar is, dat dien avond als ik beloofde UE. echter niet meer moeilijk te vallen, UE. nam den tijd van vierentwintig uren om eindelijk te besluiten. De vierentwintig uren om zijnde, kwam UE. echter zonder besluit, maar viel uit met een bewegenisse die ik aan haar ongewoon was, en zeide: ,,Gij doet mij zo veel; ik wenste dat ik genegenheid hadde om te trouwen." Ja, UE. verklaarde genegenheid t'mijwaarts te hebben, en bleef tevreden — doch zonder zich daardoor tot trouwe te verbinden — dat ik UE. ettelijke dagen aan elkander zoude komen verzelschappen, om te zien of de genegenheid tot volvoering van 't huwelijk zoude willen vallen. Waarop ik UE. zeide, dat wij dan waren over alle andere zwarigheden en aanstoot, en dat, dewijl het allene stak op de voornoemde genegenheid, indien dezelve kwam te vallen, UE. in zulk een geval verbonden was, zonder op andere uitvluchten haar weigering te mogen vesten. En dit stond UE. mij toe. UE. en zal dan niet kunnen ontkennen dat UE. verbonden is, indien ik haar bewijze dat UE. genegenheid om te trouwen gevallen is, zozeer als het vereist wordt naar alle rede, en dat

100

UE. mij 't laatste maal afgezeid heeft, niet over gebrek aan genegenheid t'mijwaarts, maar over een zaak geheel buiten mij zijnde.

„Om dit te bewijzen ben ik gedrongen te zeggen, en gelieve UE. het mij daaromme te vergeven, dat UE. op Maandag den negenden Augustus lestleden geliefd heeft mij te begenadigen met den naam van „liefste"; en niet onbedachtelijk, gelijk UE. des anderen daags goed vond dat te duiden, maar met rijpen overleg. Want, tot meermalen gevraagd zijnde of ik dan UE. liefste was, deed UE. mij de ere van te zeggen: „Gij zijt het"; verklarende dat UE. genegenheid t'mijwaarts vermeerderd was. Ja 't geliefde UE., als enigszins verwonnen van goedgunstigheid, die schone ogen met liefelijker licht als ooit over mij t'ontsteken, UE. lieve lippen te gunnen aan de mijne, en UE. aangename kake op de mijne zo vrindelijk te vlijen, met een zeggen: „Ach, mijnheer Hooft, ik wens u zo veel goeds!" Dat meer is, UE. kwam zo verre dat ze mij toestond ik mochte het woord „liefste", door UE. gesproken, aanvaarden voor de eerste letter van 't woord „ja"; en vertoonde UE. zich alzo of de volkomenheid van haar bewilliging nieuwers als aan den Maandag gehouden had, omdat ze mejuffrouw UE. moeder voor een ongelukkigen dag achtte. Eindelijk zeit UE. mij, met een aardigminlijke wakkerheid: „Morgen zal ik u aan- of afzeggen."

„Met een hart, dus opgestookt met minne, dus opgevuld met hope, keer ik 's anderen daags wederom, en vind UE. gemoed meer verstokt, UE. gelaat meer vervreemd, als ooit mijn leven. En voor alle reden van weigeringe moet ik aannemen, niet d'ongelijkheid van UE. en mijn zinnen in 't stuk van den godsdienst of den staat; op welke punten UE. mij al den boezem geboord en uitgevist had; maar dat mijn vrienden daarin met UE. van gevoelen verschilden: 't welk UE. over jaar en dag geweten en nooit voorgewend had, wezende immers al te blauw een bescheid om een goed huwelijk om te laten. Van gebrek van genegenheid niet een woord. 'sMaandags stelt UE. het ja zeggen uit, om d'ongelukkigheid van dien dag; en Dinsdags zeit UE. neen, omdat mijn vrienden niet kerks en zijn! Ik gedrage mij tot het oordeel van al zulke onpartijdigheden als UE. zelve gelieven zal te kiezen, of uit de voorzeide twee redenen van afzeggen, mitsgaders d'aanminnigheid mij den negenden betoond, niet genoeg en blijkt dat het UE. aan gene genoegzame genegenheid ontbrak. En dewijl het waar is dat het UE. niet aan de genegenheid, maar aan iets anders ontbroken heeft, zo gaat het ook zeker dat UE. verbonden is. Want UE., als geschied is, had mij beloofd zich aan geen andere zwarigheden, als zijnde lang genoeg overwogen, te keren. Wie heeft UE. dan, ellendige juffrouwe! zo betoverd dat UE. zich niet ontziet haar woord te verachteren? Maar wat vraag ik wie het is! 't Is mij nu genoeg bekend. Geloof dat de persoon, al zwijgt UE., zelve niet en laat zich des te beroemen. Ach, me lieve Helionore, zal UE. verstand zich laten verkloeken door de boosheid van ene die van enkele afgunst in dit stuk gedreven wordt, en die, nevens de dagelijkse en welverdiende smaad van de haren, nog vreest, zo UE. beter doet, dat men haar verwijten zal het onderscheid tussen UE. wijsheid en haar wulpsheid? Ach, open toch de ogen van UE. vernuft, en bezie of 't raadzaam is, tot UE. enigen raad te gebruiken diegene die zichzelve zo kwalijk heeft geweten te raden, doch er reeds berouw af draagt. Ach, open ze toch, en meteen UE. harte aan deze mijn redenen, die gezult zijn in mijn tranen en ondertekend met mijn bloed.[1] Tranen, gestort uit deernis, die ik heb zo met UE. en de verdooldheid van UE. zinnen als met mijzelven; bloed, ten besten van UE. tot zijn laatsten druppel toe. Zo UE. enig gevoelen heeft van liefde of hartelijkheid, ik bid en bezweer dezelve, door al wat haar lief is of ter harte gaat: en lijd niet dat de kus, die ik

---

1 Van Vloten, wien de eer toekomt in zijn uitgaaf van 1855 No 178 dezen door Huydecoper weggelaten brief het eerst publiek gemaakt te hebben, tekent bij de bovenstaande woorden aan, dat tranen zowel als bloed nog te herkennen zijn op het door hem gevolgd handschrift.

op 't laatste van UE. ontving, zij geweest een kus om mij ter dood te leveren, gelijk die van Judas zijn meester; maar heb liever UE. beloften en gemoed te kwijten met het behouden van zodanig een dienaar, dan 't zelve te bezwaren met moorddadigheid jegens UE. toezegginge; en zend mij bij deze bodinne[1] het woord der genezinge of wel ener opwekking van den dood. Want ik en zie niet dat er anders iets menselijk machtig is om mijn sterfdag te stuiten.

„Hierop zij de goddelijke rede UE. raadsvrouw, en de goedertieren God gunne UE. 't gebruiken van den geest der bescheidenheid t'zijner ere en onzer zaligheid. Dat wens ik van heler heter harte; en, kussende wel ootmoedelijk UE. waarde hand, nijg mij met aller eerbiedenis, op hope van vertroostinge, t'haarwaarts, als UE.

„Onderdaanste Toegedaanste Dienaar
P. C. Hooft."

II

Ik kondig een nieuwe uitgaaf van Hoofts gedichten aan, en lig onder de aangename verplichting te doen uitkomen welke vruchten voor onze kennis de veeljarige studiën gedragen hebben, welke door den heer Leendertz aan deze tekst-editie, als zij verdient genoemd te worden, besteed zijn.

Welnu, mevrouw de weduwe Bartelotti, Suzanna's moeder, is dezelfde Leonore geweest aan welke Hooft in den geest die zangen richtte, waaruit bij de eerste lezing veeleer de romaneske liefde eens twintigjarigen jongelings spreekt dan de rijpe genegenheid van een man in de volle kracht der jaren en bovendien door velerlei slagen geteisterd en beproefd:

1 Brengster van den brief. Bij haar komst, ter plaatse waar Mevr. Bartelotti tijdelijk verblijf gehouden had, vond zij deze reeds vertrokken.

Leonoor, mijn lieve licht,
Voor uw oog de zonne zwicht
    Met haar blonde stralen,
Die gans niet, in mijn gezicht,
    Bij zijn glorie halen.

Vonken, foelie van die git,
Gitten met uw gouden pit,
    Bliksemt niet zo fellijk
Dat het hart, dat u aanbidt,
    T" enemaal verwellik.

Lieve Leonoor, gij moordt
't Harte dat u toebehoort,
    Met die lieve lonken;
Zo mij niet een troostig woord
    Komt in 't oor geklonken.

Woordjes kunt gij duizend smeên,
Die daar geestig, aardig, heen-
    Vliên als minnegoodjes.
Maar tot troost en komt er geen
    Uit d' ivoren slootjes.

Houdt uw eigen slaaf te râ.
Zalig kunt ge 'em maken dra,
    Zo gij maar laat slippen
Op zijn bede een gunstig ja
    Uit die lieve lippen.

Dus stortte in de eenzaamheid, met tot hiertoe onge-
hoorde meesterschap over een nog ongevormde taal, deze
dichter zijn hart uit. En even levendig als op dat ogenblik
zijn hoop, was weinig dagen later zijn spijt; even diepge-
voeld zijn teleurstelling. „Lieve lichte Leonoor," klonk het
toen, en ook al luidde de titel van dit dichtje anders dan hij
doet (*Op een afzeggen*), wij zouden na den medegedeel-
den brief, en de daarin voorkomende verwijten aan Leonore wegens haar weifelen, niet in het onzekere behoeven
te verkeren omtrent de periode van 's dichters leven waartoe het versje moet gebracht worden:

104

Lieve lichte Leonoor,
Ik en hield u daar niet voor,
Als ik lieve lichte zei:
'k Meend' uw oogjes allebei.
Niet dat, in hetgeen ik sprak,
Al te dubble waarheid stak.
Op den enen avondstond
Zeide mij uw schone mond:
„Liefste, lievren heb ik geen."
's Andren avonds zegt gij: „Neen."
Harsentjes te wispelziek,
Ziet of uw gepluimde wiek
Andre reên van wenden vindt
Als het wenden van den wind.
Dikwijls wind nog stadig waait;
Maar dat gij gedurig draait,
Of gij neen waarachtig zweert,
Ge 'ebt het van een tol geleerd.
Al wie volgen haren draf,
Delven zelven zich een graf.
Ach wat boort gij, als de tol,
Tot uw eigen val een hol?

Lang vóór het einde der 17de eeuw had men te onzent deze hoffelijkheid verleerd. Een onredelijk klassicisme bovendien, ingevoerd onder den schitterenden dekmantel van Huig de Groot's geleerdheid, smoorde de nationale kiem onzer letteren, en deed de vaderlandse oorspronkelijkheid ondergaan in een uitheemse en thans in onze ogen bedenkelijke gladheid. Toen kwam, met de herroeping van het Edikt van Nantes, de franse immigratie; zo van dramatiek en kritiek als van zeden.

Hooft echter en de zijnen, hijzelf allermeest en in de eerste plaats, waren spruiten van ideaal-nederlandsen bloede; een zedelijke en verstandelijke aristokratie. Door het samenstel van dezen Drost, op meer dan middelbaren leeftijd nog, liep en stroomde een ader waarvan men zeggen zou dat zij in onzen landaard sedert en voorgoed verdroogd is.

Hoor hem aan Leonore betuigen, ten dage dat hij haar het hof maakte en haar van zijn hoogachting verzekerde:

,,Deze letteren zullen UE. dienen t'enen onderpand, mitsgaders om gedurende den droeven tijd dezes afwezens te
doen mijn allerhartelijkste, mijn allerootmoedigste groe-
te, dienst- en eerbiedenis; met een vurigen voetval voor
God en UE., die ik beide bid dat Zijne Majesteit haar met
het allerzaligste, en d'uwe mij met haar gunst en genade
gelieve te vereren." Een jaar later, toen Leonore zijn vrouw
geworden was, en hem een dochtertje had geschonken
(want al mijn lezeressen weten dat Mevr. Bartelotti, geboren Hellemans, den 30sten November van het jaar 1627,
drie maanden na de zevenbergse terugreis en de parthische
vlucht, Hoofts zuchten verhoorde en met hem in het huwelijk trad), vaardigde hij naar de kraamkamer op het Muiderslot, uit welk vertrek de baker hem geweerd had, een
dier briefjes af wier wederga men vruchteloos in onze letterkunde zoeken zal:

,,Mijn zoetste ziel en vriendelijkste vriendin,

,,Bij dezen tracht ik, bij mangel van 't werk door ongelegenheid, te tonen den wille dien ik heb om mij te werpen
voor UE. voeten en met d'uiterste eerbiedenis mijns gemoeds oorlof te nemen om eens uit te gaan. UE. denke niet
dat ik van haar scheide die ik mededrage gemetst in 't bin-
nenst mijns harten. Zulks niet laten kan in gedachtenis te
hebben UE., nevens de gedachtenis van dat dezelve dat
geliefd heeft op mij te begeren[1]: die zo smakelijk is dat ik,
niets naders vermogende tot dankbaarheid, daarvoor in
aller ootmoed naar den geest kusse UE. welwaarde en
schone hand die mij getrouwd heeft; God biddende dezelve
een blijden avond en voorts alle heil te verlenen, en daar-
inne zich te dienen van UE.
      ,,Onderdaansten, Toegedaansten Dienaar en Man."

1 Had dus de kraamvrouw-zelve verlangd dat hij een luchtje zou
scheppen, en vóór het vallen van den avond een kleine wandeling gaan
doen? De baker vergeve het ons dat wij haar een ogenblik zwart
maakten.

106

Weder twee jaar later, in den zomer van 1630, dezelfde gevoelens in dezelfde hoffelijke en nochtans in den euvelen zin des woords niet sentimentele vormen. In een doosje met rozen zendt hij zijn vrouw de eerste rijpe kersen van het seizoen; doch niet onverzeld. Bij het openen van den kleinen korf vond Leonore boven op de vruchten en de bloemen dit versje:

> In de bladen van een roosje
> Vindt gij, o mijn zoetste Troosje,
> Klene gift. Waar' zij zo groot
> Als de gunst, te kleen een doosje
> Waar' de ganse wereldkloot.

III

Ter plaatse waar de heer Van Lennep, in het 3de deel van zijn *Vondel,* Maria Tesselschade's rechten op het bekende antwoord aan de zich noemende Amsterdamse Akademie handhaaft, brengt hij den door Hooft over dit voorbeeldig dichtstuk aan Tesselschade gerichten brief in herinnering en, in dien brief, de plaats waar Hooft zich uitlaat over Leonores geringen smaak voor poëzie in het gemeen en voor de verzen van haar man in het bijzonder. ,,Uw uitspraak," schrijft Hooft aan Tesselschade, ,,heeft niet alleen mij welgevallen, maar mijn liefste Helionora zo wel gesmaakt dat ze door die lekkernije, tot haar eerste liefde ter poëzie bekeerd zijnde, ernstelijk op mij verzocht heeft, ik zoude dat gedicht toch uitschrijven: 't welk 't eerst is dat zij mij zulks in al haar leven gevergd heeft."

Dit werd geschreven in April 1630, na drie en een half jaar huwlijks. Of het gedichtje ,,aan mijn vrouw", haar toegezonden ter begeleiding van een ander handschrift of boekwerk:

Mevrouw, als met papier
De rijmen dezer bladen
Uw boekerij verladen,
Beveel ze maar aan 't vier.
Dat zij hun lijf en leven
Weer lev'ren aan den brand
Is niet onbillijk: want
Die heeft het hun gegeven —

of ook dit gedichtje behoort tot de periode die Leonores
eerste liefde voor de poëzie voorafging, kan ons onverschillig zijn. Zelf, en zonder gemaakte nederigheid, hechtte Hooft geringe waarde aan zijn dichterlijke voortbreng-
selen; geringer naarmate hij in jaren toenam en zich meer
opzettelijk bezig hield met historische onderzoekingen.
„Ik ben geen schrijver", beweerde hij op bijna dertigjari-
gen leeftijd nog, in een brief van 1610 aan Prof. Daniel
Heins; „ik ben geen schrijver, al heb ik somtijds iets om de
geneugte gedicht, dat tot mijn bekommering onder de gemeente geraakt is. Ik ken mijn onvolmaaktheid zo wel, dat
ik haar noch bij vromen gunst, noch bij spotters veiligheid
kan verzekeren."

Dit zal ook voor een deel de reden zijn geweest dat hij
eerst vijf en twintig jaren later aan Jacob van der Burgh
vergunning schonk, zijn dichterlijke werken bijeen te verzamelen. In zijn uitmuntenden opdrachtsbrief aan Huygens geeft Van der Burgh dit zelf te kennen: „'t Is boven
het gemeen overal thuis te wezen en zijn lezer nergens
t'ontvallen. Bij mij leit het zo, dat het de Here Hooft hiertoe gebracht heeft. Doch ik stel de markt niet; maar terwijl
ik weet dat ik d'ere hebbe hierin niet verre van UEd. gevoelen te verschillen, dat stelt ze mij. Het meerendeel van
deze werken waren bij ZijnEd. de vergetelheid al opgeofferd, ten ware ik ze met smeken hadde uit den brand gehouden en met zijn bewilliginge gemeen gemaakt. Het zijn
zijn echte kinderen, en die hij daarvoor houdt; maar terwijl hij bezig is met [in zijn Nederlandse Historiën] de
verwarde kennisse van de zware beginselen van onze vrij-

heid t'ontzwachtelen, om de waardij en behoudenisse van dezelve de toekomende eeuwen klaar en smakelijk te maken, heeft hij mij 't opzicht daarover betrouwd."

Hoofts aandeel in den verzamelaarsarbeid van Van der Burgh bleef vooralsnog een geheim; doch niet onmogelijk is de tot hiertoe bestaande wanorde in de chronologische rangschikking der lyrische gedeelten, tot vermijding van persoonlijkheden, en ten einde een publiek van onbescheiden tijdgenoten naar verdienste om den tuin te leiden, door hemzelf indertijd aangeraden en bevorderd.

IV

Twintig jaren lang is de vroegere weduwe Bartelotti de beminlijke en door allen geëerde kasteleines en gastvrouw van het Muiderslot geweest. Dat de poëzie haars echtgenoots haar niet bijzonder aantrok, daarvan kan mede-oorzaak geweest zijn dat zijn woordvoeging de geschiktste niet was om een vrouw als Leonore te behagen. De omstandigheid dat het eerste gedicht waarvan zij ooit een afschrift vroeg, juist dat voortreffelijke van Tesselschade was, doet van haar natuurlijken, zij het ook ongevormden smaak eer een gunstige mening koesteren dan het tegenovergestelde.

Doch het is tijd dat wij van Leonore afscheid nemen en, achterwaarts opklimmend, den draad hervatten van den bescheiden roman dien ik in deze bladzijden waag te schetsen.

Christina van Erp, toen zij met Hooft in het huwelijk trad, was nog niet ten volle negentien jaar; ,,een vrouw," zegt Brandt, ,,van overwegende deugd en vernuft; zo schoon, zo bevallig, goedaardig, zedig en vriendelijk, als zulk een man mocht wensen." Met allen eerbied voor dezen deftigen inventaris, komt mij voor dat de gave waardoor Christina, in onderscheiding van Leonore, Hooft allermeest aantrok, haar talent als musicienne was. Nevens

de bekoorlijke jonge vrouw had onze dichter in haar bij
voorkeur de zangeres en luitspeelster lief; de kunstenaar,
ook ofschoon hij dit verbloeme, zijn medekunstenares. ,,Al
troont," zong hij ter ere van deze ,,voogdesse zijner ziel"
in het eerste jaar huns huwlijks (en weder zijn wij den heer
Leendertz de wetenschap verplicht, dat dit gedichtje werkelijk dagtekent van 1610 en oorspronkelijk voor Christina
bestemd was):

> Al troont uw hand geleerd, met vingers wis en snel,
> Vleiende wijzen uit het zangrig snarenspel;
> Al lokt uw zoetste zang, met strelend lief geluid,
> De zielen opgelicht tot haar lichamen uit;
>
> In strikjes van uw hair mijn geest niet is verward;
> Uw blinkend aangezicht sticht mij geen brand in 't hart;
> Van 't schittren uwes oogs en word ik niet verblind:
> Noch zang noch kunstig spel mijn zacht gemoed verwint.
>
> Maar wijze goedheids kracht, en 't needrig braaf gelaat, enz.

Men weet wat zulke ontkenningen te beduiden hebben,
en dat de dichter het tegenovergestelde zegt van hetgeen
hij meent. Blikte, verzekert hij op een andere plaats, een
warmer hulde voor deze afgepaste in de plaats stellend,
blikte Eros' moeder uit den hemel op aarde neder, er zou
door de schepping een trilling van liefde varen; de wolken,
zouden vergeten gram te zijn, de verbolgen zee haar hoogmoed strijken, de vissen vrolijk spartelen, het onrustig ge-
vogelte de bossen doen weergalmen van vrolijk gezang;
chacun zou verlangend uitzien naar zijn *chacune*, een zoete
smart het gemoed van ,,aard- en waterlieden" doortinte-
len, kruiden en bloemen ten velde uit het hoofd verheffen.
Doch niets van dit alles ware in staat onzen Tannhäuser
ontrouw te maken aan zijn bruid. Háár zijde zou hij blijven
kiezen, en de hare alleen; ook al strooide met handen vol,

te midden der algemene geestvervoering, Afrodite-zelve
hem het geurigst sieraad van alle tuinen op het hoofd:

Doch Venus, of
Zij, groen van lof,
Goude' en scharlaken bloemen,
Dan op dat pas
Te zamen las
Met reuk en kracht om roemen,
En nam opzet
Van iemand met
Dat hoopje te verfrooien,
Door ere van 't
Met eigen hand
Hem op het hoofd te strooien:

Indien ze daar
Mij lokte naar,
En open jonste toonde;
Mijn lief, en gij,
Aan d'ander zij,
Mij tot een kusjen troonde;
Tot u ik liep
(Ook of ze riep,
En dreigde schier te vloeken)
Mijn troost, mijn goed,
Mijn ziel, mijn bloed,
Mijn hoop, mijn heil te zoeken.

Elders weder, gezeten in het beroemd geworden torentje
des Muider-kasteels (zeskante koepel van steen in den
bogaard achter het slot, studeerkamer in den vorm van
een feodaal bastion), spreekt Christina's minnaar en bruidegom de kleine Vechtse stroomheiligen toe en draagt hun
een eervolle zending aan zijn schone en begaafde op:

Gij heiligheedjes, die in bloemen en in kruiden
U legert, en bezwemt de stromen van de Vecht;
    Die zijne vloeden slecht
Zachtzinnig drijft in zee, voor 't hoge huis te Muiden...

Meermalen, hetzij hij dit aan de liefde of aan de poëzie
te danken had gehad, waren deze stroomheiligen en hun
gezellinnen de stroomnajaden, zegt hij, hem goedgunstig
geweest. Vaak had hun vruchtbaarmakend vermogen zijn
geschenken versierd met loof van tuin of veld. Ook thans,
gesteld dat zij nog altijd zijn toegerust met dezelfde krachten als weleer, doet hij een beroep op hun welwillendheid.
Een krans moeten zij strengelen, bestemd nedergelegd te
worden aan de voeten zijner bruid, en dien met zich mede-
voeren naar Amsterdam, haar woonplaats. ,,Bloeit nóg",

roept hij de allerminst voor hem en zijn liefde *entgötterte*
natuur toe:

> Bloeit nog uw zoete jonst, en weet gij te versieren
> Uitheemse verw en reuk van bloemen en van kruid,
>   Zo leest ze keurig uit,
> Om mij niet, maar de bruid mijns hete ziels te vieren.
>
> Niet dat gij, komend haar eerbiedelijk te moeten,
> Zult om het heilig hair van zonnelijken glans
>   Gaan vlijen krans op krans:
> Maar past ze tot mijn hoofd, en legt ze voor haar voeten.

Dit alles is ontleend aan Hoofts zogenaamde Zangen;
door de oudere uitgevers dus aangeduid in onderscheiding
der Verscheiden Gedichten, der Bruilofts-, Lijk- en Graf-
gedichten, der Mengeldichten en Bijschriften, en inzonderheid der Sonnetten. Willekeurige splitsing, enkel ge-
grond in den uitwendigen vorm der stukken, niet in hun
wezen, en allerminst in hun verband met 's dichters ge-
moedsleven. Meest van al, wellicht, hebben hieronder de
sonnetten geleden; althans de zestien of achttien eerste.
Levenloos staan deze thans achter elkander, zonder opschrift, zonder jaartal, zonder énige weg- of terechtwij-
zing ten behoeve van den lezer. Doch ook hier leidt de
nauwkeurige vergelijking van Hoofts handschrift, door
den heer Leendertz ondernomen, tot afdoende resultaten.
Onder de opschriftloze klinkdichten bevinden er zich
minstens zes die oorspronkelijk aan Christina gericht werden. Schreef ik een ziel- of zedekundige verhandeling over
den hartstocht der liefde, de vraag kon ter spraak komen
of het den mens als redelijk wezen betaamt en nuttig is
zich te vermeien in een drift waartegen zelfs Pascal niet
bestand was. Nu ik enkel verslag heb te doen van de genegenheden eens voor jaar en dag gestorvenen, in het bijzonder van de dichterlijke vormen waarin hij zijn gevoelens meest in de eenzaamheid uitstortte, komt aan het vol-

112

gend sonnet in onze beschouwing rechtens een plaats toe. Het schildert een droom, een visioen, al wat men wil:

„Mijn lief, mijn lief, mijn lief." Zo sprak mijn lief mij toe,
Terwijl mijn lippen op haar lieve lipjes weidden.
De woordjes alle zes, wel klaar en wel bescheiden,
Vloeiden mijn oren in en roerden, 'k weet niet hoe,

Al mijn gedachten om staag malend nimmer moe,
Die 't oor mistrouwden en de woordjes wederleiden.
Dies ik mijn Vrouwe bad mij klaarder te verbreiden
Haar onverwachte reên. En zij herhaalde 't doe.

O rijkdom van mijn hart, dat overliep van vreugden!
Bedoven viel mijn ziel in haar vol hart van deugden.
Maar toen de morgenstar nam voor den dag haar wijk,

Is, met de klare zon, de waarheid droef verrezen.
Hemelse goôn, hoe komt de schijn zo na aan 't wezen?
Het leven droom, en droom het leven zo gelijk?

In onschuld en reinheid met deze jongelings-mijmering wedijverend, doch minder algemeen, oorspronkelijker, karakteristieker, dienstiger tot verklaring van het feit dat Hooft door al zijn tijdgenoten, vrouwen zowel als mannen, geleerden en mededichters, om het gehalte zijns karakters, is aangemerkt als de natuurlijke en wettige aanvoerder van dat gedeelte der nederlandse beschaving aan welks spits hij feitelijk stond; nog dienstiger tot verklaring daarvan is dit andere sonnet, het eerste der zes aan Christina gewijd:

Wanneer de Vorst des lichts slaat aan de gulden toomen
Zijn hand, en beurt omhoog aanzienlijk uit der zee
Zijn uitgespreide pruik van levend goud, waarmee
Hij nare angstvalligheid, en vaak, en kreuple dromen

Van 's mensen lichaam strijkt, en berg, en bos, en bomen,
En steden vollekrijk, en velden met het vee,
In duisternis verdwaald, ons levert op haar steê,
Verheugt hij met den dag het aardrijk en de stromen:

Maar d'andre starren, als naijvrig van zijn licht,
Begraaft hij met zijn glans in duisternissen dicht;
En van d'ontelbre schaar mag 't niemand bij hem houwen.

Al eveneens, wanneer Uw geest de mijne roert,
Word ik gewaar dat gij in 't heilig aanschijn voert
Voor mij den dag, mijn Zon, den nacht voor d'andre vrouwen.

Brieven van Hooft aan Christina zijn in de uitgegeven verzameling niet voorhanden. Slechts kent men uit Van Vloten's *Tesselschade* een kort briefje aan haar van Anna Roemers, waarbij deze een exemplaar van haar vaders in 1614 uitgekomen *Zinnepoppen* aan de jonge mevrouw Hooft ten geschenke zendt. Doch als bijdrage tot de kennis van Christina's karakter heeft dat biljet geen waarde.

Christina, de Drostin van Muiden, eert dit graf.
Nooit vrouw meer gunst verdiend', en min zich diend' er af:

ook uit dit grafschrift niet, door Hooft tot haar gedachtenis vervaardigd en bestemd voor de zerk waaronder de vroeggestorvene rustte, leert men verstaan wat zij voor hem geweest is. En wellicht zouden wij ons van den omvang der leegte, door haar dood in 's Drossaarts hart en woning gelaten, een verkeerde voorstelling vormen, ware het niet dat hijzelf, in een brief aan Maria Tesselschade, geschreven een maand na Christina's dood (men verschone opnieuw om des geheels wil deze bijeenstelling van het bekende en minder bekende), haar een in waarheid onvergankelijke zuil had opgericht:

,,Mejuffrouwe,

,,De wijzen gebieden verliesbaar goed loshartig te lieven, en 't verloren zonder bedroeven over te zetten. Tot houden van 't eerste gebod heb ik altoos zo weinig wils gehad, dat het mij billijk aan macht mangelt om het tweede te volgen. Die nooit anders dan spelden en spijkers opzocht

114

om 't geen hij beminde nagelvast in zijn harte te maken, hoe kan 't hem daar afgescheurd worden zonder ongeneeslijke reten te laten? Die gewoon was zelfs de geringste gunsten en begaafdheden van degene die hij opperlijk bezind hield uit te schilderen, en die beelden in zijn binnenborst als een kapelle te metsen, hoe kan hij zonder mistroostigheid zich zien verlaten van zijn oppersten toeverlaat naast God? Evenwel heb ik het geloof niet dat droefheid deugd is, of kante mij met stijfzinnigheid tegen allen troost. Te zeer zoude mij wroegen d'ongehoorzaamheid jegens degene die, onder haar uitersten wille, mij de verkwikking mijns gemoeds zo ernstelijk bevolen heeft. Ik en zoek de rouw niet, maar zij weet mij te vinden. Duizend en duizend dingen daags halen mijn schade op, en meten ze ten breedsten uit. Dat de uiterlijke zinnen in 't gedacht dragen, moet er noodlijk plaats grijpen. Terwijl men op leed peinst, is de troost vergeten. Want niemand kan meer dan één ding tevens denken. Dit's een groot mangel in den menselijken aard: alhoewel de snelheid der gedachten ten dele de schade boet, verdrijvende het ene gedacht het ander, dat het niet uitsluiten kon. Die fraaie meesters van de kunst der heugenisse, ere zoude ik hun geven, konden zij ons de vergetelheid leren. Neen ook. Zo waard is mij het vieren van de gedachtenis der verloren edelheid, dat ik eerder wenste meer te lijden dan harer niet gedachtig te zijn. Of ik in verlies van overlieve kinderen door rouwe veroverd ben, is UE. bekend. Want afbreuk van have, alhoewel uit de kerf gaande,[1] weet UE. dat mijn vrolijkheid niet uit haar tred deed gaan. Dien Seneca, zo fier tegen den wederspoed, hoort hem eens kleen zingen, als hij, op Corsica gebannen, den vrijeling Polybius smeekt. Den gascoensen wijzeman, zo waanlos, zo oordeelvast (heb ik enig oordeel), dunkt dat er geen zon voor hem opgaat sedert den ondergang van zijn Étienne de la Boétie. UE. vergeve dan aan mijn

---

[1] „Toespeling op het aanmerkelijk geldverlies, dat hij door zijn neef Willem te Londen geleden had." Van Vloten, No. 132.

gemoed de verslagenheid, dat op veel na niet, gelijk die helden, voorzien is met kracht van vernuft of wapen van geleerdheid; en verbidde t'mijner troost den goedertieren God." —

Brandt zegt: „Enige van des Heren Hoofts brieven rieken naar den olie van arbeid;" en dit doet ook een deel zijner verzen. Doch de aangehaalde proeve bewijst hoe, door de gewoonte, het aangeboren talent „mergrijk te schrijven" en zijn taal te kneden tot „mannenvoeder", hem zozeer tot een tweede natuur geworden was dat deze gave ook dan hem niet verliet wanneer hij, in een vertrouwelijken brief aan een vriendin, lucht gaf aan kommer.

Zijn dichterlijke *Klachte der Princesse van Oranje* verraadt meer wellicht dan enig ander gezang van hem zijn juiste en vererende kennis van het liefhebbend vrouwegemoed. Op nieuwerwetsen trant gesproken, in dat gedicht heeft hij zijn hulde aan schoonheid en liefde buiten hem, ten volle aanschouwelijk gemaakt. Doch, hoewel zuiver persoonlijk, even aantrekkelijk voor het minst prijkt daarnevens zijn rouwklacht in proza over Christina's verlies.

V

Christina van Erp was wel des Drossaarts, — hij leerde haar opmerken in hetzelfde jaar dat Prins Maurits hem tot die betrekking aanstelde, — maar niet de eerste liefde van Hooft als jongeling en dichter.

Om de kluchtige uitdrukking van Mr. Jacobus Scheltema te bezigen, tussen Mei 1601 (het tijdstip waarop Hooft van zijn italiaanse akademiereis in het vaderland terugkeerde) en Januari 1605 (het jaar waarin het straks te noemen meisje stierf) heeft bij hem „meer dan genegenheid" bestaan voor Brechje Spiegel Janszoon; denkelijk een nichtje van den beroemden Hendrik Spiegel Laurenszoon, van wiens eerste vrouw, Brechje ten Berg, ik vermoed dat Hoofts beminde een naamgenootje en petekind zal geweest zijn·

Uit Aernout Drost's nagelaten stukje *Meerhuyzen* kan men zien op hoe vertrouwelijken voet de familie Hooft met Hendrik Laurensz verkeerde; als ook hoe aardig, naar het oordeel van Diewertje van Marken, den pas uit Italië teruggekomen Pieter de sierlijke ,,mustatsen" stonden.

De redenen waarom Hooft aanvankelijk er niet in slaagde, Brechjes genegenheid te winnen, zijn onbekend. Misschien pronkte hij een weinig met zijn fraaie snorren en uitheemse manieren; en mogelijk achtte zij het van haar plicht hem dit bevorens af te leren. Althans aan een beginsel van wederliefde ontbrak het harerzijds niet.

Min of meer openlijk met elkander verloofd, zou het ongetwijfeld te eniger tijd tussen hen tot een huwelijk gekomen zijn. Doch de dood maakte eensklaps aan hun dromen een einde en nam Brechje van haar minnaars zijde weg.

> Goedheid zonder lafferij,
> Wijsheid zonder hovaardij,
> Schoonheid zonder zich te hagen,
> Ere zonder roem te dragen,
> Open borst inzonderheid
> Had zij die hieronder leit:

vruchteloos heeft naderhand de dichter getracht, in den vorm van dit grafschrift, iets terug te geven van hetgeen Brechje Spiegel in zijn jongelingsjaren hem geweest was. Brechjes beeld is hiermede niet getekend, en haar bruidegom had ongeveer hetzelfde kunnen zeggen van een overleden zuster of schoonzuster.

Uit den aanhef van een onduidelijk gedichtje van Januari 1606, het eerste dat hij na Brechjes dood vervaardigde

> 't Gemoed herwenst verloren vrolijkheden,
> En wentelt in den schijn des tijds voorleden,
> Wanneer 't de stappen ziet die 't heeft getreden:

is men geneigd op te maken dat onze nog geen vijfentwintigjarige destijds behoefde gevoelde zich aan het verleden en zijn treurige herinneringen te ontscheuren; gelijk uit zijn huwelijk met Christina, vijf jaren later, genoeg blijkt dat het geleden verlies hem niet onbekwaam had gemaakt nieuwe vreugd te genieten.

De omgang met Brechje is in Hoofts leven een kort en gewelddadig afgesneden tijdperk geweest; en al onze wetenschap dienaangaande rust op twee versjes aan haar, het ene van 1604, het andere van 8 Januari 1605 en vervaardigd zeven dagen vóór haar dood. Doch dit weinige is voor ons oogmerk genoeg. In 1604, blijkens den eerstbedoelden zang, was Brechje nog altoos wederspannig; althans ongeneigd zich te laten belezen. Onze minnaar en minstreel moest zich dus vergenoegen haar in gedachte lief te hebben en op het bevalligst uit te dossen:

Schoon Nimfelijn, ach mind'je mijn, wat zoud' ik al versieren
Om, naar mijn wens, dees' ledetjens zo welgemaakt te sieren!
Met blinkend goud of perlen zoudt gij voelen ras belasten
Uw halsjen zoet, zo kraal als bloed daarom niet beter pasten.

Ik zoud' u kleên met keursjes reen, van lichte verwen blijdjes,
Die zouden staan geschilderd aan uw breedachtige zijdjes;
Uw voetjes mit haar schoentjes wit, daar bij geval in 't bokken
Het inkarnaat zo wel bij laat van hoosjes glad getrokken.

Uw armkens mee, zo wit als snee, zoud' ik koraal om schikken,
Dees vlechtjes blond op nieuwen vond zoud' ik u leren strikken
Met snoertjes veel, nu groen, nu geel, bij lodderlijke beurtjes,
Vóór wat'ren 't haar, of kruiven 't dáár, en duizend zoete leurtjes.

't Perruikje zou ik trekken nou wat laagjes, dan wat hoogjes;
En als het klaar gefutseld waar, mij spieglen in uw oogjes;
Dan werpen licht nu mijn gezicht op 't ene, nu op 't ander;
Dan nemen raam hoe 't altezaam zou voegen bij malkander.

Indien dat gij uw oogjes blij en liefelijke zeden,
Zo vreugderijk, zo vriendelijk, zo vol bevalligheden,
En uw aanschijn vernoegd, tot mijn dan met een lachje wendden,
Zo zoude ik hiel in u mijn ziel gaan metter wone zenden.

118

En als ik wat belonket had den brand van alle knechtjes,
Uw zedetjes, uw ledetjes, uw fraai getooide vlechtjes:
Zo zoude ik streng, met armen eng, uw jente lijfje prangen,
Tot ik daaruit kreeg, buit om buit, uw zieltje weer gevangen.

De verwe van mijn lippen an uw wangjes zoude ik plekken
Door zoentjes zacht, en met haar kracht uw ziel te mond uit trekken.
Charife, ik weet, gij dan beleedt dat niemand van uw zusjes,
Daar gij (zo 't schijnt) nu smaak in vijndt, gaf ooit zo zoete kusjes.

Er kwam een tijd dat Brechje, indien men het zo noemen
mag, voor dezen wansmaak de ogen opende. Doch, al wis-
selde zij van voorkeur, en ofschoon zij naast en boven haar
zusjes Hooft voortaan een plaats in haar hart schonk, het
oogmerk dat hij najoeg was hiermede niet bereikt. Voor de
min of meer geheime verloving waarvan ik boven sprak
schijnen redenen te hebben bestaan die, hoewel het meisje-
zelf nu geen tegenstand meer bood, nochtans geldig bleven. Verschil van kerkelijke belijdenis, ongelijkheid van
vermogen, huiselijke bezwaren, iets (wat dan ook) stond
hun openlijke verbintenis in den weg. Ja nog eer de dood
een eeuwige scheiding maakte tussen de twee gelieven,
moest er een tijdelijke plaats hebben. Deze althans is de
stemming waarin het gedichtje van 8 Januari 1605 geschreven werd; geschreven toen de dichter nog niet weten
kon welke slag hem dreigde, en hij weinig dacht dat zijn
droefheid zulk een nog veel smartelijker wijding te wachten stond:

Zal nimmermeer gebeuren mij dan na dezen stond
De vriendschap van uw ogen, de wellust van uw mond?

De vriendschap van uw ogen, de wellust van uw mond,
De jonste van uw hartje dat voor mij openstond,

Zo zal ik nochtans blijven u eeuwig onderdaan.
Maar mijn verstrooide zinnen, wat zal haar anegaan?

Mijn zinnen mogen zwerven den leiden langen tijd,
Nu zij, mijn overschone, zijn u, haar leidstar, kwijt.

De schoon' borst uit tot tranen, 't en baatte geen bedwang,
De traantjes rolden neder van d'een en d'ander wang.

De schone traantjes deden meer dan een lachen doet:
Al in zijn hoogste lijden zij troostten zijn gemoed.

Vrouw Venus met haar starre, thans klaarder als de maan,
Bespiedde die vrijage en zag 't mirakel aan.

„En hebben tere traantjes", zei zij, „zo grote kracht,
Waarom en is het schreien niet in der Goden macht?"

De traantjes rolden neder, maar de Godinne zoet:
„Beid! liever zoud' ik schennen", zei zij, „mijn rozenhoed".

En eer zij kon gedogen dat iemand die vertrad,
Ving zij de lauwe traantjes in een koel rozeblad.

„Wat geef ik om mijn rozen, of 't maaksel van mijn krans?
Ik zal gaan maken perlen van ongemenen glans!"

De tranen werden perlen, zo ras haar 't woord ontging,
Die zij met goud doorboorde, en aan haar oren hing.

Als Venus in den spiegel haar ziet met dit sieraad,
Zij wenst geen toverrieme noch kranse tot haar baat.

VI

Brechje—Christina—Leonore: sedert wij Hoofts nagelaten brieven kennen, en den sleutel bezitten tot de dagtekening zijner zangen, zijn deze drie namen voor altoos
saamgevlochten met zijn nagedachtenis. Drie Bevalligheden waren zij, die beurtelings en elk op haar wijze bloemen strooiden op het pad van den voortreffelijken Drost.
Hetgeen zij hem aan liefde schonken heeft hij, zonder aan
de nakomelingschap te denken en des te kieser daardoor,
in hulde en eerbied haar teruggegeven. Aldus, honderdvijftig jaren later, betaalde Onno Zwier van Haren zijn
Adeleide den tol.

Onze vaderlandse dichtschool uit den aanvang der 17de
eeuw valt enigszins in dezelfde termen als thans in Frankrijk de „gaskoense wijzeman", dien Hooft oordeelvast en
waanlos noemde en die Coornhert zijn *Wellevenskunst*
in de pen gaf: zij is, met Montaigne en wellicht nadrukke-

lijker dan deze, uit den tijd. Hoofts poëzie, om alleen van de zijne te spreken, is in haar geheel en zonder nadere toelichting een thans ongenietbare lektuur: vol merg en pit, vol schoonheden van het eerste water, een waardig voorwerp van ernstige studie ja, doch voor den hedendaagsen lezer geen bron van onmiddellijk genot. Klassiek geweest, is de Muiderschool niet ook, gelijk Corneille, Pascal, Molière, Boileau, Racine, Lafontaine, klassiek gebleven. Het heeft ons in vervolg van tijd te enemaal overvleugeld, dat Frankrijk van hetwelk in 1636 Jakob van der Burgh in zijn eenvoudigheid beweerde, en mocht beweren, dat het, alhoewel destijds bogend op Marot en Ronsard, Bartas en Malherbe, anderzins op dichterlijk gebied „niet onvoorzien was van gemene vernuften."

Doch Hoofts onsterfelijkheid, in weerwil der impopulariteit waarmede de werken van hem en zijn vrienden thans geslagen zijn, is niettemin gewaarborgd. Hij geloofde, hiermede is alles gezegd, aan de vaderlandse letteren en aan haar toekomst. „Daarom, dewijl met den opgang en vrijheid onzes vaderlands, verscheiden kunsten en wetenschappen verrezen zijnde, de heilige Poëzie ook in onze tale eerwaardelijk is begonnen te verschijnen: zo verzoeken, bidden en bezweren wij door Hare heiligheid alle degenen die zij goedgekend heeft om enigen adem haars geestes in te blazen, dat zij de hemelse vonke niet in der asse begraven of versterven laten: maar met allen ijver en erkentenisse zorgvuldiglijk opkweken in hun borst, totdat het licht, t'hunnen monde uitblinkende, de ganse wereld doorstrale met de glorie van hen en van de plaatse hunner geboorte. Opdat, gelijk eertijds door zeven steden gestreden is om Homerus tot haar burger te hebben, alzo ook in toekomenden tijde alle geslachten mogen wensen om dit te hebben tot hun Vaderland."

Ook van de zijde van het nu levend geslacht verdienen deze slotwoorden van Hoofts in 1610 of '11 gehouden rede over de Waardigheid der Poëzie behartiging.
1862.

121

JACOB CATS

I

„L'indifférence que m'inspira cet homme, par une grâce de la Providence, finit par devenir une aversion." Zo durf-de, in een aan de nagedachtenis van Lacordaire gewijd op-stel, een streng gelovig frans katholiek zich uitlaten over den persoon van Lamennais, weleer door hem, kort vóór zijn groten omkeer, een enkele maal in zijn afzondering be-zocht; en, ware tot mijn beschaming mij niet te goeder uur te binnen geschoten dat mijn eigen gevoelens omtrent Va-der Cats, nog geen tien jaar geleden, weinig christelijker of liefderijker plachten te zijn, wellicht had ik de pen opge-vat en een boetpredikatie geschreven tegen het ongodde-lijk fanatisme van den vreemdeling en ultramontaan.

„In het leven van elk rechtgeaard Nederlander der 19de eeuw", dacht ik toen, „behoort een ogenblik aan te breken dat hij ophoudt ten aanzien van Cats slechts onverschillig-heid te koesteren; een dag en een uur dat hij „al de wer-ken" van dien rijmelaar en kwezel op zijde duwt met geheel den fieren weerzin dien zulk een erbarmelijk karakter, een zo ergerlijke middelmatigheid, een zo gemene en zo ge-meenmakende geest, den weldenkende moet inboezemen. Al hetgeen er onhebbelijks wezen mag in onzen landaard is weleer vlees geworden in den persoon van Jacob Cats. Deze godvrezende *moneymaker* is de inkarnatie geweest van den nederlandsen daemon. Met zijn door en door laag-hartige moraal, zijn leuterlievende vroomheid en keutel-achtige poëzie, heeft hij onnoemlijk veel kwaad gesticht. Zijn populariteit is een nationale ramp geweest. De ver-beelding onzer jeugd heeft hij bezoedeld met zijn kwans-wijs zedelijke, doch in den grond der zaak wellustige ver-halen, zijn speelse lessen. Voor onze idealen van jonge liefde en zelfopoffering heeft hij ons de wijsheid van den berekenenden wereldling in de plaats leren stellen. Den standaard van ons geloof in de menselijke natuur heeft hij op onverantwoordelijke wijze verlaagd. Aan onzen eerbied voor het heilige — want het is edeler aan Ormuzd en Ahriman te geloven dan aan den christelijken God van Vader Cats — is door hem een onberekenbare schade toegebracht. Zijn geschriften zijn alleen daarom hier te lande een tweede bijbel geworden, omdat hij onder een schijn van vroomheid en in de taal der godsdienst ons volk gestijfd en aangemoedigd heeft in al zijn hoofdgebreken. De val onzer nationaliteit moet niet het minst hieraan worden toegeschreven, dat Cats er in geslaagd is het nederlands karakter te herscheppen naar zijn eigen beeld. Hij heeft een wawelend en geniepig volk van ons gemaakt, heeft onzen smaak bedorven, heeft onzen kunstzin uitgedoofd, heeft geen hogere eerzucht bij ons gewekt dan om, met Gods naam op de lippen en een aalmoes in de uitgestrekte hand, te sterven als millionair. Een engels koning heeft hem vruchteloos in den adelstand zoeken te verheffen: de nieuwbakken ridder is tot zijn jongsten snik een zeeuwse poldergast gebleven..."

Doch, hartstocht en onbillijkheid zijn twee loten van één stam, en indien wij met reden het beneden ons achten onrecht te plegen aan een weerloze schim, dan zullen wij Cats niet laten boeten voor hetgeen buiten zijn schuld in zijn naam misdreven is.

Ik voor mij zou wensen dat in den tegenwoordigen tijd niet langer aanbevelingen der catsiaanse poëzie geschreven werden gelijk er niet lang geleden een gevloeid is uit de pen van den heer Hofdijk, en, noodzaakt men mij van twee euvelen het geringste te kiezen, dan geef ik verweg de voorkeur aan een voorafspraak als die van den heer Van Vloten. Over het gemeen steekt de zwolse tekst-editie, door den deventersen hoogleraar bezorgd, met haar antieke spelling en haar overvloed van platen, gunstig af bij de blinde en gemoderniseerde tielse volksuitgaaf, die wel prijkt met een vergulden band, doch inwendig zelfs geen inhoudsopgaaf rijk is. In weerwil van de haar ontsierende drukfouten hier en daar is de schiedamse, deel uitmakend van het Letterkundig Pantheon dusgenaamd, en wier prijs níet hoger dan bij dertigtallen van centen berekend wordt, een mijns inziens ernstiger en loffelijker onderneming; terwijl de in 1847 door Siegenbeek aanbevolen editie, te Deventer verschenen, te gemoet komt aan het verlangen van hen die gesteld zijn op een nieuwerwetse spelling en op het uitlaten van deze en gene te zeer aan Rabelais herinnerende regels of fragmenten. Een deventerse Cats, een schiedamse Cats, een tielse Cats, een zwolse Cats — de dichter der *Minne- en Zinnebeelden* is nog altijd in trek, gelijk men ziet, en onze uitgevers zouden hem niet in zo velerlei formaat en gewaad ter perse leggen, indien zij niet wisten dat er meer eer met hem te behalen valt dan met Hooft of Huygens.

Is het echter de schuld van Cats indien men hem gaarne koopt? Reeds bij zijn leven was de zucht naar het bezit zijner werken algemeen, en uit een lofdicht van Jakob Westerbaen op *Ouderdom en Buitenleven,* uitgegeven door Jan Schipper, verneemt men daaromtrent sommige weinig dichterlijke, doch uit een statistisch oogpunt niet onaardige bijzonderheden:

> Met *zeven honderd en nog vijftig* zulke boeken
>   Had de vermaarde Cats de winkelen voorzien:
> Men meende, dat de man zijn opzet zou vervloeken,
>   Die hem tot zo een druk zijn dienst had durven biên.
>
> Zo kostelijk een werk, de pracht van zo veel prenten,
>   Scheen dat niet lichtelijk zou raken aan den man.
> Men riep: „Eer dat men dit ten oirbaar uit kan venten,
>   Zo zit hij aan den grond, de goede Schipper Jan!"
>
> Maar ziet integendeel: 't is weinig tijds geleden,
>   En de eerste druk is voorts de winkels uit verkocht,
> En iemand, die zijn geld daaraan wou gaan besteden,
>   Die vond er licht niet één, hoe naarstig dat hij zocht.
>
> Zie meer: de Schipper heeft de reis weer durven wagen,
>   En 't werk is andermaal op zijne pers geraakt:
> De fruiten, weet hij, die de meeste lui behagen,
>   Al zijn zij kostelijk, zijn haast tot geld gemaakt.

124

II

Laat mij echter de aanbeveling van het zoëven geopperd denkbeeld mogen voortzetten, en moge ik er in slagen mijn lezers de belijdenis te ontlokken dat het inderdaad niet aangaat onzen dichter aansprakelijk te stellen voor een populariteit die hij misschien bemind, doch waarom hij nooit gebedeld heeft.

Cats predikt, dit is zo, een uiterst wereldse moraal: doch het zou aan onzen landaard gestaan hebben die met zo veel zelfvertrouwen verkondigde voorzichtigheidsleer in naam van edeler beginselen van de hand te wijzen. De cyclus van kleine berijmde romans waaruit zijn *Trouwring* en de daarbij behorende *Proefsteen van den Trouwring bestaat*, zijn *Tachtigjarige Bedenkingen* en menig ander onderdeel zijner didaktische dichtwerken, vormen een voor de weelderige jeugd ongetwijfeld weinig aanbevelenswaardige lektuur. Doch heeft hij ze voor de jeugd geschreven? en, zo al, ligt het aan hem indien een onbezonnen nageslacht hem hierin op zijn woord geloofd heeft? Zijn godsdienstleer komt neder op enige ruwe dogmatische begrippen, en hetgeen hij van de Voorzienigheid verhaalt is wel geschikt ons voor het denkbeeld van zulk een God met afkeer te vervullen. Doch zal een geslacht als het tegenwoordige de dogmatiek van Vader Cats niet weten te waarderen, al laat het zich daardoor niet binden? Hij heeft in meer dan één opzicht de muzen grovelijk beledigd; heeft de lier gespannen, en welk een lier! ter ere van veeltijds onwaardige onderwerpen; heeft de taal der Goden en der dichters uit den hemel in de keuken gebracht. Doch wordt er een meer dan matige inspanning en aanwending der redeneerkunde geeist om ons tot de bekentenis te dwingen, dat het dienstboden-idioom van Jacob Cats te onzent minder opgang gegang gemaakt zou hebben, indien onze antipathie tegen verzen van die soort altijd even levendig geweest was?

Van den staatsman in hem kan ongeveer hetzelfde gezegd worden. Men houdt hem na, dat hij tot de waardig-

heid van raadpensionaris verheven werd door den zijde-
lingsen invloed van Frederik Hendrik, omdat hij een
persoon was „waarover de Prins kon disponeren." In de
vergadering van Holland, zegt men, vervulde hij de nederige rol van stembus, „zich contenterend met alleen te vragen de sentimenten van de leden, zonder de persuasie te
gebruiken in geval van discrepantie". Bilderdijk schenkt
hem den lof dat hij een goed man was, zonder erg, gemoe-
delijk rechtzinnig; doch tevens noemt hij hem „een treuze-
laar, een hals, niet opgewassen voor een staats-minister."
Tot kenschetsing zijner kordaatheid voert Bilderdijk aan
dat hij „zo oorlogzuchtig was als een wezel of een konijn,
en alle vrede zou aangenomen hebben waar hij slechts bij
voortrijmen kon." Ook van zijn parlementaire welsprekendheid had Bilderdijk een geringen dunk. Volgens hem
was Cats „wel de ellendigste redenaar dien de wereld ooit
opleverde", en van de vermaarde redevoering, uitgesproken in de Grote Zaal op het Binnenhof, zegt hij: „Cats
sloot de vergadering met een aanspraak, die (zo mogelijk)
nog belachlijker was dan die waarmee hij haar geopend
had."

Doch, al beefde Cats gelijk een riet toen prins Willem II
hem mededeling deed van de toebereidselen voor den aanslag op Amsterdam; al viel hij, op den dag van zijn eervol
ontslag als raadpensionaris, in de vergadering van Holland op de knieën, God en de Heren Staten dankend voor
de hem bewezen gunst, — wat bewijst dit, tenzij dat men
kwalijk doet hem te verslijten voor een man die een waardige rol vervuld heeft in onze vaderlandse geschiedenis?

Iemand heeft van hem gezegd dat zijn ouderdom de ge-
lukkigste geweest is die ooit een raadpensionaris van Holland te beurt viel; en de opmerking is juist. Met niet minder recht evenwel zou men kunnen beweren dat het grootste ongeluk van Cats hierin bestaan heeft, dat hij zo kort
na Oldenbarnevelt en zo weinig jaren vóór Johan de Witt
bekleed geweest is met een der hoogste waardigheden hier
te lande. In een andere eeuw, geplaatst tussen voorgangers

en opvolgers van minder gehalte, zouden zijn praktizijns-
verdiensten ook op staatkundig gebied voordeliger uitgekomen zijn. Staat het vrij, den vinger te leggen op zijn nulliteit, — hij was *nullarum partium,* zegt Bilderdijk, — men
zou ook in verzoeking kunnen komen dat noodlot aan te
klagen, dat, in stede van een bloedigen en roemrijken dood,
hem slechts een rustigen ouden dag op *Sorgh-Vliet* gunde.

III

De reaktie ten gunste van Cats als dichter dagtekent van
1790, het jaar waarin Feith optrad met het eerste deeltje
zijner miniatuur-uitgaaf. ,,Zie hier," schreef Jan de Kruijff
onder het fraaie portret tegenover den titel:

> Zie hier, o Vaderland! den Dichter uwer Jeugd,
>   Wiens zoete poëzij, gestemd op zin en harten,
> Haar lachend Wijsheid leert, haar spelend vormt ter Deugd.

Volgens Feith waren de werken van Cats destijds ,,tot
den laagsten rang van mensen verwezen"; en ook Bilderdijk ging in die dagen van de stelling uit dat Cats, die vroeger door zijn schriften mogelijk meer invloed op het algemeen had uitgeoefend dan iemand anders, omstreeks het
einde der 18de eeuw ,,zijn wettig verkregen achting bijna
ten enenmale verloren had en nauwelijks meer dan van het
plompe gemeen gelezen werd."

Mogen deze verzekeringen voor feiten gelden, en zij
hebben er al het voorkomen van, dan is er met het aanbreken van den nieuwen tijd in de waardering van Cats een
grote verandering gekomen. Om alleen van de twee jongste uitgaven te gewagen, er zijn voor het dekken van de
onkosten ener zo zeldzaam goedkope editie als die van den
heer Campagne, ener met zo vele platen versierde en zo
fraai gedrukte als die van den heer Tijl, te zamen vast niet
minder dan tienduizend intekenaren nodig geweest; en
deze kopers kunnen noch tot Bilderdijks plomp gemeen,

noch tot Feiths laagsten rang van mensen gerekend worden. Wel zijn tienduizend kopers nog geen tienduizend lezers, doch het is niettemin merkwaardig dat een dichter dier 17de eeuw, met wier literatuur ons publiek anders zo weinig blijkt op te hebben, laatstelijk zo velen onzer tijdgenoten de hand in den zak heeft doen steken.

In het zoëven genoemd lofdicht van Jakob Westerbaen wordt ons van dit verschijnsel een verklaring aan de hand gedaan die mij niet bevredigt, doch met wier schijn van juistheid wij rekening behoren te houden. ,,Hier," zegt Westerbaen, doelend op den algemenen inhoud van Cats' werken, of juister, op het waterpas van den catsiaansen geest:

> Hier is geen duisternis, waarin de lezers smoren;
>   Hier is geen gids van doen: de weg is licht en klaar;
> Hier zijn geen raadselen, daar 't zwaar is door te boren;
>   Hier hoeft geen tolk, die het geheim ons openbaar.
>
> Men spreekt hier taal en reên, die ieder kan begrijpen;
>   Hier vindt de Maagd en Vrouw hetgeen zij kan verstaan;
> Men heeft hier op het scherpst zijn geesten niet te slijpen,
>   Dan daar men even wijs somwijlen komt van daan.
>
> Hier is geen wezels hout, dat wreed valt om te werken:
>   't Is effen wagenschot, dat glad en aardig beeldt;
> Hier is een zin, dien elk kan zonder moeite merken;
>   Hier is een gladde veêl, die naar de voeten speelt;
>
> Hier is geen schel noch schelp, daar 't kwaad is door te bijten,
>   Eer dat men tot de pit en keest of kern geraakt;
> Hij heeft zijn tanden op zijn nagels niet te slijten,
>   Die in dit helder werk zijn werk van lezen maakt.
>
> Een ander dichte diep, en hebbe zijn vermaken
>   Dat hij een klein getal van lezers maar behaagt:
> Een kok, die sausen vent die vele tongen smaken,
>   Heeft nering in zijn huis wanneer een ander klaagt.

Effen wagenschot — wij kiezen uit den stroom van Westerbaens niet altoos even keurige beelden het geestigste en gelukkigst gevondene — behoef ik te zeggen dat effen wagenschot het hout niet is waar grote dichters uit plegen gesneden te worden?

Zeker staat Cats' eenvoudigheid hem niet in den weg. Zij lokt tot hem, meer dan zij van hem vervreemdt. Zij maakt hem verstaanbaar, ook voor de grote menigte van het tegenwoordige geslacht; ook daar, waar aan Hoofts gedachte veeltijds de keel wordt toegebonden door worgende woorden; waar Huygens door te grote puntigheid ongenaakbaar wordt en afschrikt; waar zelfs de tot populariteit geschapen Vondel door de snelheid zijner vlucht het oog van den huidigen lezer ontvaart.

Doch de eenvoudigheid is bij Cats geen deugd, en het kan niet om harentwil zijn dat hij in de tweede helft der 19de eeuw zo vele vereerders vindt. Zijn eenvoudigheid is de platheid-zelve. Zij is omslachtig, breedsprakig, langdradig. Zij verleidt hem tot het uitspinnen van onbeduidende gedachten en het aanwenden van met de poëzie onbestaanbare beelden. Zij is, om kort te gaan, zijn zwakke zijde.

> Laat daar des Heren ark! Des Hemels diepe zaken
> En staan u niet te zien, veel minder aan te raken.
>   Niet zoeken is hier best; niet weten hier verkiest;
>   Die zoekt, en vindt het niet, of die het vindt, verliest;

zo spreekt hij ergens over de verborgenheden der godsdienst, en deze verzen zijn voorwaar zijn slechtste niet. Zijn werken zouden er geen schade bij geleden hebben, indien hij bij het schuwen van de diepe zaken des Hemels meer sympathie gekoesterd had voor de diepe der aarde, en hij de zaligheid van het niet-weten en niet-zoeken, instede van haar uit te breiden tot de kennis van het menselijk hart en den menselijken geest, beperkt had tot die van het bovenzinlijke.

Evenwel, ofschoon de roem zijner mensekennis in vele opzichten geroofd is, en zijn meeste wetenschap van de bewegingen onzes gemoeds zich bepaalt tot de buitenzijde, het voor zijn *Spiegel van den Ouden en Nieuwen Tijd* geplaatst motto: *Hominem pagina nostra sapit*, behelst nochtans geen grootspraak en zou verdienen geprint te staan op de eerste bladzijde van de volledige verzameling zijner schriften. ,,Hij was geen Rubens, geen Van Dyck; hij had meer van Ostade, van Van de Velde en dergelijke meesters'': dit oordeel van Van Wijn dunkt mij de ware sleutel tot het geheim van Cats' tegenwoordige populariteit.

Hem op het voetspoor van Feith en van De Kruijff aan het nu levend geslacht voor te stellen en aan te bevelen als een bij uitnemendheid onschuldige lektuur, kweekschool van deugd en godsdienst, wie zal dit ondernemen? 's Dichters eigen openhartige bekentenis:

> Mijn aard was van der jeugd genegen om te mallen,
> En 't vrouwelijk geslacht dat heeft mij wel bevallen, —

dit gulle woord van den twee-en-tachtigjarige is een voldoende waarschuwing. Geen fatsoenlijk meisje van onzen tijd kan dit of dat gedicht van Cats ten einde toe lezen; geen onzer opgeschoten knapen straffeloos bladeren in de dichterlijke nalatenschap van den vromen raadpensionaris. Het is er mede als met de vertellingen van Lafontaine en met de romans van Voltaire.

Tot lof echter van ons geslacht mag gezegd worden dat het de ene eeuw van de andere weet te onderscheiden, den kunstenaar af te zonderen van den moralist zowel als van den dogmaticus, den dichter van het kind zijns tijds. Gelijk ieder heden ten dage een open oog heeft voor het schoon van de huiselijk-vaderlandse schilderschool der 17de eeuw, zo gevoelt ook klein en groot, in den tegenwoordigen tijd, de blijvende dichterlijke waarde van Vader Cats.

IV

Indien men, bij het aanduiden der grenzen van Cats' talent billijkheidshalve elke nevens-elkanderstelling van hem en van den dramaticus in Bredero of van den lyricus in

130

Vondel achterwege behoort te laten, het kan zijn nuttigheid hebben, met Jan Luyken's *Duitse Lier* in de hand, de snaren te tellen op de lier van Cats, den meester en ouderen tijdgenoot.

Het voordeel der veelzijdigheid is bij deze vergelijking ongetwijfeld aan 's meesters kant; evenzeer dat der wereld- en der boekekennis. Ook heeft in vervolg van tijd bij Luyken de kloof tussen wereld en godsdienst, tussen natuurleven en hoger leven, tot schade der letteren veel wijder gegaapt.

Doch ik geloof niet dat het nodig is meer dan een tweetal van Luykens minnedichtjes aan te halen, om mijn lezers aanstonds te doen gevoelen dat sommigen onder onze poëten der 17de eeuw hun speeltuig tonen hebben weten te ontlokken, die nimmer geklonken hebben onder den vingerdruk van Cats.

Ik open de *Duitse Lier,* het klein-oktavo boekje, zo veel dunner en beknopter dan de welbekende foliant met de door Westerbaen herdachte prenten, en vind op de eerste bladzijde de beste:

LUCELLA

's Ochtends, als het haantje kraait
    Onder 't klappen van zijn wieken,
    Als de dag begint te krieken,
Eer de huisman ploegt of zaait,
    Gaat Lucella bloempjes pluiken,
Daar zij 't gretig oog mee streelt:
    Bloempjes die naar honig ruiken,
Daar de lekkere bij in speelt.

    O Lucel, wier bloeiend schoon
Al het puik der veldgodinnen
Pralende komt te overwinnen,
    Strijkende de schoonste kroon,
Waard ten troon te zijn verheven —
    Laat deze ogen-streelderij!
Wordt gij van een lust gedreven
    Tot de bloemen, ga met mij.

Loop niet meer door 't wilde lof,
Ga met mij in Liefdes gaarde;
Schoonste nimf, daar baart ons de aarde
Bloemen van een eêlder stof;
Die alleen de reuk niet vleien,
Maar met liefelijk gevoel
Schaffen duizend lekkernijen,
Door een strelend geestgewoel.

Liefdes hof braveert het al:
Laat het haaglen, laat het waaien,
Laat den hemel bliksems zwaaien,
Met een zwaren donderval;
Laat de gure winter beven,
Dat al 't geurig groen bederft;
Liefdes bloemen blijven leven,
Laat het sterven wat er sterft!

Al hetgeen in dit versje gevonden wordt, niet slechts aan keurigheid van uitdrukking en versbouw, maar ook aan jong menselijk gevoel en bovenal aan heilige geestdrift, wordt bij Cats gemist. Ook Cats is een waarnemer der natuur, van de velden, van den hof en zijn schatten; doch hij bestudeert deze voorwerpen niet om hun zelfswil, hij neemt hun leven niet in zich op, zij vloeien bij hem niet ineen met het leven der mensen. Hem is de natuur een groot lessenboek, een verzameling zijdelingse spreuken Salomo's. Hoewel hij niet ontkent dat de bloemen ook van liefde fluisteren, de liefde is volgens hem toch eerst begeerlijk wanneer men zorg draagt er niet mager van te worden; en wel is hij dwaas, beweert Cats, de man die om harentwil zijn middageten onaangeroerd laat:

Vrijt met een lustig hart. Waartoe bedroefde zinnen?
Doet als het veldhoen plag: dat weet zich vet te minnen.
Gij die een frisse maagd uit reiner minne dient,
Belief haar naar den eis, maar blijf uw eigen vriend.

Wat dunkt u van dien patrijs? Doch zo is de man; en wij moeten blijde wezen dat hij, van zijn zich vetminnend veldhoen, niet den een of anderen kraanvogel gemaakt heeft, met een papieren kap om den kop, vol stroop of lijm. Er is geen verbloemen aan: een van de tederste en verhevenste gevoelens waarvoor de menselijke boezem vatbaar is, een dat tevens de schering en inslag zijner eigen verzen pleegt te vormen, wordt telkens bij Cats, ik zal niet zeggen bezoedeld of ontheiligd, want met al zijn onbetamelijkheden is en blijft hij in zijn soort een zuiver man, maar zo ruw aangegrepen en zo plomp voorgesteld, dat men al lezend veeleer wanen zou aan het nagerecht ener boerenbruiloft te zitten, dan te gast genodigd te zijn door een Stadhouder van de Lenen en Grootzegelbewaarder van Holland.

De geschiedenis van Aramantus en Amila, door Jan Luyken bezongen onder het opschrift: *Getergde min doet wonderen,* is, de beknoptheid niet medegerekend, een dier verhalen gelijk er door Cats in den *Trouwring* velen bij elkander gesteld zijn, en gelijk hij ook door andere gedeelten van zijn dichtarbeid er op menige plaats heeft weten heen te vlechten. Reeds bij de eerste lezing evenwel wordt men een groot verschil gewaar:

Zo zag Armant zijn lief Amiel,
Zijn heil, zijn vreugd, zijn hart, zijn ziel,
Met traantjes op de bleke wangen
En 't hoofd op een gebogen hals.
Zij zuchtte, en riep ter krop uit, bange:
„Balsturig lot, wat zijt gij vals!" —

Zo zag die wakkere oorlogsgast
Zijn liefstes zachte handjes vast
Ten rug geboeid met harde snoeren,
Gekneveld van den Arabier,
Om als een duifje weg te voeren
Voor de ogen van een wreden gier —

Die met een troep verraders kwam,
En scheurde dit onnozel lam
Als winter-wolven uit zijn armen.
Hij roert noch voet, noch hand, noch oog;
Men hoort zijn krijgsstem niet alarmen;
Hij staat gelijk een marmor-boog.

133

„Armantus, hoe, waar is nu 't pit,
Dat in uw sterke spieren zit?"
Zo riep de Mingod in zijn oren:
Die stem herwekt zijn dappren geest,
Die, door te hete en heev'ge toren,
Was als verstrikt en weg geweest.

Nu stroopt hij 't snijdend kampzwaard bloot,
En zweert Argilucus den dood,
Bij Ammons bliksemvuur en donder.
Mét valt hij als een tijger an,
En zendt, met d' eersten klink, naar onder
Zijn allereersten wederman.

Zo vaart hij als een bosleeuw voort,
Maait wederzijds, en scheurt en moordt
Al wat hem naakt, om wraak te boeten,
Al staag weer met een nieuwen moed;
Tot hij, van 't hoofd tot aan de voeten,
Bespat was met Arabisch bloed.

Dus woedende, vat hij Argiel
Met deze woorden aan: „O ziel,
Die mij mijn schone bruid ontkaapte!"...
Mét veegt hij 't zwaard de halsstrot door
En wierp den kop, zo die nog gaapte,
Daar 't bloed van droop, Amila voor.

Nu smijt hij 't rokend staal daar neêr,
Ontboeit de blauwe handjes weêr,
En veegt de traantjes van haar konen,
En streelt haar ziel met zoete reên,
Omhelst heel vriendelijk die schone,
En strijkt met zijn Amila heen.

De vraag is niet hoe vele duizendtallen catsiaanse vers-
regels men zou wensen te missen, indien men daarvoor
deze éne bladzijde in de plaats bekomen kon. Ook laat ik
aan anderen het onderzoek over naar de uitheemse bron-
nen waaruit én Luyken deze en dergelijke zijner roman-
cen, én Cats zo menig door hem bearbeid treffend liefdes-
geval mogen geput hebben.

Mijn oogmerk is bereikt indien ik den lezer voelbaar heb gemaakt dat de leegte die Cats achterlaat in onzen geest, de koelheid waarmede hij ons gemoed als met een lichte ijskorst overdekt, niet minder behoren verklaard te worden uit zijn apathie dan uit zijn gebrek aan tederheid. De *Duitse Lier* is, indien men wil, een dartel boekje. Van het zestigtal gedichtjes, die het bevat, kunnen niet veel meer dan een half dozijn ten overstaan van een gemengd publiek voegzaam aangehaald worden. Al ware echter Cats, anders dan Luyken, zo stemmig als een begijntje, ik bid u, wat komt een dichter niet te kort die hartstocht mist!

Misschien geeft men er zich over het gemeen niet genoeg rekenschap van, dat hartstochten op te wekken de eigenaardige roeping is der kunst, en dat een macht die bestemd is driften te doen ontwaken, ook uit driften moet geboren zijn. In zichzelf is de kunst nooit onzedelijk; doch het ontroerend vermogen waarover zij beschikt ondermijnt licht in ons gemoed het zedelijkheidsgevoel, en geenszins ten onrechte zullen mensen met strenge begrippen van hetgeen eerbaar en rein is, vooral wanneer zij op zekeren leeftijd gekomen zijn, de kunsten wantrouwen en de aandacht van het opkomend geslacht van haar zoeken af te leiden. Een volkomen onschuldig genot levert de dienst van het schone alleen voor hen op, die niet te enemaal onervaren zijn in de zelfbeheersing; en daar de grote meerderheid der mensen op dit gebied wel altijd tot de klasse der dilettanten zal blijven behoren, zal men het nimmer ten kwade kunnen duiden indien er zich waarschuwende stemmen verheffen tegen een eenzijdige ontwikkeling van het schoonheidsgevoel.

Niettemin zijn ze doodgeboren, de kunstgewrochten waarin het gevaarlijk vuur van den hartstocht, zo het niet opvlamt en blaakt, ten minste zachtkens sluimert. Ik geloof dat het Jules Janin was die gaarne te velde placht te trekken tegen den voorgewend moraliserenden invloed van het toneel; en, hoe hij ook heten moge, wie deze mening voorstaat heeft volkomen gelijk. De schouwburg, — en in rui-

mer of beperkter zin kan men hetzelfde zeggen van kon-
certen, tentoonstellingen, romans, bundels poëzie — de
alle uitingen der kunst in zich verenigende schouwburg is
onuitstaanbaar indien hij verveelt; hij kan alleen belang-
stellingwekken door in het gemoed te tasten. Een apathisch
toneel is als een vis op het droge. Passie is hier het eerste
vereiste, passie het tweede, passie het derde. Doch, hartstochten zijn geen olie in de heilige lamp der deugd, en lich-
ter zal iemand door den schouwburg gevormd worden tot
een held dan tot een braaf mens.

Het zou mij weinig moeite en niet veel drogredenen kosten de stelling vol te houden dat alle helden een soort van
brave mensen, en alle brave mensen een soort van helden
zijn. Wanneer ik echter aan den deventersen predikant
Jacobus Revius denk, den tijd- en geloofsgenoot van Cats,
dan behoef ik, tot opheldering van mijn mening, geen heil
te zoeken bij redeneringen.

Revius was — en weder met opzet plaats ik nevens Cats,
tot kenschetsing van diens verdiensten, een dichter dusgenaamd van den tweeden rang — Revius was een hartstochtelijk man. Hij was dit in zijn kerkelijken ijver, in zijn
vroomheid, en ook in zijn vaderlandsliefde; en dit is de
reden dat men bij hem gelijk bij Luyken, ofschoon op zeer
onderscheiden gebied, tonen hoort weergalmen wier echo
men vruchteloos zou trachten op te vangen onder het lezen
in Cats.

Neem diens *Twee-en-tachtig jarig* leven ter hand, neem
welk ander deel van zijn werken het wezen moge, zelden
of nooit voelt gij u in betrekking gesteld tot den tijdgenoot
van den vrijheidsoorlog, tot het kind dier eeuw waarin
Nederland voor zijn nationaliteit en te gelijk voor zijn protestantisme vocht. Lees daarentegen dit epigram van Revius: ,,Op het vergaan van 't spaanse schip genaamd *De
Heilige Geest,"* en in niet meer dan vijf en twintig regels
daagt plotseling een geheel tijdvak der vaderlandse geschiedenis en een van het hoofd tot de voeten geharnast
voorgeslacht voor u op:

136

Het domme bijgeloof geeft schepen en galeien
Den name van de Goôn, die hen in zee geleien;
    Zo droeg weleer het schip, daar Paulus innevoer
    Naar Rome toe, den naam van Castor en zijn broer.
De Spanjaard speelt het na; zijn lastige caraken,
Zijn grove galioens, en al wat hij laat maken,
    Den titel hebben moet van een gewijden Sant,
    Opdat het veiliglijk mag komen aan het land.
Het ene wordt gedoopt *Maria*, Godes moeder,
Het andre *Nicolaas*, der schipperen behoeder,
    Het derde vormt men met den name van *Clement*,
    Die alle zonden weet, en alle diepten kent.
Was 't niet een razernij, dat in de West-armade,
De oude Admiraal, die goud en zilver laadde,
    Den name voeren dorst van God, den *Heilgen Geest?*
    Hoveerdiger bestaan is, dunkt mij, nooit geweest.
Geen wonder is het ook, dat God, die zulke zonde
Niet lijden kan, hem heeft doen zinken in den gronde,
    Met takels en geschut, met mensen en met vracht;
    Dat iemand die het hoort met recht daaromme lacht
En zegt: de Heilge Geest weleer op 't water zweefde,
Toen God de wereld schiep en maakte al wat leefde;
    Maar ónder 't water duikt des Spanjaards Heilge Geest!
    Zo is het dan voorwaar de rechte niet geweest.

Dit zich verblijden in het ongeluk van anderen, dit spotten met hun ondergang, is in hoge mate hetgeen men pleegt te noemen onchristelijk. Eens anders kerkgeloof te beschimpen, vooral indien men zich voor een voorvechter der gewetensvrijheid uitgeeft, is ver van deugdzaam. De oud-testamentische voorbeelden van leedvermaak over het onvermogen der afgoden, of over den val van de vijanden des uitverkoren volks, die Revius tot verdediging van zijn hekeldicht zou hebben kunnen bijbrengen, behoren als oneerlijke sofismen van de hand gewezen en ter zijde gesteld te worden. Doch, wat wij tegen hem mogen inbrengen, Revius toont zich, en daarmede is alles gezegd, een dichterlijken geest. Er tintelt iets in zijn aderen, kookt iets in zijn borst, fonkelt iets in zijn ondeugend oog. Op den bodem zijner spotternijen ligt en brandt een groot gevoel.

De volgende strofen uit zijn *Gebed* voor de verovering van 's-Hertogenbosch door Frederik Hendrik drukken de zielsvervoering uit ener gehele natie die, bij het kampen voor haar onafhankelijkheid, zich bewust is te strijden voor al hetgeen den mens op aarde dierbaarst en heiligst is. Het is of men in onze dagen een priester der poolse revolutiepartij hoort bidden om den val van den moskovischen overheerser:

Gij, die in den Hemel woont,
En van daar de vorsten kroont,
Die hier wagen goed en leven
Om den vijand te doen beven,
Die vertredet uwe' eer:
Wil ons horen, lieve Heer!...

Neem den vijand zijnen moed,
Neem hem wijsheid ende spoed,
Neem hem koren ende haver,
Neem hem krijger ende graver,
Neem hem harnas en geweer:
Wil ons horen, lieve Heer!

Maak versaagdheid in de stad,
Maak de wakers moe en mat,
Maak onveilig hare straten,
Maak onwillig haar soldaten,
Zege en zegen van haar keer:
Wil ons horen, lieve Heer!

Maak den overste veracht,
Doe verkwijnen zijne macht;
Maket dat de burgerije
Weigere zijn heerschappije
En den Staten hulde zweer:
Wil ons horen, lieve Heer!

Komt de Spanjaard voor den dag
Om ons heir te bieden slag
Of de stede te ontzetten —

Uwen adem moet hem pletten
En wegblazen als een veer:
Wil ons horen, lieve Heer!

Zendt hij hun, in hunnen nood,
Wijn of voeder, kruit of lood,
Laat het blijven onderwegen,
Laat het van ons zijn gekregen;
Smijt zijn wapenen omveer:
Wil ons horen, lieve Heer!

Laat Filips van zijnen schat
Niet ontvangen dit of dat,
Geef dat hij, na lange hopen,
In zijn eigen nest gekropen,
Zuig' zijn poten als een beer:
Wil ons horen, lieve Heer!

Maket zijnen buidel lek;
Zend hem duurte en gebrek;
Dat zijn krijgsvolk onbetaled
Hunne schade aan hem verhalet,
Die nu teren op hun smeer:
Wil ons horen, lieve Heer!

Jaget eenmaal uit Den Bosch
Beiden wollef ende vós,
Schik daar uwe trouwe knapen,
Weid er de verdoolde schapen
Met uw goddelijke leer:
Wil ons horen, lieve Heer!

VI

Hetgeen Cats tot dichter maakt, ook ofschoon er nooit
uit zijn anders zo populaire pen zulke verzen gevloeid zijn,
is de waarheid zijner poëzie. Overal in zijn werken is hij
zichzelf, geeft hij zich gelijk hij is en voor niet meer dan hij
is. Overal handhaaft hij zijn eigenaardigheid. Niets is gemakkelijker dan hem na te volgen in zijn manier, zijn wendingen, zijn versbouw; en te allen tijde heeft het in ons

vaderland gekrield van huis- of kamerpoëten die met beter of minder goed gevolg catsiaanse versjes wisten samen te stellen. Doch het is een verdienste, het getuigt van oorspronkelijkheid, dien trant te hebben uitgevonden. Cats is nieuw geweest; en een dichter die dit weet te zijn veroudert niet.

Het kost ons enige inspanning tot een voorstelling van zijn persoon te geraken, en het benieuwt ons hoe hij zich mag hebben voorgedaan en welken indruk hij mag te weeg gebracht hebben in de werkelijkheid. Hetgeen hij in zijn eigen levensbeschrijving omtrent zichzelf verhaalt bevredigt niet. De bewoordingen zijn te algemeen, en de moraliserende strekking van het gehele dichtstuk wist de trekken van 's dichters beeld te zeer uit. Doch uit deze en gene anekdote, bij anderen bewaard gebleven, blijkt genoegzaam dat de dichter in hem saamgegroeid was met den mens en wij in zijn poëzie een getrouw afdruksel van zijn wezen bezitten.

Op inwendige gronden zonder ik van die berichten uit hetgeen door Bilderdijk beweerd wordt, dat zijn vrouw „hem (als men 't noemde) zeer onder den toffel had". Ofschoon deze ramp in zeker opzicht niet meer dan zijn verdiende loon geweest zou zijn, — verdiend om den lelijken trek door hem gespeeld aan het middelburgs meisje dat arm was en zijn vrouw *niet* werd, — geloof ik nochtans dat Cats de waarheid spreekt wanneer hij roemt in het geluk der vijf en twintig jaren dat de amsterdamse juffrouw Valkenburg zijn echtgenoot was. Dat zij liever Plutarchus las dan „romanse grillen", zou kunnen doen vermoeden dat zij wel eens een hartig woord van afkeuring zal hebben doen horen over de werken van haar gemaal; doch het bezoek door hem in haar grafkelder afgelegd, het feit (hoe onbehouwen door hem verklaard) dat hij na haar dood geen tweede huwelijk aanging, schijnen te pleiten voor een huiselijk leven zonder stoornis en rijk aan zoete herinneringen. Inzonderheid pleit daarvoor de bevallige aanhef van het gedichtje:

Als van twee gepaarde schelpen
  De ene breekt of wel verliest,
Niemand zal u kunnen helpen —
  Hoe men zoekt, hoe nauw men kiest —
Aan een die met effen randen
  Juist op de andre passen zou.
De oudste zijn de beste panden,
  Niets en gaat voor de eerste trouw.

Geloofwaardiger dan de overlevering van het opgeheven muiltje dunkt mij het verhaal der versjes en spreukjes
waarmede, naar het getuigenis van den pensionaris
Hoornbeek, de ambtshalve door Cats gehouden notulen
gevuld waren. Hetzij hier spraak is van den tekst dier deftige bescheiden zelf, hetzij Hoornbeek gedoeld heeft op
zekere kanttekeningen, wij kunnen ons Cats geredelijk
voorstellen, gezeten in de vergadering der Staten van Holland, luisterend naar zijn eigen invallende gedachten, meer
dan naar de verslagen of redevoeringen der afgevaardig-
den, en de in zijn geest zich aanstonds tot rijmpjes vormende denkbeelden, diepe en ondiepe, aantekenend in het vóór
hem op de groene tafel uitgespreid papier. Misschien hebben de menigvuldige spreuken in den *Spiegel van den
Ouden en Nieuwen Tijd* geen andere geboortegeschie-
denis.

Het tekenachtigst van al schijnt mij hetgeen te lezen
staat in een uit Londen geschreven brief van den ambassa-
deur Nieuwpoort aan Johan de Witt, in antwoord op diens
bericht van zijn voorgenomen huwelijk: ,,Ik zal dezelve op
dat werk zodanig een succes wensen als daar de Here Cats
mij met een statig aangezicht, in het collegie van de Heren
Gecommitteerde Raden, even na ik getrouwd was, mede
geliefde te feliciteren; namelijk, dat Uwe Edel. malkanderen mede *tot flenteren mogen verslijten.*'' Om uit den
grond des harten en met een onvertrokken gelaat zulk een
huwelijksbede uit te brengen, moet men een man uit één
stuk zijn; en mogelijk is deze kleine kluchtige herinnering
van onzen gezant in Engeland voldoende om het vermoe-

den van gemaaktheid, indien wij geneigd mochten zijn den dichttrant van Cats voor knutselwerk te houden, uit onzen geest te bannen.

Bij schier volstrekte gelijkheid van toon en behandeling is er evenwel tussen de werken van Cats' ouderdom en die van zijn manlijken leeftijd (zijn jongelingsjaren zijn voor de poëzie onvruchtbaar geweest, dan wel, er is daaruit zo goed als niets overgebleven) een merkbaar verschil. Met de jaren is ook de praatziekte toegenomen, en van de grote verscheidenheid van onderwerpen waardoor de *Minne- en Zinnebeelden,* de *Emblemata,* de *Spiegel,* het *Huwlijk,* en vooral de *Trouwring* zich kenmerken, is in het *Buitenleven* en vervolgens veel verloren geraakt.

Het een door het ander genomen levert wellicht de *Trouwring* den besten maatstaf van Cats' talent, en mijn lezers zullen het niet ten kwade duiden indien ik de herinnering van een tweetal verhalen uit dien merkwaardigen bundel voor een wijl bij hen tracht te verlevendigen. Moet ik afzien van het voornemen ook van meer dan één meesterstukje uit de *Emblemata* of uit den *Spiegel* te gewagen (er schuilen in die twee afdelingen sommige voortreffelijke gedichtjes), men stelle die onvolledigheid op rekening van den vooral bij Cats onvermijdelijken dwang tot kiezen.

VII

„Mandragende Maeght, ofte beschrijvinge van het houwelick van Emma, dochter van den keyzer Charlemagne ofte Karel de Groote, met Eginhard, deszelfs Secretaris": reeds deze titel verraadt den meester in het samenstellen van volksromans. Een sekretaris, een geleerde, een *homme de rien,* die het hart en de hand ener keizersdochter weet te winnen, meer is niet nodig om aanstonds de belangstelling te wekken van een uitgebreid publiek — het publiek der niet-geblaseerden.

Want Cats, men houde dit in het oog, is van nature de minstreel der weinig of niet beschaafden; en toen zijn werken, naar het getuigenis van Bilderdijk en Feith, enkel nog gelezen werden door den minderen man, hadden zij daarom niet opgehouden hun oorspronkelijke bestemming te vervullen. Vermoedelijk heeft er nooit in Nederland, zo min in de eigen dagen van Cats als daarna, onder de meer ontwikkelden een klasse van personen bestaan die zichzelf in zijn dichtwerken teruggevonden hebben. De jongelieden van min of meer goeden huize zijn nimmer bekoord kunnen worden door Jozefs *Zelfstrijd;* de welopgevoede meisjes hebben te allen tijde geglimlacht om den *Wegwijzer ten Huwelijk uit den Doolhof der Kalverliefde.* Daarentegen schijnt de *Mandragende Maagd* geknipt te zijn geweest voor het volk.

De toestand door den titel aangeduid — een meisje dat haar minnaar, uit vrees voor ontdekking, bij het aanbreken van den dag op haar rug over het besneeuwde wandelpad draagt — strijdt met de eisen van een gekuisten smaak. De groep is wanstaltig; en het verwondert mij dat Staring tot tweemalen toe, eerst in *Emma van Oud-Haarlem* en daarna omgekeerd in *De Verloofden,* beproefd heeft dit reddeloze enigszins goed te maken.

Doch voor bedenkingen van deze soort is Cats te allen tijde doof geweest. Als naar gewoonte heeft hij ook hier een zedeles op het oog, of hetgeen bij hem daarvoor doorgaat; en het trouwgeval van Eginhard, die, als de andere Abélard ener vroegere Héloïse, prinses Emma les komt geven in de wetenschappen en haar intussen opoffert aan zijn hartstocht, doet, aan het slot des verhaals en bij wijze van rekapitulatie, hem een redekaveling in proza over het al dan niet betamelijke van zulke echtverbintenissen ondernemen. De aanhef dezer nabetrachting, gekleed in den vorm ener samenspraak tussen den telkens wederkerenden Philogamus en den onuitputtelijken Sophroniscus, is karakteristiek:

„*Sophroniscus.* Wat dunkt u van dit stuk werks? Houdt gij hetzelve niet voor gans gedenkwaardig?

„*Philogamus.* Mij dunkt dat Eginhard moet gelezen

hebben den raad, dien doctor Cœpolla, een groot rechtsgeleerde, geeft aan de jongelieden om spoedig tot een huwelijk te geraken, daar ze anders niet wel middel toe zien.

„Sophroniscus. Wel, wat is dat voor een raad?

„Philogamus. Dat ze zich meester moeten zien te maken van den goeden naam van hun beminde, en dat ze, zo doende, wel voorts te rechte zullen komen; dewijl de ouders in dien gevalle, en alle de vrienden die hun tegen zijn, daardoor straks anders van gevoelen worden.

„Sophroniscus. Voor mij, ik en acht zodanigen raad niet met allen. Want vooreerst, zo zie ik dat de raad van uw doctor Cœpolla nog een anderen raad van doen heeft, daar hij voor gewis geen raad toe geeft of heeft; want schoon iemand in zo goed een zake zo kwaden weg ware gezind in te slaan, weet Cœpolla wel raad om zijn raad in 't werk te stellen? weet hij zijn leerlingen wel zodanige krachtwerkende woorden in den mond te leggen, waardoor een eerbare deerne zal bewogen worden haar beste pand over te geven ten luste van den een of anderen mooiprater? En schoon hij zulks al wist te doen, als hij geenszins en kan, zo is het al vrij bedenkelijk of uw doctor Cœpolla dit al wel voorheeft, en of er uit volgen zoude hetgeen hij meent en de jongelieden wil inbeelden.

„Philogamus. Hoe! is er te twijfelen aan hetgeen de ervarenheid nu dikwijls heeft geleerd, en dat ook heel onlangs? Ik weet een vader, die met de vrienden van zekeren jongeling, zijns dochters vrijer, op de huwelijkse voorwaarden malkanderen niet wel kunnende verstaan (met het maken van dewelke zijluiden onderling bezig waren), kwam schielijk en met een grammen zin in de keuken gelopen, roepende tot de keukenmeid: „Spit af, meisje! hier van en zal niet vallen." Maar zijn zuster, moei van de toekomende bruid, hem ter zijden genomen en wat in 't oor geluisterd hebbende: hoe het met de dochter al stond en dat ze wel haast mocht komen te bevallen, is hij plotseling daarop van mening veranderd, roepende op staanden voet: „Spit aan, meisje!" en, sluitende zonder verder verschil de huwelijkse

144

voorwaarden, wenste hij de lieden veel geluks. Even denzelfden inval had, zo ik gelove, keizer Karel de Grote, als
hij zijn dochter Emma vond in den stand als wij gelezen
hebben; en dit is, mijns oordeels, hetgeen waarop doctor
Cœpolla heeft gezien, als hij den voorzegden raad de jongelieden gaf."

Zo er in de kalmte waarmede Cats aan deze en dergelijke samenspraken voortspint iets onbetaalbaar naiefs is,
er is ook iets zeldzaam onergdenkends in den overvloed
van bijzonderheden door hem verkwist aan de beschrijving
der gevoelens waarvan zijn helden en heldinnen wederzijds blaken. Op dit gebied is zijn geloof in onze lichtgelo-
vigheid onbegrensd, en geen onwaarschijnlijkheid zo groot
of hij speldt haar ons op de mouw. Het middel waardoor
Eginhard den weg naar Emma's hart leert vinden bestaat
in een kunstig omgetrokken A B C; zulk een A B C is ook
de vorm waaronder het meisje hem bericht geeft van haar
stille genegenheid voor hem; en de dichter, die zich eenmaal voorgenomen heeft u niets te sparen, last beide kalli-
grafische oefeningen van A tot Z halverwege zijn ge-
schiedverhaal in.

De sekretaris schrijft aan de prinses:

A	Adem mijner ziel,	B	Bloem van onze steden,
C	Ciersel van het rijk,	D	Dal van zoetigheden,
E	Eer van onzen tijd,	F	Fakkel van de jeugd,
G	Glans van al het land,	H	Hof van alle vreugd,
I	Ion mij wat ik wens,	K	Kom tot mij genaken,
L	Laaf mijn dorre ziel,	M	Min tot ons vermaken,
N	Neem mijn smarte weg,	O	Oefen minnestrijd,
P	Proef wat gunst vermag,	Q	Quist geen nutten tijd,
R	Roosje nooit geplukt,	S	Schoonste van den lande,
T	Troost van mijn gemoed,	V	Vonk door wie ik brande,
W	Wellust van mijn hart,	Y	Yedereens vermaak,
Z	Zee van honigraat,		Ach, had ik eens den smaak.

Hier staat mijn penne stil, ik laat het dichten blijven;
Daar zijn geen letters meer, hoe kan ik verder schrijven?
    Princesse, 't is genoeg, mijn A B C is uit;
    Gij, gun mij voor het lest een kusje tot besluit;

Een kusje, waarde maagd, dat nooit en is gegeven,
Als daar het innig hart te pande was gebleven,
    Een kusje duizendmaal en duizendmaal gekust,
    Dat staag het vuur ontsteekt en nimmer uit en blust.

Emma, die op zekeren dag dit gedicht vond liggen op den lessenaar waaraan zij gewoon was met Eginhard te arbeiden, droeg zorg dat hij niet lang daarna te zelfder plaatse haar antwoord aantrof:

A	Aas van mijne jeugd,	B	Blus mijn vurig minnen,
C	Cus haar die u lieft,	D	Drenk mijn dorre zinnen,
E	Edel uit den aard,	F	Frisse jongeling,
G	Geest van mijnen geest,	H	Heus in alle ding,
I	Ieugd van mijne jeugd,	K	Kroon van alle staten,
L	Lof van onzen tijd,	M	Mond vol honigraten,
N	Nooit genoeg beloofd,	O	Offer aan de min,
P	Puik van alle mans,	Q	Quel nooit uwen zin,
R	Roem van al het rijk,	S	Schat van schone leden,
T	Tuin van alle vreugd,	V	Vloed van zoete reden,
W	Wens van mijn gemoed,	Y	Yemand sla mij dood,

    Z Zeer beminde vriend! laat gij mij in den nood.

Maar denk niet, jongeling, al heb ik dat geschreven,
Dat ik mijn beste pand u ben gezind te geven;
    Neen, vriend, en denk het niet. Ik ben van Keizers bloed,
    Ik weet dat ik mijn jeugd voor Prinsen sparen moet.
Ik lijde dat je speelt, ik wil ook kluchtig schrijven,
Maar des al niettemin zo wil ik eerbaar blijven.
    Gij, draag dan ere toe haar die u gunste biedt;
    Jok, dat is u gejond; maar, Ridder, hoger niet.
Een kusje lijkewel, omtrent mijn tere wangen,
Dat zal ik om de kunst en te uwer eer ontvangen.
    Maar laat het eerbaar zijn, en van zo reinen aard,
    Of gij mijn naaste bloed, een nicht of zuster, waart:
Want anders, zo de zoen, een nicht of zuster, waart:
Ik zal u voor gewis uw kusje wedergeven,
    Opdat geen slim venijn, uit uwen mond ontstaan,
    Mij kan tot in het bloed of aan mijn harte gaan.
Wel, leer dan, zijt gij wijs, een Keizersdochter mijden,
Of anders (houd het vast) gij zult de straffe lijden,
    De straffe nu gezeid: en zo je 't weder doet,
    Zo weet dat ook mijn wraak al hoger rijzen moet.

Ik zal in volle maat, ik zal u laten smaken,
Wat spel het iemand maakt een vrouwelijn te raken.
Ik zal u — maar het is mij beter dat ik zwijg,
Tot ik eens nieuwe stof tot gramme zinnen krijg.
'k En wil niet vóór den tijd mijn stille ziel verstoren,
Hierdoor heeft menig hart zijn zoetste vreugd verloren.
Nu, Ridder Eginhard, ik wens u goeden dag,
Doe hier en overal gelijk een ridder plag.

VIII

De dichterlijke waarde van dit alles is uiterst gering; en, had men hier niet te doen met een zich pas vormende en voor het eerst ten tonele tredende literatuur, men zou voor deze matte tonen nauwlijks oren hebben. Laat ons alleen niet vergeten dat aan den leeftijd van Cats hier te lande een dier omwentelingen voorafgegaan was, waardoor het leven van een volk tot in zijn diepste grondslagen pleegt geschokt te worden.

De lijn, waardoor in onze vaderlandse geschiedenis de midden-eeuwen gescheiden liggen van den nieuweren tijd, is scherp. Toen in den aanvang der 17de eeuw de letteren begonnen te leven, hadden zij zich op te heffen uit een diepen val. De romans van Cats staan in sommige opzichten lager dan de oude vaderlandse romantiek aan welke Maerlant den oorlog verklaard had. *Karel en Elegast, Floris en Blancefloer*, zijn onbetwistbaar fraaier dan de *Mandragende Maagd* of het *Spaans Heidinnetje*. Cats heeft een poging gedaan om tot dien eenvoud en dat nationale terug te keren, en het strekt hem tot lof dat het uitheemse in de renaissance hem slechts tot zeker punt heeft medegesleept.

Doch, al is hij niet geslaagd, wij mogen daarom niet vergeten hoe vele hinderpalen hij overwinnen, hoe vele nieuwe organen hij scheppen moest. De revolutie had het verledene weggevaagd, een nieuw geslacht was opgestaan, er hadden zich toestanden gevormd te voren ongekend, en met het nieuwe leven was ook een nieuwe taal geboren.

Cats was geen genie, geen grote geest, geen ziener;

maar om te zijn hetgeen hij was en voort te brengen hetgeen door hem geleverd is, werd een sterk sprekende indi-
vidualiteit geëist, een ongewoon karakter, een onverzette-
lijk talent. Zijn fout is dat hij het leven schier uitsluitend
opgevat heeft van de sexuële zijde, de betrekking van man
en vrouw nimmer uit het oog verliezend en daaraan tot in
zijn ouderdom onverdeelde aandacht wijdend. Dit maakt
zijn gezamenlijke dichtwerken tot een door omvang ge-
drochtelijken bundel erotische poëzie. Dit heeft hem gebracht tot die somtijds koddige en meestentijds walgelijke
vermenging van de deftigheid eens zede- en godsdienst-
leraars met de dubbelzinnigheid van een plattelands-min-
nedichter. Bij de gasten een naar de zijne aardende ingenomenheid onderstellend met het onderwerp waarmede hij
zelf tachtig jaren lang vervuld was, heeft deze waard zijn
helden en met name zijn heldinnen gevoelens toegedicht
die vreemd plegen te zijn aan het welgeaard vrouwelijk karakter, en zedige meisjes een taal in den mond gelegd die
nauwelijks zou behoren geduld te worden in de gezelschapszaal van een oude-manhuis. Met dat al heeft hij
onze letterkunde sommige onwaardeerbare diensten bewezen. De fijnheid zijner waarnemingen moge niet even-
redig zijn aan haar massa, die massa is monumentaal; en
men kan naar waarheid van hem getuigen dat hij een eer-
biedwekkende hoeveelheid menselijk leven in zijn voor-
raadschuren bijeenverzameld en aan de nakomelingschap
vermaakt heeft.

IX

Indien men aan zijn ridder-romans (de lezer dulde deze
min of meer onnauwkeurige benaming) den navolger herkent, den voortzetter van een uit vroeger eeuw herkomstig
genre, met zijn taferelen uit het nederlands volksbestaan is
dit niet het geval. Een tegenstelling als die van het boere-
en het vissersbedrijf in *Thetis en Galathea,* als die van het
land- en het stadsleven in de *Herdersklacht,* is van de 17de

eeuw en van haar alleen. Tevens kind en schilder van zijn tijd, is de dichter hier niet slecht nationaal, maar ook oorspronkelijk.

Om tot den *Trouwring* terug te keren, bezwaarlijk zal men in onze oude dichtschool iets zo karakteristieks aantreffen als de zuid-hollandse historie van *Liefdes Vossevel;* en zo men met reden Cats verwijten kan in deze blijgeestige novelle te zeer af te dalen tot de zeden en gewoonten van den kleinen burgerstand, wij willen dankbaar erkennen dat de zoëven genoemde school aan dit medegaan van den hooggeplaatsen staatsminister een harer gelukkigst uitgevallen Jan Steentjes dankt.

Dit schijnt ook de mening geweest te zijn van den tekenaar en graveur die weleer dit trouwgeval illustreerde. De prenten in Vader Cats zijn dikwijls onbehagelijk; soms mistekend, soms nodeloos gechargeerd. Doch het drie- of viertal schetsen waardoor het *Vossevel* opgeluisterd wordt zijn bij uitstek goed gedijd; en indien het mij vrijstaat een oordeel te vellen over den arbeid van den heer Kaiser, die zich de moeite getroostte ten behoeve der zwolse prachteditie al de platen der beste oude uitgaven over te brengen op staal, ik zou van mening zijn dat hij zich misschien nergens beter van zijn taak gekweten heeft dan te dezer plaatse. De zittende Venus in gesprek met Cupido; de overmoedige Faes leunend tegen Alettes deurpost; de liedjeszanger op de ton, met de zingende volksmenigte om hem heen en de bedrijvige handlangster achter hem — deze drie gravuren zijn even bevallig weergegeven als indertijd vernuftig gevonden.

Het middel waartoe de schooier Faes zijn toevlucht neemt om zich door Alette, de jonge en rijke weduwe, tot echtgenoot te doen aannemen, is de ongemanierdheid zelve; en indien de liefde in den loop der eeuwen wanhopige minnaars niet somtijds en vaak edelmoediger en vooral geestiger listen ingegeven had, Cupido zou niet verdiend hebben ooit te worden afgebeeld met een sierlijk gedrapeerde vossevacht om de leden. Doch de beschrijving van

149

dezen alweder ongelikten held: — hoe hij de dorp- of stedelingen wil doen geloven dat Alette hem haar woord en
meer dan dit gegeven heeft, hoe hij te dien einde zich aan-
stelt als een toegelaten minnaar en 's morgens vroeg, met
medeweten van de door hem omgeprate jonge dienstmaagd Ruth, post vat in de openstaande voordeur, — deze
tekening is klassiek en kan wedijveren met het beste wat
ooit elders door Cats in denzelfden trant geleverd is.

Faes dan, op een schonen morgen:

> Begaf zich naar het huis daar zij in ruste lag,
> Die hij nog evenwel ook in het duister zag,
> En, om met goed beleid zijn aanslag uit te voeren,
> Zo gaat hij op de deur van zijn beminde loeren.
> Daar staat hij langen tijd, op alle dingen let,
> Tot Ruth de kamermeid de vensters openzet.
> Toen trad hij binnenshuis, niet als een gast van buiten,
> Maar of hij als de weerd het voorhuis wou ontsluiten.
> Zijn broek staat op de klink, zijn wambuis opgeknoopt,
> Gelijk men uit het bed bij wijlen haastig loopt.
> Zijn borstrok staat en gaapt en sloft hem bij de leden,
> Zijn kousen hangen los en schuiven naar beneden,
> Een slaapmuts op het hoofd en kamermuilen aan,
> En ziet, dus ging de vos omtrent de deure staan.
> Hij knikt een ieder toe; hij groet de naaste buren;
> Hij spreekt de meisjes aan, die hier of ginder schuren;
> Al wie maar uit en kijkt, dien biedt hij goeden dag
> En draagt zich overal gelijk een buurman plag.
> En tot een meerder glimp van deze loze vonden,
> Zo heeft hij voor de deur zijn kousen opgebonden.
> Hij gaat in geen vertrek en kiest een stillen hoek,
> Maar staat daar 't ieder ziet en nestelt zijnen broek;
> Hij richt zijn knevels op; hij rekt zijn stramme leden;
> Hij wandelt op de stoep als met getelde schreden;
> Geen lubben om den hals, geen bef of ommeslag...
> Een ieder stond en dubt wie dezen handel zag.

Waarom Cats het komisch verhaal waartoe dit fragment behoort bij de eerste uitgaaf van den *Trouwring*
weggelaten heeft, is moeilijk te bepalen. De uitgever van
den tweeden druk, verschenen toen de dichter nog leefde,

spreekt in het meervoud van redenen ,,den schrijver weleer bewegende." Doch hij rechtvaardigt het opnemen van
het *Vossevel* in zijn herdruk enkel door de mededeling dat
hij ,,goedgevonden heeft onze landsluiden ook deelachtig
te maken van het volgende trouwgeval." De inheemse tint
waardoor het geheel zich kenmerkt en waarvan de dichter-
zelf zich bewust was:

> Sta bij, nieuwsgiere jeugd, hier is een stuk te lezen,
> Dat in geen ander boek kan worden aangewezen;
>   Hier is een trouwgeval dat u Zuid-Holland zendt;
>   In Grieken nooit gepleegd, te Rome niet bekend —

wettigt het vermoeden dat wij hier te denken hebben aan
een ware gebeurtenis, voorgevallen te Dordrecht of in Den
Haag onder 's dichters ogen of in zijn buurt, doch waarvan
het onbescheiden zou geweest zijn gebruik te maken bij het
leven der hoofdpersonen.

Wat intussen aanleiding moge gegeven hebben tot het
aanvankelijk achterhouden, het komt mij voor dat wij te
dezer plaats den echten Cats in zijn volle kracht aan het
werk vinden: den fotograaf van het nederlands volkseigen,
den omslachtigen doch aangenamen verteller, den niet
keurigen doch des te vaardiger versbouwkundige. De
voorafspraak van het dichtstuk herinnert ons dat het *Vos-*
sevel een lettervrucht is uit den renaissancetijd; doch de
vinding van den grieks-mythologischen proloog is zo eenvoudig, en past zo goed bij het verhaal, dat men ongaarne
een andere inleiding in de plaats gesteld zou zien:

> Als Venus op een tijd Cupido wou gebieden,
> Wat bij hem stond te doen omtrent de jonge lieden,
>   Zo riep zij 't olijk ding; het kwam van stonden aan,
>   En ging daar in het groen omtrent zijn moeder staan.
> Als Venus 't guitje zag, zo kon ze straks bemerken,
> Als dat het was gezind iets zeldzaams uit te werken:
>   Het kind en was niet naakt, gelijk het plag te gaan,
>   Maar hem was om het lijf een vossevel gedaan.
> Als Venus dit vernam, wist zij niet wat te peizen,

Maar vroeg hem, of hij wou in verre landen reizen?
    „Neen," zeid' hij, „moeder, neen; maar daar is zeker vriend,
    Die moet van deze vacht op heden zijn gediend;
Hij vrijt een jonge weeuw; maar, wat hij heeft gebeden,
Bij hem is anders niet dan enkel smaad geleden.
    En ziet, de reden is, vermits hij maar en vrijt
    Gelijk men plag te doen omtrent den ouden tijd.
Toen was de zoete jeugd, en al ons rotgezellen,
Van alle kant bekleed met schaaps- of lammervellen;
    Dies ging ons burgerij in alle dingen rond,
    Zodat het innig hart hun lag als in den mond.
De vrijsters waren zoet als slechte tortelduiven,
En hadden zuiver waas gelijk als verse druiven,
    Zodat het gans bedrijf, van maagd of jongeling,
    Tot al het minnewerk met rechte voeten ging.
Maar wie om dézen tijd een vrijster wil belezen,
Die moet een slimme vos, geen lam of schaapje wezen:
    Want al wie heden doet gelijk men eertijds plag,
    En krijgt tot zijnen loon nooit blijden bruiloftsdag.
Dit meen ik dezen vriend op heden aan te zeggen,
En leren hem het stuk met oordeel aan te leggen;
    Want zo hij niet en wordt gediend van dezen raad,
    Zo zal zijn ganse loon maar wezen enkel smaad.
Ik zal dit vossevel hem passen aan de leden,
Want ziet, om mijn behulp zo heeft hij lang gebeden:
    En zo hij dit geschenk naar eis gebruiken kan,
    Zo wordt hij van een vink een rijk en deftig man."
Als Venus had verstaan hoe deze zaken stonden,
Zo heeft ze metterdaad den aanslag goed gevonden,
    Doch zeide lijkewel: „Ik wens u goede reis;
    Maar weeuwen, let er op, die hebben zeldzaam vleis!"

Het slot des verhaals, — wanneer Faes er in geslaagd is Alette te „belezen" en zijn onbeschaamdheid gezegevierd heeft over haar niet onverwinlijke schuchterheid, — is even zuiver catsiaans als al het overige. De ruwe humor is het van een moralist die niet gewoon was de menselijke natuur van haar verhevenste zijde te bezien, en voor wien op haar bodem, zo vaak er geen termen waren aan het bestaan van zekere in ons oog tamelijk vulgaire godsvrucht te geloven, enkel een min of meer onverholen gemeenheid lag:

Hier dient nog bijgevoegd en niet te zijn vergeten,
Hoe dat zich jonker Faes ten lesten heeft gekweten,
   En mits het zeldzaam werk een goed beginsel nam,
   Of 't tot een goed besluit en gunstig einde kwam.
Hierop zo dient verhaald, dat Faes de vrouwe streelde,
En stage gunst bewees, en nooit met haar krakeelde:
   En daarom, als ze stierf, zij maakte een codicil,
   En schonk hem machtig goed en al met vrijen wil.
Hiertoe wordt nog gezeid, dat Faes geweldig schreide,
Ten tijde Alette stierf en uit de wereld scheidde;
   Maar of hij tranen kreet gelijk een krokodil,
   Dat is een ander werk, dat ik niet zeggen wil.

X

Een dichter met meer gemoed en een beteren dunk van
het menselijk hart zou niet aldus geëindigd zijn; en wij, wij
zouden om het geval niet minder hartelijk gelachen hebben, al had Faes, in stede van leviathanstranen te vergieten bij het graf ener vrouw die tot zwak wordens goed en
teder voor hem geweest was, nog in tijds, en met een weinig schaamte op de kaken, belijdenis gedaan van zijn vorige onhebbelijkheid.

Vollen vrede kan men dan ook alleen met het liedje hebben, waarin de geschiedenis van hem en van Alette bezongen wordt door de volksmenigte, en hetwelk de dichter
te bekwamer plaats heeft weten in te voegen: niet omdat
in dit spotziek deuntje zoveel edeler gevoelens verkondigd
worden, maar omdat het niet meer dan een deuntje is, een
straatliedje, een blauwboekje op rijm, en 's dichters eigen
karakter er buiten spel blijft. Er komen enkele zinspelin-
gen in voor op het jaargetijde waarin Faes den aanval op
Alettes hart ondernam. De ,,spokerij", vermeld in de voor-
laatste strofe, ziet op den overlast dien de jonge weduwe
leed van de schim haars weinig betreurden eersten mans:

   Wil er iemand weeuwen vrijen,
     Gasten, hoort den rechten vond,
     Gasten, hoort den rechten grond,

Anders zulje niet bedijen;
   Gaat dan hierin naar den eis:
   Jonge weeuwen, welig vleis!

Hoe men vrijsters dient te minnen,
   Daar schrijft Naso geestig van,
   En dat weet schier alle man;
Maar hoe weeuwen zijn te winnen,
   Dat en houdt geen rechte maat,
   Maar dat leert men uit de daad.

Weeuwen, naar ik heb bevonden,
   Houwen niet van lange praat,
   Want hier vrijt men met de daad;
Dat zijn hier de rechte gronden:
   Vrijers, houdt mij dezen voet,
   Want dit is voor weeuwen goed.

Kunje 'er gunsten niet verwerven,
   Als het veld zijn groen verliest,
   Of wanneer het dapper vriest,
Of wanneer de bomen sterven;
   Ziet, dat gij tot haar genaakt,
   Als het zoeter dagen maakt.

Als het aardrijk gaat ontsluiten,
   Als de bossen lustig staan,
   Als de bloemen opengaan,
Als de groene kruiden spruiten,
   Dan is 't eerst de rechte tijd,
   Dat men jonge weeuwen vrijt.

Wie kan naar den eis beschrijven,
   Wat voor kracht het jeugdig kruid
   In zijn eerste jeugd besluit?
Het kan spokerij verdrijven,
   En doen wijken met geweld
   Al wat jonge weeuwen kwelt.

Dit wist onze Faes te gissen:
   Dat is vrij een loze gast,
   Die wel op den haspel past;
Zijn beleid en kon niet missen.
   Hij ging op den vasten grond,
   Want hij trof den rechten stond.

XI

Cats, opdat ik deze aankondiging van den arbeid zijner jongste uitgevers hiermede besluite, de geïllustreerde Cats zal in onze vaderlandse huiskamers, op regenachtige Zondag-namiddagen, steeds een gezocht prenteboek voor acht- of tienjarige jongens en meisjes blijven. De beoefenaren der vaderlandse taal en literatuurgeschiedenis, lettend op het eigenaardige van zijn persoon en op het tijdperk waaruit zijn schriften dagtekenen, zullen hem nimmer te breedsprakig keuren, nimmer te plomp of te onbeduidend. Wat eindelijk den dichter in hem betreft, geen vaderlands kunstkenner zal bij het doorbladeren zijner door allerlei gebreken ontluisterde verzen kunnen nalaten een wettig muzenkind in hem te begroeten.

> Men lacht om Ridder Cats, die 't ik en weet niet wat
> Zo menigwerven in zijn dichten heeft gehad.
> Maar desalniettemin, een dichtstuk is wel plat,
> Indien het niet en heeft een ik en weet niet wat.

Dit epigram van Simon Stijl is op Cats' dichtwerken in hun gehelen omvang van toepassing. Hun trivialiteit wordt geboet door iets van het onuitsprekelijke, waaraan men overeengekomen is den naam van poëzie te geven.

1863.

DE GÉNESTET'S UITVAART

Sterft een koning, reeds zijn de voeten zijns opvolgers voor de deur; en de zon gaat niet onder, of de openstaande plaats is weder aangevuld.

Anders in de koninkrijken die niet van deze wereld zijn. In het vorstendom der kunst ontbreekt de orde der kroonprinsen. Erfopvolging is hier — reden tot groter droefheid — een hersenschim. Met den kunstenaar daalt ook zijn talent, zijn eerstgeborene, ten grave; de vader met den zoon, de stamhouder met den stam.

Wij deklameren niet en zeggen: troosteloos weent in deze dagen de vaderlandse Muze bij het graf van De Génestet. Bij ons spreken over dezen jonggestorvene moet alle onnatuur geweerd. Want hijzelf was de natuurlijkheid in persoon. Hoger wijding — en de zijne was onmiskenbaar — heeft zich nooit bij hem in woordepraal geopenbaard. Hij was dichter, geen rhetorijker. Hoewel zijn rapier niemand kwetste, was het niettemin geen ritselende schermdegen. Het was een edel staal, zilverachtig van klank. Van den vroegen morgen zijns levens, nog een knaap en bijna een kind, tot aan den vroegen avond waarin dat jonge en rijke leven ontijdig en raadselachtig onderging, steeds is in hem de troubadour den ridder op zijde gebleven. Doch hoewel bijna vrouwelijke tederheid het gemoed van den jongen man en dichter vervulde, verwijfdheid was hem vreemd en, met haar, lafheid, ongezonde pathos, vals gevoel. Week was hij, niet wekelijk. Tot liefhebben geschapen, onbekwaam te haten, haatte hij niettemin zo goed hij kon alle pedanterie, alle zotheid en gemaakte deftigheid. Het is niet mogelijk oorspronkelijker te zijn dan hij was, en in zijn verzen is; toch was originaliteit geenszins zijn afgod. Ook zijn liefste vrienden, wanneer hij hen zag toegeven aan het zonderlinge en gezochte in de literatuur, moesten van hem horen hoe dwaas hij met Goethe den verwaanden toeleg vond: „ein Narr zu sein

auf eigner Hand." In alle genren, en hetzij hij den vrolijken
toon of den weemoedigen aansloeg, was natuur en waarheid zijn onveranderlijke leus. Zijn kunstmoraal — hij
vatte haar samen in twee zinvolle rijmpjes. Een van Beets:

> Geen orgeltoon,
> Maar uw persoon!

en een van Tollens:

> Wie van zoete liedjes houdt,
> Ik verkies ze liever zout!

Niet ieder, intussen, ook ieder dichter niet, is tot natuurlijkheid gerechtigd. Er zijn er geweest van wie men wensen zou dat zij hun natuur voor zich gehouden, of haar
slechts bij uitzondering en onder gunstige omstandigheden
hadden medegedeeld. Doch De Génestet mocht natuurlijk
zijn en zich geven, omdat hij én dichter, én als mens lie-
venswaardig was. Beiden was hij — kan men het anders
zijn? — van geboorte.

Zelden zal een zo jonge man zo vele vrienden, van zo
onderscheiden leeftijd en vorming, aan zich verbinden en
hen de zijnen mogen noemen. Voor wie slechts enigszins
met hem in dezelfde levensbeschouwing deelden, en velen
deden dit en konden het doen omdat zijn levensbeschouwing de ruimte-zelf was, bezat zijn persoon een zacht vermogen van onwederstaanbare aantrekking. Boezemvriend
en vertrouweling der jongeren, zijn tijdgenoten, was hij de
lieveling en het bedorven kind der ouderen van dagen, hun
Benjamin. Dit was hij, wanneer hij in onze grote steden, in
leeftijd nog een aankomeling, als spreker optrad voor tal-
rijke gehoren en zijn dichterlijke verhalen voordroeg. Dit
was en bleef hij, ook toen hij een man geworden was, in
den kleinen kring dergenen die hem kenden van meer nabij. Zijn grote innemende ogen, zijn voorhoofd open en
hooggewelfd, het glanzig krulhaar om de matte slapen,
waren de getrouwe spiegel van zijn goedheid, zijn schranderheid, zijn doorzicht, zijn ondeugend vernuft. Niet

hartstochtelijk, doch in hoge mate levenslustig, boezemde hij anderen, waaronder ouderen en ontevredenen, door in zijn persoon hen met de wereld en met zichzelf te verzoenen, liefde voor het leven in, liefde voor den medemens, trek naar het goede, lust en moed. De sterken en wereldwijzen zagen in dezen weerloze, jonger en wijzer dan zij, een beschamend en opwekkend voorbeeld.

Evenwel is deze aangeboren beminlijkheid tevens bij hem de vrucht van harden strijd geweest; of laat mij liever zeggen: hoe vroeg hij stierf, zij is door velerlei en zware beproevingen gelouterd en verhoogd. Den laatsten avond van zijn leven, zegt men, toen hij als naar gewoonte enige ogenblikken had doorgebracht in den kring der zijnen, en zich daarna te rusten legde om niet weder te ontwaken, — want hij heeft lijdensbed noch doodsangst gekend, — klaagde hij over grote vermoeidheid. Nog nooit, gedurende zijn ongesteldheid, was hij zo vermoeid geweest als dien avond; *hij kon niet meer,* zeide hij. En in deze zijn jongste woorden, schoon onbewust van zijn toen reeds naderend einde, heeft hijzelf uitgedrukt wat menigmaal, in weerwil der grote voorrechten die hij genoot en waarvoor zijn hart van dankbaarheid klopte, zijn deel en zijn stemming was.

Vermoeid mocht hij zich gevoelen, en over vermoeidheid klagen, die, tenger van lichaamsbouw en zwak van gezondheid, met een aandoenlijk zenuwgestel en niet minder aandoenlijk gemoed, slagen te verduren en verliezen te lijden heeft gehad waaronder de krachtigsten plegen te bezwijken. Heeft hij bovendien in de laatste weken een voorgevoel met zich omgedragen dat in elk geval de scheiding aanstaande was? een naijverig lot de ontbladerde rozen aan den voet van zijn kruis niet gedogen zou te herbloeien? — Dit is gewis, dit geeft adem en adel aan zijn poëzie, dat levenslust en blijmoedigheid bij hem, door bittere ervaringen, aan de sfeer van het natuurleven ontgroeid en een geheiligde werkelijkheid geworden waren.

Ook de dichterlijke gaaf was hem aangeboren. Van der jeugd af was zijn technische vaardigheid ongemeen, en tot het einde schreef hij met meer gemak verzen dan proza. Rijm en rhythme waren bij hem de natuurlijke begeleiding van het thema der gedachte. Zijn lier was hem in meer dan één zin een speeltuig; geen foltertuig ooit voor zijn geest. Doch al heeft hij geen enkele maal in zijn dichterlijke loopbaan naar een woord gezocht, of zich het hoofd gebroken met maten en gewichten, dit spelend zingen stond bij toeneming onder de tucht van een geoefenden en veeleisenden smaak. Met ieder jaar nadrukkelijker werd hem de poëzie een arbeid, een daad van inspanning. Dat het leven kort is — zijn dood heeft er ons van nieuws en met ruwe stem aan herinnerd. Doch tevens zijn wij te dezer gelegenheid de andere helft der spreuk, een zijner lievelingsspreuken, indachtig: de kunst is lang. Niemand die aan De Génestet's verzen niet gevoelt dat zij de vrucht van studie zowel als van ingeving, en ook zijn kleinste stukjes, beiden in uitdrukking en in opvatting, kunstgewrochten zijn. Zijn talent, wanneer men zijn verzen uit onderscheiden perioden met elkander vergelijkt, heeft door gestadigen arbeid een zeer opmerkelijke en, in de laatste twee of drie jaren, voor zijn karakter hoogst eervolle wijziging ondergaan. Overhellend tot het eenzijdig muzikale genre, dichtte hij aanvankelijk schier enkel voor het gehoor. Doch naarmate hij in leeftijd toenam, werd hij ook meer in waarheid dichter, minder vormdichter uitsluitend. Hij bleef intussen, en werd meer en meer, populair. De jongelingschap kende zijn levenspsalmen van buiten; jonge meisjes schreven ze uit in haar albums. Doch toen de lekedichter ten laatste voor goed in hem ontwaakte, — de voortreffelijkste vorm waaronder zijn talent zich heeft geopenbaard — en hij moest kiezen tussen zijn populariteit, voor een deel, en hetgeen hij zijn roeping achtte, toen had hij den moed liever sommigen te mishagen, dan ontrouw te worden aan zijn dichterlijk geweten. En aldus valt, bij zijn laatste gedichten, de volle wedergeboorte van den kunstenaar samen met de definitieve vorming van den mens en zijn karakter.

Uit het oogpunt van het gehalte heeft hij niets geleverd,

wat hem zozeer op den naam van dichter aanspraak geeft, als deze kleine versjes; niets dat zulk een mate van inwendige ontwikkeling onderstelt, zo groten zielestrijd, zo veel eigenlijk leven. Anders niet onwelwillende wijzen en verstandigen, toen zij de *Lekedichtjens* lazen, en zij De Génestet, van wien ieder wist dat hij geen theoloog was, op de schouders der moderne theologie zagen staan en hem een oordeel over haar hoorden uitspreken, hebben met meer verwondering dan hoogachting gevraagd: Hoe weet deze de Schriften, daar hij ze niet geleerd heeft? — Liever dan in deze bevreemding te delen, laat ons dankbaar zijn dat hetgeen voor de menigte der schriftgeleerden vaak verborgen blijft, ook in onze dagen somtijds aan een bepaalde klasse van onkundigen wordt geopenbaard. Of zullen wij, omdat er een oude theopneustie geweest is, aan geen nieuwe meer geloven? Dichters, wanneer zij iets betekenen, betekenen veel. Hun fluistert de genius der mensheid het wachtwoord der toekomst in; zij spannen den boog in hun eenvoudigheid, en treffen den tijdgeest tussen de voegen van het harnas; zij spreken de gedachte uit van vele harten.

De schrijver dezer regelen heeft geen brieven van onsterfelijkheid weg te schenken; ook niet aan den veelgeliefden vriend. Doch hij meent te mogen zeggen dat De Génestet, wien voor altoos en onder de besten een plaats in de geschiedenis onzer letteren verzekerd is, vele jaren lang de lievelingsdichter van het beschaafde Nederland zal blijven. Na hem, in andere dagen, zullen andere dichters komen. Wie echter, als hij, het leven van een aanzienlijk deel zijner land- en tijdgenoten zo onnavolgbaar idealiseerde, van het stil en huiselijk binnenleven tot het verborgen en vaak onrustig zieleleven toe; zo menig stroeven mond zich tot een glimlach deed plooien; de stormen van zo menig jagend hart bezwoer; de boze gedachte van zo velen terugdreef naar haar oorsprong of in een heilige omschiep — dien weldoener kunnen de kinderen zijns volks, de kinderen zijner eeuw, niet vergeten.

1861.

160

POTGIETER

Persoonlijke herinneringen

1860—1875

I

Drie en dertig was ik, toen ik voor het eerst met Potgieter in aanraking kwam. Hij had mijn vader kunnen zijn. Van zijn vroegere lotgevallen weet ik niets méér dan hijzelf ter loops aan het publiek medegedeeld, en de heer Joh. C. Zimmerman aangevuld heeft.[1] Op het tijdstip onzer kennismaking was hij reeds bijna vijfentwintig jaren redakteur van den *Gids* geweest.

Dit alles beperkt zeer de grenzen mijner wetenschap omtrent zijn persoon. Doch er staat tegenover dat ik meer dan honderd lange brieven van hem bezit, aan mij gericht tijdens mijn verblijf in Indië; brieven die ik vooralsnog niet publiek wil maken, maar die mij vrijheid geven in algemene bewoordingen mede te spreken over zijn karakter, zijn denkwijs, zijn stemming, in de jaren mijner afwezigheid uit Nederland.

Ook gedurende de onmiddellijk voorafgegane jaren, mag ik er bijvoegen; want daarenboven bezit ik van hem een reeks intieme gedichten, teruggaande tot 1865; en met die verzen tot leidraad behoef ik mijn geheugen slechts te raadplegen om een ander en, durf ik zeggen, getrouwer beeld te kunnen ontwerpen dan tot hiertoe gedaan is. Vijftien jaren lang is Potgieter een der zonnestralen van mijn leven geweest, en ik wens dat men dit aan mijn spreken over hem bemerken moge.

Het eerst heb ik hem gezien in een klein herengezelschap, ten huize van zijn vriend, den makelaar B., even

---

[1] Narede van het 2de Deel der Poëzy in de Verspreide en Nagelaten Werken, 1876.

oud als hij, en óók ongehuwd. In den *Gids* van 1859 had Potgieter een aanmoedigende recensie mijner eerste novellen geschreven; en daar ik in dien tijd dikwijls predikbeurten te Amsterdam vervulde en dan meestal bij den heer B. logeerde, maakte ik voor mijn gastheer er geen geheim van, dat hij zijn beleefdheid de kroon kon opzetten door mij in de gelegenheid te stellen Potgieter te ontmoeten.

Ik weet niet of de heer B. voortgaat zulke avondjes te geven. Die welke ik heb bijgewoond waren amusant, en hadden karakter. Men zag er voor een deel de toen bewindvoerende redakteuren van den *Gids,* maar ook andere personen uit den handel die, evenmin als de gastheer zelf, rechtstreeks met het tijdschrift in betrekking stonden. De Génestet en ik vertegenwoordigden in dien kring de kerk en de jeugd. Al de anderen waren mannen van de wereld en ouder dan wij. Ik herinner mij er Gerrit de Clercq te hebben aangetroffen. Nog hoor ik hem vertellen van zijn bewondering voor de *Lettres Parisiennes* van Delphine Girardin, en voor Heine's *Romanzero.*

Jaren was het geleden dat ik bij een studentenfeest te Leiden — de maskerade van 1845 — De Clercq, uit Amsterdam daarvoor overgekomen, in de Societeit Minerva een dier opgewonden toasten had horen instellen waarin men, met zinspeling op de in één onafzienbare rij aaneengeschoven tafels en tafeltjes, elkander een avond van eindeloze vreugde toewenst. Sedert was hij van jong advokaat hoofdambtenaar bij het departement van Financiën, samensteller van nieuwe scheepvaartwetten, en in die kwaliteit ridder van twee buitenlandse orden geworden: een franse en een italiaanse, geloof ik. Tenminste, op dien avond bij den heer B. droeg hij twee lintjes in het knoopsgat, een groen en een rood. Het gesprek kwam op een gala-voorstelling in den amsterdamsen stadsschouwburg, waarbij een hoofdofficier der amsterdamse schutterij in een loge verschenen was, de borst met ordetekenen bedekt. „Ik wist niet," zei De Clercq, blijkbaar zijn eigen dekoraties vergetend; want ofschoon eerzuchtig, hij was niet ijdel

162

en beminde zijn lintjes meest van al omdat zij goed stonden bij zijn jeugd, fraaie donkere ogen, en welgevormde kleine gestalte; ,,ik wist niet dat onze luitenant-kolonel zo mooi gedekoreerd was: hoe komt hij aan al die ridderorden?'' — ,,Hoe hij er aan komt?'' antwoordde een der andere gasten in zijn eenvoudigheid, ,,ja, hoe drommel komt een kat aan een bokking!''

Nooit zal ik de volmaakte tegenwoordigheid van geest vergeten waarmede De Clercq, door deze niets kwaads bedoelende repliek eensklaps opmerkzaam gemaakt op de dwaasheid die hem ontsnapt was, den toestand redde en in een gullen, ronden, olympischen lach het gehele gezelschap voorging. Gerrit de Clercq wordt uit zijn weinige nagelaten geschriften onvolkomen gekend: ik zag hem bij die gelegenheid in zijn volle meerderheid.

Wanneer ik na zo vele jaren mij rekenschap beproef te geven van den toon in dien gezelligen kring, — Potgieters kring, de enkele malen dat hij er verscheen, want de meeste avonden bracht hij in zijn studeerkamer door, of las en schreef in tegenwoordigheid zijner tante, — dan begrijp ik dat men met welgevallen zich een Amsterdammer noemt.

Tot het uitwendige en bijkomstige reken ik dat er geen kaart gespeeld, maar alleen gepraat werd; dat er comfort heerste, gepaard met zin voor letteren en kunst. Maar er was meer. Al deze mannen waren niet-alleen *self-made men* en elk de veroveraar zijner eigen plaats in de maatschappij, maar zij beleden altegader den godsdienst der degelijkheid. In dit opzicht was mijn gastheer een type. Geavanceerd modern, met de maatschappelijke gelijkheid van den nieuweren tijd het ernstig menend, verhaalde hij mij van zijn sprakeloze verbazing in de dagen zijner jeugd, toen een oud en eerwaardig amsterdams predikant, zijn voogd, hem berispte, omdat hij, minderjarig pupil, zich had vermeten aanmerking te maken op een amsterdams patriciër van hoge jaren die, schoonvader van een minister en met één been in het graf, er een maîtres op nahield.

De voogd had gelijk dat het destijds opkomend geslacht

te weinig aan geboorte hechtte, en de pupil geen ongelijk dat hij het leven van een man buiten den echt niet veroordeeld wilde zien wanneer het een klein burger, en vergoelijkt wanneer het een persoon van aanzien gold. Maar dit liberale ging zonder valse schaamte, ging uit den grond des harten en in naam der fierheid, gepaard met ouderwetsen eenvoud.

Dat er te Amsterdam in later jaren zovelen over den kop waren gegaan, vernam ik een anderen keer, het getuigde van verbastering van zeden. Men wilde tegenwoordig te vroeg op een groten voet leven; en van dat te groot leven droeg het einde den last. ,,Jongmens," zeide, toen *ik* mijn zaken begon, een man van ondervinding mij, ,,wie een nieuwe jas, en niet tegelijk tussen de voering en het laken de kwitantie van den kleermaker draagt, die wordt misschien een man van fortuin, maar nooit op eerlijke wijs een gezeten burger."

Potgieters voorkomen was omstreeks 1860 zoals het ten einde toe gebleven is. Daar er toen nog geen portretten van hem bestonden, en alleen mijn verbeelding zich een voorstelling van zijn uiterlijk had kunnen vormen, werd ik bij die eerste ontmoeting aangenaam verrast. In plaats van een grimmigen blauwbaard, gelijk men zich onwillekeurig den stichter van een tijdschrift denkt dat, naar de scherpte zijner kritiek en de aanvankelijke kleur van zijn omslag, een bekenden bijnaam droeg, aanschouwde ik een tweelingbroeder van het trouwhartig hoofd der brusselse gilden op Gallaits schilderij der graven van Egmond en Hoorne; van dien flinkgebouwden, niet jongen, maar krachtigen man op den voorgrond, ter rechterzijde van den toeschouwer; wiens gelaat goedheid zonder zwakheid tekent; wiens karaktervolle mond van vastberadenheid, desnoods van onbuigzaamheid getuigt; aan wiens oog, bij den aanblik van de slachtoffers der staatzucht, een traan ontrollen kan; door wiens ontroering men ziet heenschemeren dat opgeruimdheid, hartelijkheid en vriendelijkheid den grondtoon zijner doorgaande stemming vormen.

164

Zó ongeveer als die overste der poorters van een machtige stad in den renaissance-tijd, zo zag Potgieter er uit. „Toch maar een burgerman!" zeide hij kort vóór zijn dood, bij het werpen van een blik op zijn eigen portret vóór het tweede deel zijner *Poëzy*. „Toch maar een burgerman!" Had hij een graveur getroffen die hem had weten af te beelden zoals anderen het twee van zijn tijd- en kunstgenoten in Frankrijk deden, — Théophile Gautier en Jules Janin, beiden hem voorgegaan in de rust, — hij zou anders gesproken hebben. Doch het heeft zo niet mogen zijn.

Verweg beter geslaagd is de tekening in krijt, die kort na Potgieters dood, zich bedienend van een klein fotografisch portret in het bezit van mijn zoon, de heer Petz te Batavia vervaardigde en door de fotografie vermenigvuldigde. Men behoeft haar slechts aan te zien om, wat karakter en algemene omtrekken betreft, zich van de overeenkomst met het beeld op Gallaits schilderij te overtuigen. De uitdrukking „burgerman", in den zin dien onze tijd daaraan hecht, geeft een verkeerde voorstelling. Potgieter was een hollands-vlaamse gilde-hoofdmanstype uit de 16de of 17de eeuw. Wanneer men hem een vertrek zag binnentreden, en het licht op zijn fraaien kop viel, dan was het of uit de lijst van een Schuttersmaaltijd een aanvoerder naar voren stapte.

II

In brieven heb ik hem nooit „amice", altijd „waarde vriend", in gesprekken nooit „Potgieter", altijd „meneer" genoemd, en hij mij wederkerig. Jonge tijdgenoten tutoyeren elkander; leermeesters tutoyeren hun discipelen; discipelen doen het hun leermeesters niet terug. Ik was noch Potgieters leerling, noch zijn tijdgenoot. Zich als mijn meerdere voor te doen, streed met zijn beleefdheid. In mij kwam het niet op, mij als zijn gelijke te beschouwen. En zo zijn wij gedurende vele jaren intieme vrienden geweest, zonder ooit tot zekere gemeenzaamheid te vervallen welke aan de hogere vriendschap dikwijls afbreuk doet.

De ongewone verhouding was zo natuurlijk dat haar ongewoonheid eerst nu mij treft; en treft als een voorrecht te meer. Reeds is het er een, een akademische opleiding te hebben ontvangen; door het verkeer in een studentewereld, gelijk Van der Palm in zijn redevoering over den Akademischen Leeftijd die fraai beschreven heeft, zichzelf aan den enen kant in al zijn beperktheid, zwakheid, nietigheid, aan den anderen in zijn mogelijke kracht te hebben leren kennen; onder den invloed te zijn gekomen van leermeesters (ik heb er zo gehad) die, zelf wetenschappelijk gevormd, onbewust en ongemerkt een vormenden invloed op u uitoefenen en, al gingt gij naderhand zogenaamd uw eigen weg, de vaders bleven van uw geest.

Maar een prijs uit de loterij noem ik het voor een man, wanneer hij daarenboven, na reeds zeker aantal jaren in de maatschappij werkzaam te zijn geweest, iemand leert kennen, ouder dan hij zelf, rijper van ervaring, maar jong van hart, wiens omgang voor hem met een tweede opleiding gelijkstaat; een nieuwe soort van hoger onderwijs, het vroegere aanvullend, uitbreidend, bezielend. Potgieter is dit voor mij geweest. Hij heeft een zo levendige zucht naar kennis in mij gewekt; heeft het middel om die op zulke wijs te vergaderen dat anderen een deel van het genoegen smaken hetwelk ik zelf er aan beleef, mij zo duidelijk aangewezen, dat ik honderd jaren oud zou kunnen worden zonder ooit, uit verveling, naar den dood te verlangen.

Het studeren aan een universiteit, in vele opzichten door niets te vervangen of te vergoeden, heeft een schaduwzijde, door Van der Palm over het hoofd gezien, doch mijns inziens tastbaar. Sedert ik Potgieter en Alberdingk Thijm leerde kennen, ben ik genezen van den waan dat er alleen aan hogescholen hoger onderwijs te bekomen is; een inbeelding, algemener en van een schadelijker werking dan men veelal meent. Bij al het goede dat zij hebben, zijn akademiën kweekscholen van pedanterie; en het voorbeeld van Thijm leert hoe vele jaren het duren kan eer sommige vooroordelen ten aanzien van niet-gegradueerden over- wonnen worden.

Doch het geval van Potgieter is nog treffender. Deze be- zat generlei gaven als docent; zou nooit in aanmerking heb- ben willen komen voor een leerstoel; had genoeg aan zijn pen. Toch school er in hem een groter hoeveelheid vormen- de kracht dan aan onze drie, weldra vier universiteiten, — het zij gezegd zonder iemand te willen taxeren, — de mees- te hoogleraren beschikbaar hebben.

Na al de klassen van een gymnasium doorlopen, vier jaren aan een hogeschool doorgebracht, tot voltooiïng mij- ner akademische opleiding een jaar in het buitenland ver- toefd, en tot besluit acht jaren een eigen kerkgemeente be- diend te hebben, had ik op het tijdstip mijner kennismaking met Potgieter, die nooit ander onderwijs ontving dan het- geen sedert ,,meer uitgebreid lager" genoemd werd, min- stens met hem gelijk moeten staan. Ik vond in hem een man die tienmaal meer wist; die werkte naar een betere metho- de; scherper in het oordelen, vaster van smaak; in boeken-, mensen- en wereldkennis mij hinderlijk ver vooruit.

Het argument dat men tot verklaring hiervan aan mijn persoonlijke tekortkomingen zou willen ontlenen, laat ik niet gelden. Het lag ook in het algemeen niet hieraan dat ik theologant was. Geen enkele vorm van studie overtreft, als instrument tot veelzijdige ontwikkeling, de aan alle talen rakende, de wijsbegeerte en geschiedenis in zich op- nemende, vrij beoefende theologie. Neen, ik beweer dat ook de bekwaamsten en begaafdsten onder mijn tijdgeno- ten aan de akademie, zo zij op den leeftijd toen door mij be- reikt met Potgieter in aanraking waren gekomen, even goed als ik zijn meerderheid zouden erkend hebben.

Men kan Potgieter desverkiezend met Hugh Miller ver- gelijken, die van steenhouwersknecht een geoloog van naam; met Proudhon, die van letterzetter een toongevend ekonomist werd. Alleen waren er in Proudhons bescha- ving leemten welke die van Potgieter niet vertoonde, en

167

zou deze evenmin hebben willen ruilen met Hugh Miller, die zijn wetenschap dienstbaar maakte aan het verdedigen van een kerkelijk geloofsartikel. Doch waartoe parallellen? Potgieter was een geniale autodidakt; en juist de richting die zijn studiën, hem van de oude letteren meer en meer verwijderend, onwillekeurig genomen hadden, maakte hem, voor wie in mijn geval verkeerden, tot zulk een belangwekkend verschijnsel.

Wat heb ik, sedert en gedurende mijn verblijf aan de akademie, niet al gegradueerden gekend die, gelijk het heette en ook waar was, aan nieuwe literatuur deden! Maar er was er niet één onder die ook maar in Potgieters schaduw kon staan. Zelfs zij die even veel wisten, schenen mij zijn minderen toe, omdat, bij dezelfde uitgebreidheid van kennis, niemand in het retrospektief ,,schouwen" het zo ver gebracht had als hij.

De mensen en de dingen uit den vóór- en den natijd, waarmede zijn lektuur hem achtereenvolgens in aanraking bracht, hij *zag* ze letterlijk; en wat hij er van zag, was het blijvende en kenmerkende. Hij was niet knap of geleerd *ondanks* een voorbereiding die men in een ander gebrekkig zou hebben genoemd. Integendeel, het onafhankelijke, het niet-schoolse, het originele in zijn vorming zette aan zijn grote kennis een bekoring te meer, aan zijn *heiteres Wissen* het aantrekkelijke van een *holdes Können* bij. De autodidakt was tevens een geboren dichter. Zijn wetenschap en zijn kunst, zijn fantasie en zijn onderzoek, zijn arbeid en zijn poëzie, hij ging er mede uit wandelen of uit de stad, hij droeg ze met zich mede de wereld door, even gemakkelijk en natuurlijk als hij het zijn klederen deed. Niets geleek sprekender op zijn verzen dan zijn proza, niets sprekender op beiden dan zijn gesprekken en zijn brieven. De hogeschool van het leven had hem gevormd; en wat hij die moeder en voedster te danken had, dat gaf hij aan het leven terug.

168

III

Potgieters pittoreske en nederlandse was te gelijk een friese kop. Nooit heb ik onverzettelijker man ontmoet. Doch hij kon het niet helpen. *C'était plus fort que lui.* En hoe kan ik anders dan met verschoning over een gebrek in hem spreken, waaraan ik de standvastigheid zijner vriendschap te danken heb gehad?

Grilligheid in de voorkeur is slechts een andere vorm van onbuigzaamheid van aard. Potgieter had geen rekenschap kunnen geven van de genegenheid die hij van het eerste ogenblik voor mij gevoelde. Zonder valse nederigheid: ik verdiende haar in die dagen nauwelijks ten halve, en had met Gretchen kunnen zeggen: *Begreife nicht, was er an mir find't.* Maar het was zo. Veel heeft hij, in vervolg van tijd, mijnerzijds en om mijnentwil moeten verdragen; er zich in moeten schikken dat ik bij toeneming met hem van mening verschilde; dat ik in *zijn* richting geen toekomst zag voor ons gemeenschappelijk vaderlands ideaal. Niets van dit alles is in staat geweest hem van mij te vervreemden. Mij eenmaal *en amité* genomen hebbende, was het voor goed.

Van de bloemendaalse woning sprekend, waar hij van 1865 tot 1868 in alle jaargetijden mij bijna wekelijks kwam bezoeken; waar hij, 's winters als zomers, het geloof medebracht dat, zo ons beider wensen vervuld werden, een nederlandse opstanding uit de doden mogelijk bleef, — van mij en van die woning en van onze schone verwachtingen heeft hij gezegd *(Op Sorghvliet, in Bloemendaal, half Mei 1868):*

Er heerste hier, bij de' eerbied voor 't verleden,
Waar Holland nog der wereld oog door boeit,
Een geestdrift ter ontwikk'ling van het heden,
Die maar te vaak slechts onder de asse gloeit.
O heugenis van dichterlijke dromen!
Als langs het loof der somb're sparrebomen
Op verse sneeuw de zon haar licht deed stromen

En uit die wâ zich 't mos zo fris verhief,
Dat eerlang ook nog droever winter wijken,
Een lentezucht langs dierder knoppen strijken,
Een hoger beemd in vollen bloei zou prijken:
Hoe hebbe 'k hem, dien gij bezieldet, lief! 1

Is het wonder dat, toen ik bij mijn terugkomst uit Indië
den vriend niet meer onder de levenden vond die mij zo
hartelijk en zo edelaardig was toegedaan geweest, het land
mij uitgestorven scheen?

Elders heb ik vaderlandsliefde den groten hartstocht
van Potgieters leven genoemd; elders van mijzelf gezegd
dat te veel ijver voor de eer der nationale letteren de enige
zedelijke fout is die mijn geschriften aankleeft. In die nog
onbewuste overeenstemming van gevoelens wortelde Potgieters genegenheid voor mij.

Hij had mij niet onder zijn ogen zien opgroeien. Behalve
uit de reeds genoemde novellen, waarvan slechts één of
twee een toekomst hadden, kende hij mij bij onze eerste
ontmoeting alleen uit een opstel in den *Gids* over den stand
onzer stichtelijke lektuur in die dagen, en uit mijn *Brieven
over den Bijbel* waar hij niet mede dweepte. Mogelijk, wanneer ik te Amsterdam, op zomer-zondagavonden, in de
Wale Kerk de dienst waarnam, en ik er in den gapenden
afgrond van des ouden professor Tilanus' mond, steeds
vlak tegenover den kansel gezeten, mijn paraenése zag
verdwijnen; mogelijk had hij dan een enkele maal zich onder mijn schaarse toehoorders bevonden. Overigens was
ik voor hem een vreemdeling, een nieuwaangekomene.

Hij kon niet van de buitenwereld vernomen hebben dat
ik hem recht liet wedervaren: zijn meeste en beste geschriften waren mij destijds nog onbekend, en van ver zo min als
van nabij had hij tot mijn vorming medegewerkt. Naderhand heb ik in zijn woonkamer, tussen een klein getal
beeltenissen van vreemde en vaderlandse auteurs, de
mijne tegenover die van Bakhuizen van den Brink zien

1 Verspreide en Nagelaten Werken, afdeling: Poëzy, II 368 vgg.

hangen; en uit dat prijsje heb ik toen begrepen wat hij van het begin af van mij had verwacht, en dat ik althans in sommige opzichten — want in het toelaten van portretten om zich heen was hij ontmoedigend keurig — hem niet teleurgesteld had.

Niemand kon Van den Brink vervangen, die in de eerste jaren op allerlei gebied zijn brede schouders onder den *Gids* gezet had. Maar ik had met hem, die sedert lang het tijdschrift ontrouw was geworden en in het rangschikken van het Rijks-Archief zich een andere levenstaak gekozen had, den smaak voor het heldentijdvak onzer geschiedenis, voor het schrijven van oudvaderlands hollands, en voor het onbeschroomd kritiseren van tijdgenoten gemeen.

Wat Potgieter in Van den Brink had verloren, meende hij voor den *Gids* in mij terug te vinden; daarbij onderstellend dat mijn geregelde wijs van werken hem den steun zou lenen, waaraan hij voor het tweede gedeelte van zijn leven behoefte gevoelde. Veeleisend redakteur, was het zijns inziens niet genoeg dat er in voldoende mate stukken inkwamen om het tijdschrift te vullen. Waren de stukken degelijk van inhoud, maar gebrekkig van vorm, dan wilde hij dat de redaktie, in overleg met den auteur of op eigen hand, ze omwerkte. Bleken zij onbruikbaar, waren ze taai, beantwoordden zij niet aan hetgeen de titel van het tijdschrift recht gaf te eisen, dan moest de redaktie zelf, meende hij, andere en betere stukken leveren. Vijfentwintig jaren lang had hij te dien aanzien het voorbeeld gegeven. En, hoe zachtzinnig ook in zijn vormen, hij verstond niet dat op den duur van dien regel afgeweken werd.

Zijn eis was de eis van een stijfhoofd; ofschoon het voor de publieke zaak te wensen ware dat er in Nederland meer zulke stijfhoofden gevonden werden. In de verwachtingen, die hij op mij bouwde, was iets onnatuurlijks. Om ze te kunnen vervullen had ik in den omgang een even beminlijk mens moeten zijn als hij; daarbij even achtbaar van leeftijd en, in den voor mij nieuwen kring, waar ik onder de jongsten behoorde, met hetzelfde zedelijk gezag bekleed. Een jeugdig mede-redakteur, die zijn sporen nog verdienen moest, kon niet, zonder de anderen aanstoot te geven, gebruik maken van de vrijheid die men Potgieter liet. Evenmin kon Potgieter, met mij samen, den gehelen *Gids* voor zijn rekening nemen, daar ik in dat geval mij geheel aan die éne taak had moeten wijden, wat andere plichten mij verboden. Doch ik roer het punt alleen aan om een denkbeeld te geven van de warme vriendschap die Potgieter voor mij gevoelde, en tegelijk als een bewijs dat gemoed en karakter bij hem boven alles gingen.

Literarische ijdelheid niet alleen, maar ook de alledaagse eerzucht die in onze eeuw door het voeren van de pen naar een schitterende of gevreesde maatschappelijke stelling streeft, waren hem volstrekt vreemd. Redakteur van een dagblad zou hij tot geen prijs hebben willen zijn. Persoonlijke pennestrijd, in de politiek onvermijdelijk, stuitte hem tegen de borst. Daarbij behoorde het hooftiaanse „twist verkwist" tot zijn lijfspreuken. Doch zelfs met zijn geliefd maandwerk, dat toch zulk een breed en eervol hoofdstuk van zijn leven besloeg, wilde hij van het ogenblik dat men meer waarde bleek te hechten aan het handhaven van een bijzonder gevoelen dan aan het arbeiden voor een gemeenschappelijk doel, niet langer in betrekking staan.

Zeker heb ik het niet onaangenaam gevonden dat een man als Potgieter, dien ik met iederen dag, naar mate ik hem beter leerde begrijpen, ook hoger leerde stellen, ter wille van mij, dien hij pas sedert vier jaren kende, met den *Gids* brak. In den regel heeft het omgekeerde plaats, en ontvangt de jongere vriend, wanneer hij te ronduit zijn mening heeft gezegd, in stijve brieven het bericht dat men, tussen hem en oudere bekenden moetende kiezen, tot zijn leedwezen zich genoodzaakt ziet aangename maar te verse relatiën af te breken.

Echter had in Potgieters geval mijn ijdelheid even goed te huis kunnen blijven. Of was het niet in de eerste plaats, onafhankelijk van elke voldoening voor mij, bewonderens-

waardig dat, ofschoon in zijn denkwijs generlei verandering had plaats gegrepen, ofschoon men bereid was om
zijnentwil allerlei koncessiën te doen, hij niettemin in zijn
weigering volhardde, en een betrekking prijsgaf die de
eigenliefde van elk gewoon man in hoge mate gestreeld
zou hebben?

Hij wist volkomen wat hij wilde, en daarin lag zijn
kracht. Hij beminde de letteren met ziel en zinnen; maar,
hoe hoog hij de kunst stelde, een onafhankelijk burger ging
bij hem boven een gevierd literator, speelbal der fantasie,
slaaf der weelde, gewetenloos of onhartelijk uit genialiteit.
Zijn hoogsten wens als schrijver en dichter had hij vervuld
gezien door het wortelschieten van den *Gids*. De bloei van
het tijdschrift waarborgde zijn vrijheid. Meer verlangde
hij toen niet. Zelfs zou het hem gehinderd hebben indien
de onderneming, in plaats van eenvoudig haar eigen kosten te dekken, winsten had afgeworpen. Hij stelde er een
eer in, al den tijd dien zijn handelsbezigheden hem lieten,
even belangeloos als onbezorgd aan zijn redaktiewerk te
geven. De toekomst van literarische spekulatiën liet hem
ongelovig; en het was voor hem een grote voldoening, op
zijn tijdschrift wijzend, tot de wereld te kunnen zeggen:
Zó komt men er óók!

IV

Het zou oneigenlijk zijn te beweren dat ik Potgieter een
wederdienst bewees, door hem van den *Gids* af te helpen.
Hij beschouwde zijn uittreden niet als een verlossing; en
om te weten wat hem te doen of te laten stond, daarvoor
had hij mijn hulp niet nodig. Genoeg dat hij geenszins mijn
partij gekozen heeft bij wijs van *coup de tête,* of uit bodem-
loze ridderlijkheid. Dergelijke donquichotterie streed met
het wezen van den man die mij honderdmalen heeft neder-
gezet met de vermaning, steeds door hemzelf (geheim zijner opgeruimdheid!) betracht: *Il ne faut pas mettre du
sentiment partout.* Niet hij verliet het tijdschrift, maar het

173

tijdschrift hem; en gelijk dit bij moest dragen om zijn droefheid over het heengaan te temperen, herleidde het ook zijn getrouw blijven aan mij tot de gezellige afmetingen van een hartelijke vriendschapsdaad, die meer voor de toekomst beloofde naarmate overspanning van het ogenblik er vreemder aan was.

Potgieters aftreden is een verlies voor den *Gids* geweest, niet zijn breken met den *Gids* een verlies voor de nederlandse letteren: ook dit moet in het oog gehouden worden.

Het is niet aan mij te beoordelen wat er sedert 1865 van het tijdschrift geworden is. Doch evenmin als het verlaten der redaktie mij verhinderd heeft aan het publiek den tol van een goed burger te blijven betalen, evenmin is Potgieter, door zijn uittreden als redakteur, daarin belemmerd. Integendeel: ,,nog tien jaren lang,'' heb ik elders van hem kunnen zeggen, ,,is hij, met onverzwakte energie lustig voortarbeidend, een gids gebleven op eigen hand. Getuige de twee kapitale dichtwerken uit dien tijd: *Florence* en *Nalatenschap van den Landjonker*. Getuige het wel is waar onvoltooid gebleven *Leven van Bakhuizen van den Brink*, maar dat als torso van dien Hercules een eigenaardige overeenkomst vertoont met den persoon die er door wordt afgebeeld. Getuige het fragment *Abraham Lincoln.''*

De ijverigsten in den lande in hun eer gelaten, wie heeft aan de vaderlandse letteren meer, wie betere, wie dezelfde diensten bewezen als Potgieter, sedert hij den *Gids* verliet? Terwijl het tijdschrift daarna meer en meer van den draf in een drafje kwam, — ik spreek in Potgieters geest wanneer ik het een pruikemakersdrafje noem, — is *hij* steeds voortgegaan met arbeiden. Om alleen van Bakhuizens *Leven* te spreken, nooit heeft hij aan enig ander werk meer nasporingen besteed, over enig ander onderdeel onzer literatuur-geschiedenis een verrassender licht doen opgaan. Dat éne boek zou volstaan tot mijn vrijspraak, al was het waar dat ik door de Hemel weet welke sireneliederen Potgieter aan zijn oorspronkelijke tochtgenoten ontrouw

174

gemaakt, en van zijn tijdschrift hem naar mijn eiland gelokt had. Door hem de gelegenheid te openen en de rust te
verschaffen, nodig om dat boek te schrijven, zou mijn boze
geest aanspraak verkregen hebben op de openbare erkentelijkheid.

Doch die het geloven of zeggen, hebben Potgieter niet
gekend. Nooit ben ik er in geslaagd invloed op zijn denkwijs uit te oefenen. Onze gemeenzame omgang en vertrouwelijke briefwisseling, van 1860 tot 1875, geven mij het
recht te verzekeren dat zijn gevoelens, in dien tijd, geen
zweem van verandering ondergaan hebben. En ik zeg dit
niet voor mijn genoegen, maar omdat het de waarheid is.

Het eerste blijk zijner opgewekte stemming, steeds kenbaar aan de zucht anderen aangenaam te zijn, was dat ik
op een schonen voorjaarsdag van 1865, weinige maanden
na het nederleggen zijner redaktie, hem onverwachts voor
mijn bloemendaalse woning uit een rijtuig zag stappen, en
hij mij kwam voorstellen samen het Dante-feest te Florence te gaan bijwonen. Een gezond denkbeeld, voorwaar,
en dat zo min van een ondermijnd gestel als van een ge-
knakten geest getuigde!

Potgieter was geen teringlijder die, ter wille ener zwakke borst, nodig had een zuidelijk klimaat te gaan opzoeken.
Zijn ijzersterk lichaam was tegen alle vermoeienissen van
het reizen bestand. Hoewel op weg naar de zestig, kon hij
drie dagen en drie nachten achtereen in een spoortrein zitten, zonder dat er bij de aankomst iets aan hem te bespeuren viel. Bij het leven der oude dame, met wie hij samenwoonde en die hij als een moeder vereerde, was er in de
laatste jaren weinig spraak kunnen zijn van reizen. Na
haar dood, in 1863, ging hij bijna iederen zomer met zijn
zuster een uitstapje buitenslands maken, hoe verder van
honk hoe liever. Hij beminde de lokomotief en de spoor-
wegnetten: ook omdat zij hem in staat stelden in den kring
van eigen aanschouwen punten op te nemen die, in den
diligencetijd, buiten het bereik van een aan de beurs gebonden Amsterdammer lagen. Met mij haalde hij in 1865

Florence. Gedurende mijn verblijf in Indië bracht hij met zijn zuster het den enen keer tot Wenen, waar de *Herinneringen en Mijmeringen* getoetst werden, een anderen tot Madrid. Altegader vliegreisjes; want meer dan veertien dagen vakantie gunden zijn handelszaken hem nooit.

Aan de enige half sombere gemoedsaandoening, welke van 1864 op 1865 bij Potgieter waarneembaar is geweest, gaf hij ongemerkt woorden in de uit laatstgenoemd jaar afkomstige vertaling van een fragment der tragedie *Francesco dei Pazzi,* geschreven door een goeden kennis uit de duitse handelswereld te Amsterdam, den heer Eduard Mohr. Het is een samenspraak tussen Giuliano en Francesco, waarin Francesco den lof der vriendschap verheft. Giuliano, die Francesco verraden heeft, gevoelt berouw. Zijn schuld kan den aanblik van Francesco's smart niet langer verduren. Hij wil liever sterven door Francesco's hand:

> Ik reike U 't zwaard: doorstoot mijn ontrouw harte,
> Doch staak 't verwijt!

Maar door Giuliano's schenden van het verbond der vriendschap gevoelt Francesco zich lichamelijk geparalyseerd. Hij antwoordt:

> Als roofde zulk een smarte
> De veerkracht niet, die, bij belediging,
> De hand eens mans doet grijpen naar de kling!
> Verdoofd, verlamd, heeft deze schrik'bre poze
> Me in kind verkeerd, in ijlend weereloze
> Die weeklaagt, prooi van allerlei gemis!
> Wat me overblijft is maar de heugenis
> Eens rijkdoms, dien zo blijde ik heb bezeten;
> Och, waar' 't mij, als al 't ov'rige, vergeten!
> Maar gist'ren nog woog ik ten laatsten maal
> Mijn schat, en 't zwaarst viel Vriendschap in de schaal.
> Wat toch op aard dat haalt bij haar? Er mengen
> In de offers die we aan schone vrouwen brengen
> Zich wilde tochten, en alleen de tijd
> Geeft onzen echt de lout'ring die hem wijdt.

Als liefde ons blaakt voor vader en voor moeder,
't Is kwijting slechts van schuld. Voor teder kroost,
Het dierbaar wit van zorgen nooit verpoosd,
Spreekt eigen bloed. De zuster en de broeder,
Verwanten zelfs, elkaar verknocht door naam,
Hen bindt de band eens zelfden oorsprongs saam.
Maar, beurde aldus bij 's werelds uchtendkrieken
Vast ied're soort van liefde reeds de wieken,
Aan allen kleefde iets stoff'lijks: hier belang,
Daar hartstocht, beurt'lings slaaf van drift of dwang.
Toen bleek de godheid met ons lot bewogen,
En Vriendschap werd! Zij, door geen zin bedrogen,
Zij, vreemd aan band, daalde af, — zij, vrije keus —
In de eindigheid oneindigheid haar leus, —
Een bovenaardse weelde reeds op aarde,
Des hemels weerschijn! — Waar haar 't oog ontwaarde,
Daar zag 't een heiligdom. Rampzalig hij
Die zich aan haar vergrijpt!

GIULIANO.

Francesco!

FRANCESCO.

Gij,

Gij deedt het! Bij mijn ziel durf ik 't bezweren:
Gevoelde God als mensen, 't zou Hem deren!

Men vindt in deze regels een weerklank van de teleurstelling die in 1864 vroegere vrienden Potgieter baarden.
Hij was met het onderwerp zó vervuld dat er van het fragment twee overzettingen gemaakt werden: een metrische,
die het oorspronkelijke op den voet volgde, en de bovenstaande vrijere op rijm. Later als handschrift gedrukt, werden beiden mij in Indië toegezonden, gelijk zij sedert in de
Werken opgenomen zijn.[1]

Vriendschap schreef Potgieter, veelbetekenend, boven
het fragment, en, onder den titel, dit motto uit Montaigne
waarvan voor hem elk woord, evenals La Bruyère's aforismen over hetzelfde onderwerp, zin en leven had: ,,L'amitié
est jouie à mesure qu' elle est désirée; ne s'élève, se nourrit,

[1] Verspreide en Nagelaten Werken, afdeling: Poëzy, II 360 vgg.

ni ne prend accroissance qu'en la jouissance, comme étant spirituelle, et l'âme s'affinant par l'usage."

Bij het optekenen van zulke gedachten plaatste Montaigne niet altijd de tegenstelling naast de stelling, maar uit zijn leven en zijn geschriften is het genoeg bekend dat de vriendschap bij hem boven de liefde ging. Zo lang de liefde begeerte blijft, meende hij, schenkt zij geen genot; de vriendschap wél. Heeft de liefde eenmaal genoten, dan daalt en krimpt zij; de vriendschap daarentegen stijgt, en trekt uit het genot nieuw voedsel. Daar de liefde zinlijk is, verstompt haar gebruik de ziel, terwijl integendeel de vriendschap, geestelijk van aard, de ziel hoe langer hoe fijngevoeliger maakt.

Die denkbeelden waren ook Potgieter gemeenzaam, en met welgevallen vond hij ze in den mond van Eduard Mohr's Francesco terug. Men had hem niet bedrogen of verraden; maar wel was men beneden zijn verwachting gebleven. En toen zijn gemoed weder tot rust gekomen was, stortte hij het voor zichzelf in die dubbele vertaling uit.

Ik loof de vernuftige gissing die in het laatste vers dat Potgieter voor den *Gids* schreef, — een overzetting van het *Gescheiden* ener engelse dichteres, — voorgevoelens ziet doorschemeren. In die onderstelling zou de vertaler het rivier geworden beekje, in breden stroom naar zee spoedend, hebben opgevat als het beeld der toenemende vervreemding tussen vroeger saamverbonden mannen onderling.

Echter is mij daarvan niets bekend en, ronduit gesproken, ik geloof het niet. *Gescheiden* is niet het verhaal ener vete tussen mannen, maar van het lijden ener vrouw, slachtoffer van een manlijke eerzucht die door wereldsgezindheid haar eigen geluk verspeelt. Potgieter had dit onderwerp lief, onafhankelijk van persoonlijke genegenheden. Prees hij de mannen van vermogen en geboorte die, zoals zijn Rogier gewaande Reinier in *Een Novelle?* bij het kiezen hunner vrouw de stem van het hart volgden, hij laakte en beklaagde in *Aafje* den zwakken omgaanden

178

rechter welke uit mensevrees het boerekind liet lopen. Het was een hoofdstuk uit zijn levensbeschouwing, anders niet; en om geen reden daarbuiten heeft hij *Gescheiden* vertaald. *Vriendschap* daarentegen is een bladzijde uit de geschiedenis van zijn eigen gemoed.

V

Potgieter had diep gewortelde vooroordelen tegen personen, onverwinlijke antipathieën; maar, was men eenmaal zijn vriend geweest, dan mocht hij in brieven of vertrouwelijke gesprekken zich een ondeugende toespeling op den betrokkene veroorloven, nooit ontwaakte in hem de renegaat die wat hij gisteren aanbad heden te meedogenlozer verguist omdat hij over eigen vroegere kortzichtigheid zich te wreken heeft. Ik weet zeker dat, al was het met sommige hersenschimmen voorgoed bij hem gedaan, al werden om de ontgoocheling geen doekjes gewonden, hij zijn oude vrienden ten einde toe een goed hart is blijven toedragen. Een plaats in zijn leven konden zij niet langer innemen, maar hij miste hen om zijn haard.

Te liever beroep ik mij hier op de *Vroege Marseillaan-sche Narcissen* van 1866, omdat ik onder het lezen van dat vijftal kleine strofen, mij eerst bekend geworden uit de Nagelaten Werken, ook mijzelf vele jaren jonger voel worden, en in gedachten opnieuw de bovenvoorkamer van het huis op de Leliegracht betreed, waar de mijnen en ik zo vele gelukkige winterdagen en winteravonden hebben doorgebracht. 's Zomers kwam Potgieter bij ons, 's winters wij ook wel bij hem.

Voor elk venster stond een bloememand, gevuld met mos of met bladplanten, waartussen al in Oktober of November bollen werden gekweekt. Is de marseillaanse narcis in Holland te koop? Had Potgieter van een handelsvriend, als hij door zijn uitgebreide korrespondentie er in alle werelddelen en in alle landen kende, enige exemplaren ten geschenke ontvangen? Had hij, naar aanleiding van

179

het gelezene in een boek of een blad, er om geschreven? Over zulke dingen sprak hij nooit, tenzij men er opzettelijk naar vroeg; gelijk hij in het gemeen zeer gesloten was, althans nooit uit eigen beweging iets verhaalde van hetgeen hemzelf aanging, of in vroeger jaren hem wedervoer.

In zijn amsterdamse woning zonder tuin altijd welkom, hoe het jaargetijde heette, werden vooral 's winters de bloemen door Potgieter in ere gehouden. Bloemen op de glazen, hij had er als alle schilders en alle dichters oog voor; maar in Decemberdagen met betrokken lucht, als de regen bij plassen nederviel, als men na beurstijd, zelfs in de vertrekken aan de straat, de aangezichten en de voorwerpen te nauwernood onderscheiden kon, had hij aan andere stengels, andere knoppen behoefte; was het hem een lust den voorspoedigen groei der voorlijke kinderen uit het zuiden gade te slaan. In 1866 kwam er zulk een Decembermaand:

Schoon de regen zondvloed schijnt,
Schoon de middagtoortse kwijnt,
Schoon het liefst tehuis verdwijnt
    In een tastbaar duister,
Luikt de gaarde aan 't venster op;
Stengels zwaar van knop bij knop,
Schittert daar aan ied'ren top
    Zuidelijke luister.

In elke korf zes narcissen tussen de begonia's; elke korf een altaar, bediend door met geel en wit getooide priesteressen. Maar het blijven stemmige zusjes; het worden geen vrolijke sylfiden, de vlugge voeten reppend:

Duldt ge dat verbeelding speel
Met dier bloemen wit en geel,
Wieg'lende over 't bladpriëel,
    Zilvrig zacht van glansen?
Om het outer, dat zijn gloed
Telkens hoger klimmen doet,
Aarzelt toch die nimfenstoet
    Dartelend te dansen.

180

Wat er aan hapert? Zij vinden in het nederlands noorden de dagen kort, de zon bleek, den wind guur. In de huizen is het somber, in de bossen schalt geen gezang van vogelen. De nimfen hebben het heimwee naar de boorden der Middellandse Zee:

> Dubb'le trits om elk altaar
> Fluistert de ene droef tot de aêr:
> „Ach! verdoolde zust'renschaar!
> Ach! waartoe ons leven?
> Waar de dag geen zonne ziet,
> Vreemd aan lust en vreemd aan lied,
> Waar geen zefier kusjes biedt,
> Onder 't schalke zweven!"

Marseillaanse narcissen behoren in Nederland niet tehuis: dit ziet men aan haar kleiner kopje bij hoger opgeschoten steel. Maar de dichter heeft de bloemen begrepen; heeft zich met haar ballingschap begaan getoond; heeft opgemerkt dat haar wit in het vreemde land witter, haar geel levendiger van tint is dan zelfs haar geboortegrond te aanschouwen geeft. En uit erkentelijkheid voor zijn sympathie zenden zij hem, door haar droefheid heen, haar welriekendsten adem toe:

> Open oor voor kreet of klacht
> Is een troost die 't leed verzacht,
> Tot de dank uit tranen lacht.
> Welk een bad van geuren!
> Gij geniet het, en aanschouwt
> Blanker sneeuw en reiner goud
> In die bloemen min ontvouwd
> Die zich fierder beuren.

Natuurlijk vindt een ieder deze bloemfantasie van den zestigjarigen vrijgezel kinderachtig. Een enkele misschien, poëtischer gestemd, meent er het palet van Pater Seghers in te zien herleven. Doch Potgieter liet zich door een meesmuilende wereld nooit van zijn stuk brengen. Hij wist wel dat de meesten zich niet om zijn narcissen bekommerden of, indien al, er geen dichterlijk onderwerp in vonden:

181

Neen, gij lacht den dromer uit,
Die, de ving'ren op de luit,
Zulke vonden dichten duidt!
　'k Gunne u 't wijzer wezen;
Mocht slechts in dit stormig tij,
Lentes lieflijk voorspel mij
Van nog somb'rer mijmerij
　Dan gij kent genezen. 1

Van waar aan het slot van het gedichtje eensklaps dat
inkeren tot zichzelf? Dat om zich heenblikken in de tastbare duisternis der bovenvoorkamer? Dat uitzien naar een
voorjaar dat hem van zwarte mijmeringen troosten zou?

Ik heb het reeds aangeduid. Potgieters woning heeft
van 1865 tot 1868, in de donkere dagen vóór en na Kerst-
mis, menigmaal van gulle en onvermengde vrolijkheid
weerklonken. Wanneer bezigheden mij te Haarlem terug-
hielden en mijn vrouw en ons enig kind, door zijn zuster
genood, vaak acht of veertien dagen aan één stuk te zijnent
doorbrachten, dan mocht in December Sint Margriet haar
zomerse kunsten herhalen, mochten de pruilende narcissen
onder elkander het amsterdams klimaat bedillen: één kin-
der- en twee vrouwestemmen joegen er alle vleermuizen
op de vlucht. Dan geleek de gastheer geen kloosterbroeder
of celibatair, hoe kunstig ook de pen of het penseel han-
terend, maar een levenslustig grootvader die zijn schoon-
dochter en haar stamhouder in waardschap had en bij
wien, tot beider eer, de speelman niet van het dak week.
Hoe zielsveel hield Potgieter van dat kind, hetwelk in zijn
eenvoudigheid hem tutoyeerde! Zich aanmerkingen veroorloofde op zijn tafel! Hoe wist hij het hart van mijn
vrouw te stelen, en zij het zijne! Hoe werd er geplaagd, ge-
schertst, genoten en gejuicht!

Maar het kon niet alle dagen hoogtij wezen. Er kwamen
en gingen winteravonden dat de eerste der nieuwe maand
wel het nieuwe nummer van het oude tijdschrift bracht,

1 Verspreide en Nagelaten Werken, afdeling: Poëzy, II 364 vgg.

maar niet het bezoek der oude mede-redakteuren, en dit bezoek, indien het zich had aangemeld, niet welkom zou zijn geweest. Hartelijke mensen kunnen, zo zij tevens karakter hebben en dit weten te tonen, banden verbreken; doch van de vroegere aanhechtsels blijft altijd iets zitten, en in de eenzaamheid rijst de droefgeestige voorstelling van hetgeen had kúnnen zijn, vergeleken bij hetgeen is. Ook te dien aanzien is Potgieter de humane man geweest die niets humaans voor strijdig houdt met zijn aard. Naar het fraaie zeggen van den altijd door hem bewonderden Geel, behoorde ook hij tot de kleine schaar van uitverkorenen die, omdat zij voortbrengen uit lust tot voortbrengen, geen verstrooiing behoeven: noch die van het reizen en zichzelf ontvlieden, noch die der huiszittende gezelligheid. Echter was hij een mens, geen stoïcijn.

De mijnen en ik, wij hebben Potgieter in liefde en verering teruggegeven wat wij konden; wij zijn iets, wij zijn veel voor hem geweest. Doch wij konden niet alles zijn. Vandaar dat hij somtijds aan zijn zuster en aan zijn bloemen uit het zuiden vroeg: Waar blijft de lente?

VI

Tot een gedachtenis onzer italiaanse reis van 1865 deed Potgieter mij de eer zijn *Florence* aan mij op te dragen; en van zelf volgt hier, uit de toelichtingen tot dat dichtstuk, de plaats waar hij de aanleiding tot het uitstapje vermeldt:

„Een letterkundig leven heeft, als elk ander, zijn *tristes occurences,* door welke men zich aan velerlei bekrompenheid ergert, als men enige zijner dierste verwachtingen verijdeld ziet. In den winter van 1864 waren zij in ruime mate evenzeer het deel van den vriend, aan wien deze bladen ter gedachtenis van onzen tocht worden opgedragen, als van hem die ze schreef. *Tristes occurences,* van welke het mij niet zou invallen te gewagen, als ik niet wenste te getuigen hoe, voor somberheid als dergelijke teleurstellingen pleegt te volgen, afwisseling van gezichtseinder niet alleen, maar de verrassingen ener om strijd schone en stoute natuur, maar boven alles de genietingen ener oude toch nog frisse kunst, mijn reisgenoot en mij in de lente van 1865 het beste geneesmiddel bleken. Het feest der onthulling van Dantes standbeeld, op zijn zeshonderdjarigen geboortedag, lokte ons naar Florence; en lang reeds voor wij aan den voet der omsluierde statue stonden, was het smartelijke onzer, naar ge wilt, vermeende of gegronde grieven verzacht; waren zij om den wille van een groot leed, levenslang groots gedragen, vergeten. Wij kleinen, uit onze goêlijke negentiende eeuw, zouden wij ons niet schamen over miskenning te klagen, den blik opheffende naar dien Kolos uit de wrede dertiende; die meer dan de geneugten van huis en haard, die alles wat wij geluk heten voor zijn overtuiging veil had, en toch de stad, welke in hem haar besten burger uitstiet, niet minder bleef liefhebben?... Te veel wellicht over de aanleiding die ons ten minste veertien dagen vrijen tijd verschafte voor een tochtje, dat veertien weken eisen mocht, om alles te smaken wat binnen ons bereik scheen te komen." [1]

Dit werd opgeschreven in Mei 1868, en mijn lezers vinden er de bevestiging van het in de voorgaande bladzijden door mij aangestipte. Is er iets solemneels in de herinnering aan het ,,groot en levenslang groots gedragen" verdriet van Dante, — den uitgestotene, die zijn vaderstad bleef liefhebben, — zij mogen er uit opmaken hoe trefbaar Potgieter was voor een bepaalde soort van leed. Maar ook het andere: ,,zouden wij ons niet schamen over miskenning te klagen?" kwam uit het hart.

Nooit heb ik over Potgieters lippen één klacht wegens verongelijking horen komen; nooit aan zijn daden kunnen bespeuren dat hij zich niet gewaardeerd achtte. Niet alleen wist hij als een goed ruiter zijn eigenliefde in bedwang te houden; maar hij kende er geen andere, dan zichzelf te voldoen en schone werken voort te brengen. Was het de blijkbare sympathie voor zijn persoon, die hem van het im-

1 Poëzy, 1832—1868. Eerste Deel, bladz. 338.

populair blijven zijner geschriften troostte? Of de vaste overtuiging dat men hem eenmaal recht zou laten wedervaren? Dit is zeker dat hij in niets op sommige miskende grote mannen geleek, die van hun gedwongen openbare sereniteit zich wreken op weerloze binnenkamers of sidderende huisgenoten. Altijd dezelfde, altijd een gelijk gemoed. Soms geweldig pruttelen, maar nooit opstuiven. Wrevelig en ontevreden wanneer hij anderen knoeiwerk zag verrichten; maar nooit zichzelf zoekend, of eigen lof, of eigen grootheid.

Zonder in het minst te vermoeden dat die woorden eenmaal zouden kunnen dienen als schets van zijn karakter, zeide ik in een beoordeling van zijn *Florence,* toen de bundel mij in Indië door hem was toegezonden: ,,Aangezien de schrijver dezer regelen het voorrecht heeft gehad den heer Potgieter in 1865 naar Italië te vergezellen, en zelfs, in het volgepropt Florence, dezelfde kamer van het Hôtel du Nord met hem te betrekken, kan hij met enig gezag verzekeren dat daar niets is voorgevallen wat zelfs den meest schrikachtigen Nederlander zou kunnen doen ontstellen bij de gedachte, met een dichter op reis te gaan. Alles heeft zich op de gewone wijs toegedragen. Op den eigenlijk gezegden feestdag zijn wij 's morgens naar de onthulling van het standbeeld, 's middags naar den roeiwedstrijd op den Arno, en 's avonds naar de illuminatie gaan zien, die bijzonder fraai was. De andere dagen hebben wij door de stad gedwaald, paleizen opnemend, kerken bezichtigend, museums bezoekend. Noch te Florence zelf, noch op de reis derwaarts, over Lucern en den Sint Gotthard, noch op den terugtocht over den Mont-Cenis en door Savoye, kan ik mij herinneren bij mijn reisgenoot zenuwachtige verschijnselen te hebben opgemerkt. Zelfs is het mij onbekend gebleven dat in zijn koffertje zich een exemplaar van dat gedeelte der werken van Hooft bevond, waarin diens gedicht *Uit Florence 1600* voorkomt; ofschoon naderhand gebleken is dat deze oud-vaderlandse herinnering met opzet medegenomen was.''

Zo koel en objektief als toen zou ik thans niet over Potgieter kunnen schrijven. Anders beoordeelt men de levenden, wier kiesheid ontzien moet worden, anders de doden. Doch des te beter komt er door uit, hoe hij in die dagen op mij den indruk maakte een volkomen natuurlijk mens te zijn, een man zonder kuren gelijk zonder bedrog, zonder gal of wrok gelijk zonder toorn, en daarbij een belangwekkend reisgenoot. Van hem heb ik bij die gelegenheid reizen geleerd; tevens ontdekkend dat ik in de kunst van omgaan met allerlei soort van mensen het nimmer zo ver zou brengen als hij.

Te Florence, waar het Dante-feest uit alle oorden van Italië Dante-vereerders heengelokt had, was hij met sommige dier heren dadelijk op zijn gemak. Nog zie ik hem op een avond, door een troepje fanatieken omringd, in de buurt van het Bargello onder een gaslantaarn staan, hun hart veroverend door het voor de vuist reciteren van strofen uit de *Commedia*.

Het volk echter trok hem nog meer aan dan de geleerden. Van Spezzia naar Genua deden wij de reis op de imperiaal ener diligence, en troffen een bokkig kondukteur. Maar de man had buiten den waard gerekend, zo hij meende Potgieter te kunnen afschrikken door stroefheid. Door geduld en goede luim wist deze den onvriendelijke aan den praat te krijgen, en ontlokte hem ten laatste al de geheimen van zijn vierspan.

Op den tocht door de sneeuw over den Sint Gotthard, bij een verblindend schone volle maan, nam een jong postiljon hem voor zich in, door uit den grond des harten, met de zweep naar den hemel wijzend, overluid te roepen: *O la bella sera!*

Het rijtuigje, waarmede wij dien nacht ons in het gebergte waagden, was van een even primitieve soort als de kleine stoomboot die des ochtends, bij nederplassenden regen, ons de Vierwaldstätter See had overgezet. Maar het een zo min als het ander bedierf zijn vrolijkheid.

Uit mijn zwitserse herinneringen van 1848 en 1849 had

186

ik hem verhaald dat men, aan boord van iederen zwitsersen steamer, ik weet niet welken zwitsersen landwijn behoorde te drinken bij het déjeuner; en 's avonds laat, in het
gebergte, tegen de koude nachtlucht, gehouden was klont-
jes suiker te eten, met kirschwasser besprenkeld. Nooit
ben ik hartelijker uitgelachen dan om die dubbele aanbeveling. De landwijn bleek flauwe kost, alleen bruikbaar als
thema van allerlei plagerijen aan het adres van den hof-
meester; en toen de kleine opgewonden postiljon: *bella
sera!* riep, en wij het ogenblik gekomen achtten onze suiker
en onze veldfles voor den dag te halen, toen stieten wij
met onze ellebogen de glazen van het nauwe wagentje
stuk, en kwamen 's morgens in de vroegte, bibberend van
koude, met gebroken ruiten te Magadino aan.

Aan een grote gemakkelijkheid in het spreken van
vreemde talen, waardoor hij met ieder een onderhoud wist
aan te knopen, paarde hij den weetlust die een vruchtbaar
gebruik leert maken van reiswijzers; paarde hij het levendig geheugen dat het vroeger aanschouwde dadelijk herkent. Op de terugreis over Parijs zagen wij in één dag meer
dan anderen in drie: dank zij de vaardigheid die hij had op-
gedaan bij gelegenheid van een vorig bezoek, onvergete-
lijk geworden door een zijner schoonste verzen: *Een revue
in het Bois de Boulogne.* Daaruit, en meer nog uit zijn *Florence,* kan men zien met hoeveel geweten hij reisde; welke
diepe indrukken hij ontving; hoe in den vreemde de gedachten elkander bij hem verdrongen; de vaderlandse letteren nooit uit het oog verloren werden.

VII

Onder den indruk der tijding van Potgieters overlijden,
in Indië ontvangen, schreef ik over hem, tevens zijn *Nalatenschap van den Landjonker* aankondigend: „Door het
uitgeven van dezen bundel, die voltooid werd in de kracht
ener nog bloeiende gezondheid en in het vooruitzicht van

menige aangename wisseling van gedachten met geliefde vrienden, heeft hij in zijn eenvoudigheid den schoonsten krans op zijn eigen graf gelegd. Niets tekent hem beter, hem en zijn inborst, zijn trouw en *zijn vindingrijkheid in de vriendschap...*"

Er volgen nog andere beminlijke trekken, hem allen eigen. Allen zijn, ofschoon op duizenden mijlen afstand, naar het leven genomen; want ook dood is Potgieter voor mij levend gebleven. Maar ik sta thans alleen bij dien énen stil, den laatsten, omdat ik bij gelegenheid onzer italiaanse reis er zulk een treffend blijk van ondervond.

Toen hij kwam vragen of ik medeging, wist hij dat mijn bezigheden een bezwaar opleverden; onoverkomelijk omdat ik niet vrij was in het kiezen ener vakantie, en het vernederend zou zijn geweest, buiten geval van ongesteldheid of huiselijke rampen, er om te verzoeken. Vrouw en kind waren welvarend; ik zelf zo gezond als een vis; en het had inderdaad geen houding anderen met mijn werk te belasten, alleen omdat ik brandde van begeerte het Dante-feest bij te wonen en iets van Italië te zien.

Doch wat had hij gedaan? Vóór hij naar Bloemendaal reed, van het spoorwegstation te Haarlem zich met zijn vigilante naar het bureau der *Haarlemsche Courant* laten brengen, belet gevraagd bij den hoogbejaarden chef der firma wien mijn afwezigheid bovenal ongelegen zou komen, dezen zijn reisplan blootgelegd, van hem verkregen dat mij veertien dagen verlof werden toegestaan, en zo, buiten mij om en vóór ik er van reppen kon, den groten hinderpaal uit den weg geruimd. Met mijn paspoort in den zak kwam hij naar buiten rijden; en toen ik beginnen wilde van: ,,Ja maar, dat gaat zo niet; ik kan niet weg; gij zoudt toch niet willen dat ik den ouden heer Enschedé"... toen riep hij: ,,Zwijg maar; ik kom er vandaan; alles is in orde!"

Ware Potgieter nog tien of twaalf jaren blijven leven, had hij de vijfenzeventig gehaald of daarboven, dan stel ik met welgevallen mij voor dat hij juist zulk een innemend en levenslustig grijsaard zou zijn geworden als die oude heer, dien ik vijf jaren achtereen 's morgens en 's avonds aan zijn lessenaar tegenover den mijnen heb zien zitten, en wien ik van het begin af, zij het ook vermengd met gevoelens die het verschil van leeftijd van zelf medebracht (het was of ik tegenover mijn grootvader zat), een bijzondere vriendschap heb toegedragen[1].

Nooit is mij ter ore gekomen wat die twee, de zestiger en de tachtiger, elkander te voren zelfs van aangezicht onbekend, bij de bewuste gelegenheid samen hebben verhandeld. Alleen houd ik mij overtuigd dat de ontmoeting wederkerig een aangename herinnering heeft achtergelaten. Ofschoon geen geleerde van beroep, en huiverig daarvoor te worden aangezien, bezat de oudere (in de zaak der Coster-overlevering heeft hij nog uit zijn graf tegen kunstmatige rekonstruktie der geschiedenis gewaarschuwd en gewaakt) den onbenevelden kritischen blik die den jongere levenslang bekoorde. In vaderlandsliefde en oranjegezindheid, al heette de een liberaal, de ander konservatief, gaven zij elkander niets toe; en te dien aanzien was ik bij beiden aan het rechte kantoor. Mr. Enschedé, hoewel jurist en mede-chef ener industriële zaak, had uit het jaar 1813, toen hij door persoonlijken moed zich onderscheidde, een jong militair hart overgehouden; en ook in dat opzicht kwam hij goed bij Potgieter, wiens *Rijmen gevonden in het kamp bij Zeist* men slechts behoeft in te zien om te gevoelen dat hij de poëzie van het soldatenleven in haar volle schoonheid in zich had opgenomen.

Nog een punt van overeenkomst was dat, zo Potgieter meer van de juffrouwen Wolff en Deken, Mr. Enschedé meer van Bruno Daalberg hield, beiden somtijds in hun gesprekken zich van zelfgevonden figuurlijke zegswijzen bedienden, die men gezworen zou hebben aan onze literatuur der achttiende eeuw ontleend te zijn.

Eén punt van verschil! Ware het onderhoud tussen hen

---

1 Mr. Johannes Enschedé (1785—1866), herdacht in de Levensberichten der leidse Maatschappij van Letterkunde, 1867, bladz. 57 vgg.

op Napoleon I gekomen, dan geloof ik dat Mr. Enschedé, die in de ongeduldige en opbruisende jaren der jeugd de volle bitterheid der franse overheersing geproefd had, ten aanzien der schim van Sint Helena minder verzoenlijk zou gebleken zijn. Maar ten volle zou Potgieter hem hebben toegestemd dat de *Katabasis*, die een kloeke daad was toen zij het licht zag, ook nu nog als satirieke vaderlandse geschiedzang waarde heeft. En over het graf van Van Marle hadden zij elkander de hand gereikt.

Doch waar dwaal ik heen, twee ouderen gedenkend die beiden eenmaal goed voor mij waren, en waarvan ik den een zo gaarne hetzelfde langer leven had gegund dat den ander ten deel viel? Wat ik van Potgieter zeggen wilde: gelijk het van franse drinkebroers heet dat zij *le vin gai* of *le vin triste* hebben, zo had hij, de matige, die schier van brood en water leefde, *l'amitié ingénieuse*. Hij was niet slechts beleefd en voorkomend, gelijk het onder vrienden betaamt, maar wist zijn oplettendheden ook nog een veertje of een bloempje op den hoed te steken dat er een feestelijk aanzien aan gaf.

Veel heb ik op dien tocht naar Florence genoten; elf jaren daarna, bij een tweede bezoek aan Italië, er nogmaals de vruchten van geplukt. Potgieter had mij op dat ogenblik geen uitgezochter genoegen kunnen verschaffen. Maar dat hij, alvorens mij te komen toeroepen: ga mede! eerst vakantie voor mij ging vragen, was toch het pleizierigst van al.

VIII

Hoe weinig er nodig was, schijnbaar, om wanneer hij reisde hem onderweg de stof voor uitgebreide studie te doen vinden, dit bewijzen ook zijn *Herinneringen en Mijmeringen* [1].

[1] Studiën en Schetsen, Aanhangsel der Verspreide en Nagelaten werken, I 179 vgg.

Door hemzelf en met eigen ogen gezien, in die dertien of veertien hoofdstukken, is, ter gelegenheid van het uit-stapje naar Wenen in 1871, alleen het kinderportret van den hertog van Reichstadt, bij de beschrijving van Schön-brunn in het tiende genoemd. Al het andere had hij uit boeken.

Doch wil men bijwonen hoe in een dichterlijken geest de eikel eik wordt, dan ga men uit de heugenis van het schier kleurloos beeld van dien knaap, in beide handen pasge-plukte bloemen klemmend, een brede monografie over den legendairen Napoleon zien groeien, en enkel het aan-schouwen der afbeelding van den zoon aanleiding worden tot het revue houden over een gehele literatuur betreffende den vader.

Potgieter had een ingeschapen afkeer van militair des-potisme. Zomin als hij met de middelen dweepte waardoor de duitse eenheid, overigens zijnerzijds het voorwerp van hartelijke belangstelling en oprechte toejuiching, in 1866 tot stand kwam, evenmin kon in het verleden de wapen-roem van Napoleon en van het eerste franse keizerrijk hem verblinden. Maar hij zou geen ,,dichterlijk waarnemer" ge-weest zijn, gelijk ik in de aankondiging van zijn *Florence* hem noemde en hij mij terugschreef gaarne te willen heten, zo hij voor het geheel enige, het weergaloze in Napoleons grootheid geen oog had gehad.

Jaren lang heeft dit onderwerp hem door het hoofd ge-dwaald. Zijn vaderlandsliefde heeft menige overwinning op zichzelf moeten behalen, eer hij er toe besluiten kon den ,,eersten man onzer eeuw," maar die Nederland zo smade-lijk bejegende, recht te doen. Zo lang Frankrijk voorspoed genoot, schijnt het (want ik spreek op de gis), bepaalde hij er zich toe Napoleon bij voorkomende gelegenheden zo-veel mogelijk te verontschuldigen. Doch, toen in Duits-land een staatsman en veroveraar was opgestaan die ,,im-mers beloofde de tweede te zullen worden," en Frankrijk in 1870 ontluisterd nederlag, toen rees voor zijn geest de gedachte aan hetgeen hij sedert zijn jeugd, bij dichters van verschillende talen en tongen, tot verheerlijking of berisping van den aan zijn rots geklonken en stervenden Prometheus van 1821 had aangetroffen.

Bilderdijk en Da Costa, Alexander Manzoni, Lamartine en Delavigne, Hugo en Quinet, Byron en Shelley, Heine en Von Zedlitz, Béranger bovenaan: aller liederen leverden hem stof voor zijn proza. Het reisje naar Wenen wekte duizend herinneringen. En leverde niet de grote gebeurtenis uit de eerste dagen van datzelfde jaar, — de koning van Pruisen de schim van Lodewijk XIV trotserend en te Versailles-zelf zich de duitse keizerskroon op het hoofd zettend, — stof te over om er mijmeringen doorheen te vlechten?

Voorbeeldig natuurlijk intussen ging het samenstellen van zulke stukken Potgieter van de hand. Om afwerken bekommerde hij zich dikwijls niet, en voor zover ik weet bleven de *Herinneringen en Mijmeringen* onvoltooid. Vond hij een slot, dan gaf hij het; vond hij het niet, dan liet hij het achterwege: zich bewust dat gelijkmatigheid van inkleding tot de lagere sferen der kunst behoort. Een aanloop, de eerste de beste tijdzang, voor de hand weg uit de vergankelijke literatuur van den dag gekozen, was hem genoeg. Wat zeg ik? hij hechtte aan zijn werk zo weinig waarde dat ik hem vergeefs heb zoeken te bewegen mij althans inzage te geven van een gedeelte dat nooit tot mij kwam. De *Herinneringen en Mijmeringen* toch werden oorspronkelijk geschreven voor mij, als bijdrage voor de letterkundige afdeling der toen door mij geredigeerde bataviase courant.

Daar de chinese zetters te Batavia niet in staat waren zijn schrift te ontcijferen, — hij schreef een fraaie, gelijke, maar hoogst eigenaardige hand, voor niet-ingewijden volstrekt onleesbaar, — waren wij overeengekomen dat hij zijn kopij te Amsterdam in proef zou doen brengen, en ik een afdruk daarvan ontvangen zou. Hoe ik mij uit de verlegenheid gered heb, dit zou, indien het de moeite loonde, de vergelijking van tekst en tekst, van tekst en handschrift,

192

kunnen uitwijzen; doch de waarheid is dat de mail op zekeren dag mij een vervolg der *Herinneringen en Mijmeringen* bracht, dat — niet aan het voorafgaande sloot.

Men moet aan gene zijde der linie redakteur ener courant geweest zijn, en het voorrecht hebben gehad den aanhef van een feuilleton van Potgieter te ontvangen, om zich te kunnen voorstellen hoe ik bij die ontdekking te moede was. Om kort te gaan, ik vond er iets op: een geïmproviseerden overgang van het ene gedeelte op het andere, een tussenvoegsel van eigen fabrikaat, weet ik het? In elk geval moet het iets zeer onnozels geweest zijn; want toen Potgieter het nummer der courant ontvangen had waarin mijn proef van tekstherstel te lezen stond, en het tussentijds uitgekomen was dat hij zelf, door den brief met het voor mij bestemd vervolg niet eigenhandig op de post te bezorgen, onwetend oorzaak mijner tribulatiën geworden was, toen regende het plagerijen op mijn stomp hoofd.

Nu bleek het dan toch, moest ik horen, dat het niet alléén aan de chinese zetters lag, dat ook de redakteur-zelf bijwijlen bokken schoot; een toespeling op Lamartine verzinnend, waar het verband duidelijk aanwees dat Shelley bedoeld was, en, voor den gemakkelijkst te gissen samenhang ter wereld, weinig minder dan zotteklap in de plaats stellend.

Dit harde woord werd niet gebezigd; zachte te bezigen was Potgieters specialiteit; maar de gedachte moest ik slikken. Wat ik ook terugschreef, en schuldbelijdend opheldering vroeg, het mocht niet baten. De onbestelde brief was en bleef in zijn bezit, en een tovenaar die iets uit zijn handen kreeg wat hij niet wilde afgeven! Nog menigmaal, daar houd ik het voor, heeft hij te Amsterdam in de eenzaamheid zijner boekekamer zitten lachen, wanneer hem te binnen schoot hoe averechts scherpzinnig en potsierlijk talentvol, door zeker bataviaas vriend, een gaping in zijn *Herinneringen en Mijmeringen* was aangevuld.

Ongetwijfeld bewijst dit kleine incident dat Potgieter hoge eisen stelde. Om hem te voldoen moest men blijk geven gedachten te kunnen raden. Alleen beweer ik dat hij veeleisend was uit bescheidenheid, en omdat hij geen besef had van het buitengewone in zijn eigen voorstellingsvermogen, laat staan er zich op verhovaardigde. Ware het tegenovergestelde gebeurd; hadden aan een handschrift van mij, hem uit Indië toegezonden, een heel of half dozijn bladzijden ontbroken; ik weet zeker dat hij blakend van ijver de aanvulling zou hebben beproefd, en geslaagd zou zijn. Om nogmaals hetzelfde woord te bezigen: zijn voorstellingsvermogen in het literarische was geheel en al *hors ligne*.

IX

Hoe hij reisde, had het opschrift boven de vorige bladzijden kunnen luiden. Ik durf op dezelfde belangstelling rekenen wanneer ik verhaal hoe hij wandelde. Het staat bovendien gedrukt, en sedert jaren, in dicht en in ondicht.
Een Novelle? is gewandeld, van Driebergen naar halfweg Amersfoort en Utrecht. *Een Haarlemsch Hofje* en *Onder weg in den regen* zijn twee verijdelde wandelingen, een verijdelde bloemendaalse en een verijdelde scheveningse. *Heugenis van Wolfhezen, Heugenis van Renswoude, Heugenis van Wijk aan Zee,* altemaal wandelingen, nu aan den duin-, dan aan den heidezoom, dan in het hart van 't Gooi.
Hoe vroeg er dit reeds bij hem ingezeten heeft, — ik bedoel, het rijk geschakeerd vaderlands landschap, met stoffage en al, door eigen aanschouwing in zich op te nemen en, naar gelang van omstandigheden, de schildering in verband te brengen, nu met het ene, dan met het andere feit van den dag, — dit bewijst *Aan Twenthe op Twikkel,* een vers van 1861, óók een wandeling. *Jacoba* niet te vergeten, de in het Zeister legerkamp gevonden rijmen; en allerminst *Een dag te Kleef.*
Over *Heugenis van Wijk aan Zee* kan ik medespreken. Indertijd bezoeken brengend aan een lid mijner haarlemse

194

gemeente, toen te Beverwijk gevestigd, had ik op eenzame zwerftochten in den omtrek het in zijn soort onvergelijkbaar plekje leren kennen. Toen ik er naderhand Potgieter van verhaalde, wilde hij het zien, en in den zomer van 1865 togen wij er *en famille* heen. Zijn dichterlijke beschrijving van het dorp, dat in een vruchtbare vlakte door een hermetisch gesloten halve maan van hoge duinen wordt omarmd, is volkomen getrouw. Nog beklim ik er met hem den toren, en hoor in het oosten de bossen, in het westen de zee ruisen. Het plaatsje scheen uitgestorven. Eén kinderstem hadden wij vernomen: een meisje of een knaap, die een geit liet grazen. Toen wij op het duin zaten, was ook dit laatste zwakke mensegeluid weggestorven. Om ons heen een stilte als van het graf. [1]

Ook de *Heugenis van Renswoude* hebben ik en de mijnen zien geboren worden. Het was in den zomer van 1863, een onzer eerste gezamenlijke Zondagse uitgangen. In den regel bescheidden wij elkander aan het station van den Rijnspoorweg te Amsterdam, stoomden tot Utrecht, tot Zeist, tot Maarsbergen, en wandelden of reden verder de bossen in, de dorpen door. Voor het organiseren van zulke tochtjes bezat Potgieter een waar genie. Nooit meer dan bij die gelegenheden muntte hij uit in het steken der vroeger genoemde pluim op den hoed der beleefdheid. [2]

Ik kende Renswoude sedert 1851, toen het toeval en een vrije Zondag er mij een katechismuspreek over het Vijfde Gebod deden bijwonen, waarin een zeer jong predikant, sedert vermaard geworden en reeds in die dagen een uitmuntend volksredenaar, de boeren duidelijk zocht te maken dat, zo de bewuste paragraaf van den Dekaloog wel aan de kinderen verplichtingen jegens hun ouders oplegde, maar niet aan de ouders jegens hun kinderen, men daaruit zien kon ,,hoe God er op gerekend had dat geen vader of

1 Verspreide en Nagelaten Werken, afdeling: Poëzy, II 358 vgg.: Heugenis van Wijk aan Zee.
2 Verspreide en Nagelaten Werken, afdeling: Poëzy, II 331 vgg.: Heugenis van Renswoude.

moeder ten aanzien van hun kroost zich ooit iets te verwijten zouden hebben."

Toen ik dit Potgieter verhaalde lachte hij, maar niet overluid; want, ofschoon ongehuwd en kinderloos, hij had fijn vaderlijk gevoel en vond alle argumenten, aan het zwijgen van het Vijfde Gebod ontleend, klemmend genoeg, mits zij de overtuiging hielpen bevestigen dat ouders vooral niet minder hun kinderen behoren te eren, dan zij door hen verlangen geëerd te worden.

Zo hij medemensen verachten kon, ik heb dit meermalen bij hem opgemerkt, dan waren het ouders van de wereld die, hetzij door plomp, hetzij door schoonschijnend wangedrag, een smet op hun kinderen wierpen. Hij groette geen dames van die soort, behaagzieke moeders van volwassen dochters. Geen getrouwd man zou ooit zijn vriend geworden of gebleven zijn, van wien het uitgekomen ware dat zijn zoon zich over hem te schamen had.

Wanneer Potgieter in zijn *Haarlemsch Hofje* zegt en vraagt:

> Wat doe ik dan, — zo menigmaal,
> Op weg naar 't lomm'rig Bloemendaal,
> Een stortbui me op 't station verrast;
> Of 's winters, onverbeide gast,
> Ik in des Kruiswegs zoete kluis
> De liefste vrienden vind van huis, —
> Wat doe ik met mijn hofjes-haat
> Dan in de Lange Heerenstraat?...

wanneer hij aldus zijn hulde inleidt aan een beroemde schilderij van Frans Hals, door den stichter van het Hofje van Beresteyn aan zijn erven vermaakt, dan ontsluiten zich nogmaals voor mij de aangenaamste herinneringen. [1]

Die kluis aan den Kruisweg, schuin tegenover de Lange Heerenstraat, was destijds, eer wij voorgoed naar Bloemen-

---

[1] Verspreide en Nagelaten Werken, afdeling: Poëzy, II 336 vgg. Een Haarlemsch Hofje. — De bedoelde schilderij, en de andere doeken van Frans Hals die haar omringen, bevinden zich thans allen te Parijs.

daal verhuisden, de mijne; en als Potgieter met zijn zuster des Zondags onaangekondigd naar Haarlem kwam, dan is het in dien tijd — het begin onzer meer intieme vriendschap — een enkele maal gebeurd dat hij *visage de bois* vond.

Zoet was de kluis in zo ver niet dat zij uit een dier nieuwerwetse bovenhuizen bestond, waar de ruimte en het comfort zich opgeofferd zien aan nutteloze sieraden. Maar wél, wanneer ik bedenk dat dáár de jaargangen van den *Gids* en van *Tesselschade* nevens mij op de schrijftafel hebben gelegen, waaruit ik de stukken heb mogen kiezen die in 1864, onder den algemenen titel van *Potgieters Proza,* het licht hebben gezien. Zoet, wanneer ik mij herinner welk vertrouwen hij toen reeds goedvond in mijn oordeel te stellen; hoe hij mij toeliet onderscheid te maken tussen de verschillende geloofsbrieven van zijn talent; hoe ik naar welgevallen in zijn drukproeven mocht schrappen; hoe hartelijk hij, na voltooiden arbeid, mij met een handdruk voor een waarderende openbare beoordeling dankte.

Uit dien tijd van 1863 op 1864, toen ik de volledige verzameling zijner dicht- en prozawerken voor het eerst in alle richtingen en onder zijn eigen voorlichting heb doorgelezen, dagtekent mijn overtuiging dat alleen hijzelf in staat zou zijn geweest een definitieve uitgaaf zijner geschriften te bezorgen. En wat is natuurlijker? Hij was een dier geesten wier werkzaamheid eerst rijpe vruchten gaat afwerpen, wanneer zij de tweede helft van hun leven ingetreden, en meer dan ingetreden zijn. Bovendien, door de periodiciteit van een maandwerk genoodzaakt te werken *à bâtons rompus,* met horten en stoten, heeft hij voor een groot aantal denkbeelden alleen gaandeweegs de ware uitdrukking kunnen vinden. Ook hebben de tijdsomstandigheden hem, niet minder dan ieder ander, hun bedriegelijk kijkglas voorgehouden. Voor de literatuurgeschiedenis der studeer- en der kollegekamers moge elke bladzijde, door hem geschreven, waarde hebben, ik weet meer dan één uitvoerig opstel te noemen van hetwelk hijzelf zou hebben toegestemd dat het voor drie vierde gedeelten aan de ver-

197

gankelijkheid behoort; meer dan één gedicht hetwelk als een verkeerd gegoten stuk kristalwerk beschouwd moet worden: massief, maar niet doorzichtig.

X

Was dan waarlijk het advies, dat ik in 1864 over zijn *Proza* uitbracht, iets buitengewoons? Geenszins. Als kritiek stond het niet hoger dan hetgeen ik in 1869 en in 1875 over zijn *Poëzy* schreef. Maar het was de eerste maal, na dertig jaren arbeid voor het publiek, dat beproefd werd dien arbeid te karakteriseren.

Weder verliepen sedert een reeks van jaren; en ofschoon er onder de ouderen gevonden worden die Potgieter veel langer gekend hebben dan ik, nog niemand heeft een hem waardig offer aan zijn nagedachtenis gebracht, gelijk niemand bij zijn leven hem zijn plaats poogde aan te wijzen.

Leest men hetgeen bellettristen onder zijn vrienden en tijdgenoten vroeger en later van hem gezegd hebben, dan stuit men op vleierijen *à bout portant*. Men waant hovelingen hun opwachting te zien maken. De anderen, geleerden van professie, vleien of buigen niet, maar doen er het zwijgen toe. Meesterwerken als de *Nalatenschap van den Landjonker,* als Van den Brink's *Leven*, als *Florence,* hebben met tussenpozen het licht kunnen zien, zonder dat hunnerzijds iemand er notitie van genomen, laat staan er een grondige beoordeling van geleverd heeft.

Voor zover de dilettanten betreft laat het verschijnsel zich hieruit verklaren dat Potgieters persoon te zelfder tijd grote genegenheid, en zijn verstandelijke meerderheid vrij wat ontzag inboezemde; waaruit van zelf voortvloeide dat men, over hem sprekend, minder den indruk maakte hem te schatten of te wegen, dan bij hem op audientie te gaan.

Het zwijgen der anderen leer ik alleen begrijpen wanneer ik het vroeger gezegde, omtrent onze akademiën, in verband breng met de omstandigheid dat een buitenlands geleerde het beste gaf wat tot hiertoe over Potgieter geschreven is, en dit gaf in een vreemde taal.[1] De mannen der wetenschap in Nederland overdrijven het juiste beginsel dat zij met hun oordeel over tijdgenoten zuinig en voorzichtig behoren te zijn. In het staatkundige communicatief genoeg, is het of zij op elk ander gebied vervolgd worden door de vrees zich aan koud water te zullen branden. De zin voor publiciteit, dien zij met den mond belijden, wordt feitelijk te vaak door hen verloochend.

Ik keer tot den wandelaar en reiziger terug, dien ik beter gekend heb dan den redakteur. Leeft hij voor mij in zijn verzen uit dien tijd, hij doet het niet minder in zijn proza.

Ik zie hem in den trein zitten, op een regenachtigen najaars-zondag, teleurgesteld en in wanhoop terugrijdend van Den Haag naar Amsterdam. Tevergeefs heeft hij in Het Bosch op verademing gehoopt: het regent, regent, als in het liedje van den dichter, — enkel water. Voortrijden? vraagt de koetsier, schier stapvoets ter hoogte van de Oranjezaal gekomen. Toch niet! de herinnering ener schone wassenaarse wandeling, in den voorzomer van datzelfde jaar, mocht er door uitgeregend worden! Naar Scheveningen, mijnheer? Hoe komt de man op den dollen inval hem in zulk weder naar Scheveningen te willen brengen, een buitenplaats voorbij waar de schim van Cats hem met een zondvloed van zedelessen bedreigt over het nut der nattigheid, hem die mijmerend morren dorst! Neen, man, naar de spoor, anders en lelijker gezegd, de station! Maar de koetsier is te goed Hagenaar om hem het Willemspark kwijt te schelden. Het monument! wordt van den bok hem toegeroepen. Dank je, zegt hij, ik heb er genoeg van; en bij de beruchte ellips, den steen des aanstoots, ziet hij twee heren, van onder nagasaki's, er naar omhoog turen. Waren het Japannezen?

[1] Duitse studie van Dr. F. Nippold, hoogleraar te Heidelberg, in de *Mannen van Beteekenis,* 1876. — Hollandse voorlezing van denzelfden over Potgieter, opgenomen in den *Tijdspiegel* van 1881.

In de wachtkamer van den trein nieuwe ergernis. Nergens, op zijn verste tochten niet, heeft hij iets onhuiselijkers aangetroffen dan de spoorweg-wachtkamers in het land der huiselijkheid. Die voor de reizigers eerste klasse geven een juiste vertolking van *shabby genteel* en *poor puff*. Er moge geen arsenicum schuilen in het donkergroen der behangsels, aartsmelancholie voelt zich in die stilte te huis. En de lektuur, u door de leestafels dezer vertrekken aangeboden!...

Gij vindt hem lastig; maar gij weet niet dat, hoe zeer hij het zijn moge, hij toch nog gezelliger is. Wilde de hemel slechts ophouden het water bij bakken uit te storten, aan spraakzaamheid zou het zijnerzijds, eenmaal in den trein, niet ontbreken. Gelukkig treft hij een eenzaam kompartiment.

Eenzaam? Zo gij hem ooit onderweg ontmoet, en geen lust gevoeld hebt de kennis aan te knopen, — het heet gedistingeerd! — ge zult gezien hebben dat hij nooit langer alleen is dan het hem lust. Al zal zijn uitstapje maar één dag duren, eer hij den voet op de trede zet voelt hij niet eerst naar zijn beurs, voelt hij eerst naar het boek dat hij zich beloofde mede te zullen nemen. Waar uw schat is, daar is uw hart.

Terecht wordt hem verweten weinig sympathie voor de middeleeuwen te gevoelen: zou het gebrek wellicht zijn toe te schrijven aan de vreselijke voorstelling ener wereld waarin luttel te lezen viel? Grote geesten hebben aan zichzelf genoeg, beweert men; maar, al was zulk een gaaf voor het wensen veil, hij weet niet of hij er wel om vragen zou. Hij leest liever.

Hij heeft Pansie bij zich, Hawthornes nagelaten, Hawthornes onvoltooid gebleven novelle: een kinderkopje, pas verschenen. De laan van Nieuw-Oosteinde is al voorbij gestoven, eer hij er aan denkt eens uit te zien naar het Kleine Loo, anders door menige heugenis uit lang verleden hem lief. Leiden, Leiden, Leiden! klinkt het langs den trein. De schok doet hem het boekje uit de hand vallen, en zijn

blik zoekt door het druipend portierglas naar bekende aangezichten.

Hawthornes poëzie begint reeds te werken. Pansie's
overgrootvader, de pelgrim der Nieuwe Wereld, brengt
hem de leidse van weleer te binnen, wier karakter fraai beschreven is door Bancroft. Doch de illusie zal nog toenemen. Goethe is er hem borg voor dat katten van heksen
weten; maar de toverkracht, door Hawthorne uitgeoefend,
schuilt niet in de poes die melk komt drinken uit Pansie's
schoteltje.

Door de blauwe wolkjes van zijn sigaar ziet hij Pansie
zelf, ziet hij den stokouden dokter; nog meer, hij ziet tegenover zich, al is het portier te Piet Gijsenbrug dichtgebleven,
een mager man zitten, den fijngevormden mond door een
nog donkeren knevel overschaduwd, ofschoon zijn grij-
zende lokken aanduiden dat hij zich reeds aan de verkeerde zijde der vijftig bevindt.

Potgieter wil uit beleefdheid zijn sigaar wegwerpen: de
uit den grond gerezen medereiziger, of was hij uit den hemel gedaald? verzoekt hem, in het engels, dit na te laten.
Hij placht gaarne te roken, zegt hij, nadruk leggend op den
verleden tijd van het werkwoord. Maar kuchte hij zoëven
niet? Daar ben ik thans boven, beweert de vreemdeling.
Wat baten wetten, met de zeden in strijd? laat hij volgen,
en wijst naar de waarschuwing in vier talen boven Potgieters hoofd, waarop in alle vier even welsprekend staat uitgedrukt dat in dezen wagen niet gerookt mag worden. Beleefde vergoelijking, waaruit bleek dat hij een zwakke zijde
van onzen landaard zag, en er geduld mede had. Zoveel
heusheid, zoveel bescheidenheid, nodigen tot het aanknopen van een gesprek.

De vreemdeling verhaalt van den indruk dien Nederland op hem maakt. Potgieter laat doorschemeren dat hij
het woord tot een zoon der Verenigde Staten meent te
richten; zij komen te praten over Amerika, over Pansie,
over Hawthorne. De vreemdeling heeft iets ondeugends
over Nederland gezegd en wil een pleister op de wond leg-

gen: daar stoot de wagon zo geducht dat hem het woord ontnomen wordt. Nogmaals iets ondeugends: daar prijst hij de zuinige administratie van den spoorweg die, ofschoon de avond valt, geen licht ontsteekt. Des te beter: hij zal er den indruk zijner woorden op Potgieters gelaat niet door kunnen gadeslaan.

Het moest tussen Veenenburg en Vogelezang zijn, maar de sierlijke standaard der Waterleiding viel in den vochtigen dampkring niet te onderscheiden. Klaar achter? vraagt te Haarlem de kondukteur aan zijn kameraad, en het fluitje krijst. De twee daarbinnen gaan intussen voort over Hawthorne te spreken; tot de tweespraak een alleenspraak, de alleenspraak een mijmering wordt, de mijmering wegvloeit in een visioen, den Atlantischen Oceaan over, waar Longfellow een gedicht leest bij Hawthornes pas gedolven graf, en de kreet: Amsterdam! den dichterlijken nekroloog in de rede valt. Uit den trein gestapt, biedt allerlei druipende ellende Potgieter aan, hem den weg te wijzen; hem die in Nederlands hoofdstad u in het holst van den nacht zou kunnen brengen van nieuw gebouw tot nieuw gebouw, die hij wenste dat morgen spoorloos verdwenen waren!

Iets fijners is sedert de 17de eeuw in onze taal niet geschreven dan dit gesprek van Potgieter met Hawthornes schim, onderweg in den regen; fijner van gevoel, fijner van uitdrukking, van edelmoedige satire. [1] De zachte ironie in Hawthornes dubbele schets, als hij in de ene den nederlandsen landaard onder het beeld van een geduldig hengelaar, in de andere de nederlandse literatuur onder dat van een grazend en herkauwend rund brengt, is verwonderlijk schoon.

[1] Verspreide en Nagelaten Werken, afdeling Schetsen en Verhalen, III 349 vgg.: Onder weg in den regen. — De volgende aanhaling uit Hawthorne in dat opstel is van toepassing op Potgieter zelf: „Eens dichters geest is de enige die voor zijn medestervelingen voortleeft, als zijn gebeente tot dat van zijn vaderen is verzameld, — niet als een spook, niet als een schim, neen, harte bij harte opbeurende en verkwikkende door de warmte die het overhoudt, ook in den kilsten dampkring des levens."

202

Doch ik heb alleen door een voorbeeld duidelijk trachten te maken welk een schat van kleine trekken, ter kenschetsing van Potgieters persoon, er in die soort van opstellen schuilt. Hij geeft er zichzelf in, geheel en al; zijn sympathieën en antipathieën; zijn kleine gewoonten, zijn inborst, zijn denkwijs. Mémoires heeft hij niet nagelaten; een autobiografie evenmin. Maar het een was zo overbodig als het ander. Elk goed lezer kan uit zijn met oordeel gekozen schriften voor zich hem rekonstruëren. Als de gedachte van een beeldhouwer, zo leeft hij in het éne grote blok.

XI

Een ander treffend voorbeeld is de *Dag te Kleef;* voor mij te leerzamer omdat dit opstel onmiddellijk voorafgegaan is aan mijn eerste persoonlijke ontmoeting met Potgieter.

Heb ik hem gekend of heb ik hem niet gekend? vraag ik, die bladzijden thans herlezend. Ik vergelijk het later met het toen geschrevene, en geraak tot de slotsom dat hij, eens zijn middaghoogte bereikt hebbende, steeds dezelfde gebleven is. [1]

Reeds dadelijk de behoefte, aan goede vrienden iets beleefds, iets aangenaams te zeggen, straalt in beide tijdperken gelijkelijk bij hem door. Ter hoogte van Leiden vondt gij, uit 1864, in *Onderweg in den regen:* „Ik zocht bekende aangezichten in den drom, die zich van onder dat lage afdak naar de hoofdstad spoedde; ik geloofde er van verre te ontwaren, die ik gaarne tegenover mij had zien plaats nemen; ijdele waan! Wat zouden zij er uit doen, in zulk een weer? Deze zat zo genoegelijk, zo gelukkig te werken, terwijl zijn allerliefste een stuk van Beethoven speelde: hoe ik hem beurtelings schrijven en staren zag! Gene had in zijn groot gezin een kleine wereld om zich heen, de benij-

---

[1] Verspreide en Nagelaten Werken, afdeling Schetsen en Verhalen III 219 vgg.: Een dag te Kleef.

denswaardigste van allen! Wat zouden zij er in zulk weder uit doen? Toch geloof ik dat de laatste gekomen zou zijn, als hij geweten had hoe eenzaam ik daar mijmerde."

Te Kleef in 1859, op de wandeling naar Moyland, was het bij het binnentreden van een kerkje evenzo: „Er leeft een gelukkig paar ten onzent, nog benijdenswaardiger misschien om het stille genot van zijn zoet tehuis, dan om den glans die op het gebied der kunst beider namen omstraalt. Hoe gij er bij zoudt hebben gewonnen, zo zij met ons waren geweest toen de kleine kerk ons werd ontsloten. Welk een stoffe, zo voor de pen als voor het penseel! Hem zou de tegenstelling hebben getroffen, aangeboden door zijn bekenden, ascetischen, psalmzingenden monnik, met dezen vader in de kracht des levens, zijn beminlijken knaap op het serafijnen-orgel onderwijzende; hem het dralende zonnelicht hebben geboeid, marrende in het hoge gewelf van dat Godshuis, overigens naakter van wanden dan enig klooster, alle sieraden vreemd, slechts van tal van banken en een preekstoel voorzien, niets hebbende dan, alles hebbende in, licht dat in de hoogte wijlde! Zijn lieve echtgenote daarentegen, haar zou het te moede zijn geweest, verbeelden wij ons, als werden *beide* erediensten in elks hoogste wit nooit treffender veraanschouwelijkt."

Vol karakter is ook de inleiding, waar de schrijver van de hemel weet welke *Wandelingen naar, in en om de stad Cleef,* kort te voren in het licht verschenen, — onder handen wordt genomen, wilde ik zeggen; maar dit is het woord niet. Met de omzichtigheid van een goedhartigen reus, die vreest een lilliputter te bezeren, vat Potgieter den ongenoemden schrijver tussen duim en voorsten vinger en brengt zijn literarisch kapsel, zijn literarische uitrusting, even in orde.

In één trek worden al zijn tekortkomingen geresumeerd: „Hij beschrijft waar hij schilderen moest." Met vaderlijke belangstelling hem onder het oog gebracht dat Onderzoek en Phantasie niet maar de titel is van een mooi hollands boekske, maar het verband, waarin beiden tot elkaar moe-

204

ten staan, daarin zo helder is aangewezen dat louter die woorden een diepe les zijn geworden. „Hier" (met een blik die van het jongske naar de *Wandelingen* en van de *Wandelingen* naar het jongske gaat), „hier reikt het onderzoek waarlijk niet verre." Men waant den predikant van Moyland te horen, zijn zoontje les gevend op het serafijne-orgel.

Na 's jongelings onderzoek komt 's jongelings fantasie ter spraak. Met aan de jeugd verschuldigden eerbied wordt zij onder twee gezichtspunten gebracht: in rust en in werking. In rust vermeldt zij den lof van het „vrij groot" dorp Laag Elten, waar de vriendelijke juffrouw Beenen, in het Oude Posthuis aan de markt, voor matig geld een lekkere hartsterking, en ten gerieve der van het klimmen vermoeide leden een zindelijke legerstede geeft.

In werking beproeft zij de schoonheden der lieve heuvel-stad Kleef en van den feeëtuin harer omstreken te beschrijven, doch weet er, door gebrek aan onderzoek, zo weinig positiefs van te verhalen dat zij haar heil zoekt in tegenstellingen, het eigenlijk onderwerp vreemd. Wij zien *geen* kale rotswanden de toppen hemelhoog verheffen; horen *niet* het donderend geluid van den met schuimende golven door vaneengereten openingen zich dringenden bergstroom; zien de natuur ons *niet* tegentreden in haar verschrikkelijk schone gedaante, met reuzekracht scheppende of vernietigende.

Geheel deze uiteenzetting, vlug voorgedragen, is keurig vermakelijk. Ten slotte krijgt de knaap een bedankje voor zijn „plattegrond van Cleef en omstreken". Dat kaartje, zegt de reus, blijde dat hij iets prijzen kan, „is in alle opzichten voldoende om den zwerfzieksten afdwaler ieder ogenblik weer op het rechte spoor te brengen, en dus elken wandelaar te bewaren voor die vreselijkste plage op wandelingen in den vreemde: een u alles aanduidenden, een u niets sparenden menselijken wegwijzer, die niet zelden trage benen pleegt te paren aan een bijzonder soort van roden neus."

Wie herkent hier niet aanstonds Potgieter? — Zijn

afkeer van verdachte rode neuzen; zijn voortvarendheid die geen trage benen duldt; zijn onderzoekenden geest die liever met een plattegrond in den zak op eigen risico verdwaalt, dan van een kommissionair af te hangen? Potgieter met zijn gidsnatuur, in alles op voortrekker-zijn, op zelf-ontdekken uit?

De inleiding wordt, even eigenaardig, zelf nog eens ingeleid. Van meet af overvloed van beelden en denkbeelden. Een overvloed die aan overdaad grenst. Een gestadig borrelende wel. Al wat op het hart ligt moet er af en, is het er af, dan er zich niet voor geschaamd; dan er roem op gedragen en tot den lezer gezegd: ,,Wij hebben door dit woordje duidelijk genoeg aangegeven van welken geest we zijn, en zullen er ons dus niet over beklagen als, zoverre gekomen, ons gehoor wegkrimpt tot telbaar wordens toe."

Een tot telbaar wordens wegkrimpend gehoor. Die schilderachtige wijs van zich uit te drukken, Potgieter reeds vroeg eigen geweest, waarbij men al lezend de dingen voor zijn ogen ziet gebeuren, — was in 1859 tweede natuur bij hem geworden. En dit voorbeeld is op ver na het sterkste niet.

Weinige bladzijden verder lees ik: ,,Er zijn er die het der algemene, der veelzijdige beschaving onzer dagen ten laste leggen, dat wij Nederlanders geen comédie de caractère meer hebben; die beweren dat al het hoekige en kantige af werd geslepen, eer wij in de wereld onzes tijds optraden, *louter gladde munten, tot verdwijnens van beeld- en randschrift toe.* Bij den treurigen toestand van ons toneel wagen wij in dit opzicht geen oordeel, al tekenen wij, uit naam der natuur, protest aan tegen het mogelijke, tegen het waarschijnlijke zelfs van dat polijsten, met zo volslagen, met zo volkomen gevolg. Maar wat den stijl van velen onzer boeken betreft, helaas! hoe wij dien kennen, dien kleur-, dien karakterlozen, welke zijn eentonigen dreun niet afwisselt dan om *tussen de onbeduidende woorden wat grote te strooien,* die dan voor een blijk van geestdrift worden aangezien. *Als het dagelijks leven zo vervelend*

was als onze dagelijkse auteurs, wie die het uithield?
Vreemd genoeg echter heeft ieder van deze *in den omgang*
zijn eigenaardigheden, zijn indrukken, levendige maar
vluchtige, of schaarse maar diepe, welke hij op zijn wijs
weergeeft, met een zweem van oorspronkelijkheid, waardoor zij de zijne blijken en blijven, en niet die van u of van
mij, niet die des algemeens, als zijn gedrukte."

Als het dagelijkse leven zo vervelend was als onze dage-
lijkse auteurs, wie die het uithield! Niets wat zo getrouw
Potgieters billijkheid, Potgieters grootmoedigheid tekent.
Dezelfde personen die hij als schrijvers met een nachtmerrie gelijkstelde, had hij in het verkeer lief, in hun gesprekken elken zweem van oorspronkelijkheid waarde-
rend. Zijn ruwheid te hunnen aanzien had best van al dus
vertaald kunnen worden: O gij onbewust belangwekken-
den, staakt dat gewawel op het papier, en schrijft zoals gij
spreekt, of schrijft niet!

Zij zagen nevelvlekken, *hij* beelden: misschien lost het
gehele verschil zich daarin op. *Welke* beelden Potgieter
zag en hoe *hij* naar Korinthe ging, terwijl *zij* thuisbleven,
snel worde het voelbaar gemaakt:

"Onder het hoge lommer trekt een soort van châlet uw
blik. Als ge nader komt, wordt ge onder het afdak een hups
meisje gewaar. Of gij een Jupiter moogt heten blijft de
vraag; maar zij is de duitse Hebe, die u hier tien- of twaalf-
derlei soort van kunst-mineraalwater heeft aan te bieden."
Nevens die Hebe in het ernstig genre, moge een drietal
ironische gratiën poseren. Reeds werd Jupiter in het voorbij gaan behoorlijk prijsgegeven:

"Open gingen de deuren naar het terras, waar de siga-
ren aangestoken, waar de koffie gebracht werd; en onder
ons heren passeerden drie dames de revue. Het waren: —
een griekse prinses, maar die voor geen anderen brand van
Troje duchten deed, die niets van een Helena had; — een
zeeuws lelietje, als wij haar heetten, met een blauwe cephalide getooid; vier of vijf neven wedijverden om de gunst
van haar parasol te dragen; in het stille Zeeland sluimeren

nog grote fortuinen; — en een duitse schoonheid uit Essen, romantisch van kapsel, romantisch van kleding, maar stellig nog romantischer *von Geist und Gemüt*. Er viel een ganse historie in die ogen te lezen."

Binnen deze grenzen liet Potgieters humor zich gaarne vrij spel; ze overschrijden deed hij nooit. Gebeurde het voor een keer, dan vroeg hij verschoning; zelfs wanneer het vrouwen gold wier onvrouwelijk optreden berisping verdiende. Doch vervolgen wij deze beelden-galerij.

De sigaar is uitgegaan, en, frommelend in zijn vestzak, bemerkt de wandelaar dat hij zijn lucifers vergat. ,,Lacht om de zwakheid, ons ergerde het genoeg, dat er, — stilte en leegte zijn eigenaardigheden der Kleefse landschappen — heinde noch veer een schepsel te ontdekken viel, dan, aan de andere zijde van den akker, een boereknaap, die een paard langs de helling des wegs grazen liet. Arme rosinante, ze zag er naar uit, zó haar voeder te moeten zoeken; want dat wij een droge sloot waren overgewipt, en het veld doorgerend, dat begrijpt ge, als gij ooit in de vrije lucht het genot van een havanna hebt gesmaakt.

,,Sancta simplicitas! de borst beproefde tussen de eeltige handen de vonk vlam te doen worden, beproefde het tot driemalen toe. Sancta simplicitas! uw onderdanige dienaar werd vast ongeduldig, want de vliegen, die de rosinante vergezelden, schenen bij beurte lust te gevoelen een uitstapje te maken. Sancta simplicitas! toen het eindelijk was gelukt, weigerde de knaap een sigaar, dien wij hem aanboden, en beantwoordde onzen drang met het eenvoudig, maar beschamend: *Deed ik 't er dan om?*

,,Waarheid is bij wijle toch onwaarschijnlijker dan verdichting. *Deed ik 't er dan om?* Goede jongen! moogt ge gelukkig zijn, ondanks uw bescheidenheid. De kans, dat men misbruik van haar maken zal, staat zo hachelijk, vrezen we."

XII

Het karakter, waarin Potgieter in dit en andere reisver-
halen optreedt, is niet geleend, maar eigen. Even getrouw
als hij van de buiten- en van de binnenzijde dien knaap tekent, welke niet met een sigaar betaald wil worden voor
een vlammetje, even eerlijk schetst hij onbewust zichzelf.

Van tijd tot tijd geeft hij zich een dromer tot dubbelgan-
ger; maar geen aandachtig lezer verkeert in het onzekere
wie met den suffert bedoeld wordt. ,,Hoort! roept *de dromer,* en waarlijk allen worden oor. Van de overzijde des
wegs droeg de lucht enige liefelijke, maar statige tonen
voort. Luistert! En men stond op, en men was den weg
over, het brede pad op, en men hoorde zachtkens aan-
heffen:

> ,,Wer nur den lieben Gott lässt walten,
> Und hoffet auf Ihn allezeit...

,,het lied klonk het kleine kerkje uit, maar melodischer dan
het ooit opsteeg wanneer een schare het vulde:

> ,,Den wird Er wunderlich erhalten
> In aller Not und Traurigkeit...

,,de reisgenoten stonden in het voorportaaltje van het kleine huis des Heren, en wie het rijkst aan levenservaring
waren, zongen het getroffenst Luthers betuiging mede:

> ,,Wer Gott dem Allerhöchsten traut,
> Der hat auf keinen Sand gebaut."

Wie het rijkst aan levenservaring waren. Ik onderstel
dat Potgieter hierbij aan zijn tante gedacht, en die oude
dame het tochtje naar Kleef, laatsten verren uitgang der
bejaarde, heeft medegemaakt. In elk geval is het een dier
gezegden welke licht werpen op een denkwijs. Voor zichzelf heeft Potgieter in het godsdienstige nooit geklonklu-
deerd: van het begin tot het einde, zolang ik hem gekend
heb, onkerkelijk vroom. Bij mij ging het allengs vaster
staan dan bij hem, dat het kolebranders-ongeloof, door de

verwaandheid die het kweekt, meer kwaad sticht dan het kolebrandersgeloof. Zelf de verwaandheid afgestorven, duchtte hij haar minder in anderen. Maar, in het buigen voor feiten als het aangeduide ging hij met ongedekten hoofde altijd vóór; het als een krachtige aanbeveling der godsdienst beschouwend dat hij haar het dierbaarst zag aan hen en aan haar wier leven het moeilijkst was geweest, en die hun leed het waardigst gedragen hadden.

In dezelfde orde van gedachten is ook het volgende een fraaie groep: ,,Onze organist maakt een uitstapje; daarom zal mijn jongske morgen voor de gemeente spelen. Het zal gaan... — Hoop ik, zei de elfjarige borst, de flinke kijkers zo natuurlijk zedig neerslaande. — Laat ons u niet storen. — Toch niet, hernam de pastor. Is er misschien enig lied dat gij bij voorkeur zoudt zingen? — Cramers: *der Herr ist Gott*, vroeg een onzer. — O ich kenne es, hernam de vader, aber in unserm Gesangbuch ist es nicht aufgenommen; mein Sohn kann es nicht spielen. Wollen *Sie* vielleicht... — Het jongske wipte van zijn stoeltje op, en zag verbaasd toe, hoe uit ons midden, behoedzaam voortgaande, en toch zonder aarzelen, aan de hand van een onzer de weinige trappen opstijgende, *een blinde jonkvrouw zich voor het orgel zette en de melodie speelde.*" Het was Potgieters nichtje, uitmuntende musicienne.

Brede partijen en stoute grepen komen er voor in *Een dag te Kleef*, — grepen zoals vóór Potgieter nooit iemand in onze literatuur ze gedaan heeft, — maar die ik mij vergenoegen moet aan te duiden. 1 Echter is de voorraad van hetgeen, zonder geweld plegen of uit het verband rukken,

1 Een hulde aan Vondel, die heden den braziliaansen Maurits bezong, Kleefs weldoener, morgen de dochter van Frederik Hendrik, wier echtgenoot, de Grote Keurvorst, haar Kleef in de bruidskorf legde. Een vertoeven in de hoofdzaal van het huis Moyland, waar, in een kleinere, de eerste ontmoeting tussen Voltaire en den toekomstigen Frederik den Groten moet hebben plaats gehad. Een vasthechten van dit historisch visioen, omstreeks het slot, aan een lied van Klopstock en een rei van Goethe.

210

zich laat mededelen en ter nabetrachting aanbieden, geens-zins uitgeput:

,,Hollander van hoofd en harte, wijken we voor niemand in zin voor het huiselijke, hopen we; overdrijven we wel-licht, met de stijfsten en stemmigsten onzer, wanneer het wintert in het hoekje van den haard, met een boek en een beker, de liefde voor het onder-ons, in onbarmhartigheid ontaardende, als zij niet thuis geeft ook als het stormt of sneeuwt. Maar verre van honk, in den zomer, buiten, naar wat begeerlijks tracht hij toch, die zich afzondert, die, uit wie weet welke grilligheid, de geneugten des prettigen ver-keers verzaakt, waaraan geen volk ter wereld, na de Brit-ten altoos, meer dan wij ter ronding van velerlei ruws be-hoefte heeft?"

Dit is gericht tegen Nederlanders in den vreemde, die, uit onbevattelijkheid of stijfheid, de table-d'hôte mijden. Weder tekent Potgieter, als hij voorstelt Monsieur Civil in Monsieur Courtois te herdopen en den stichter der ta-ble-d'hôte, als een vergeten weldoener, in zegenend aan-denken te houden, — weder tekent hij zich naar het leven.

Die belangstelling in de geschiedenis der gezelligheid, die waardering der gezelligheid zelf, en van elk die haar bevorderde, zij waren een deel van zijn wezen. En aan den anderen kant, wanneer hij van een onbarmhartigheid ge-waagt die 's winters niet thuis geeft, ook als het stormt of sneeuwt, dan herken ik hem niet alleen, maar hóór bijna zijn geweten knagen. Op zijn vrije winteravonden was hij zo gierig, als anderen op hun goud. Ongelegen bezoeken waren hem in dat jaargetijde een gruwel; en honderd ma-len is er dan in zijn binnenste strijd geweest tussen de men-semin, welke ontvangt en zich opoffert, en de beletgevende zelfzucht die, in het hoekje van den haard, met een boek en een beker, zoals hij zegt, afgezonderd te voller geniet naarmate het buiten onherbergzamer spookt.

Ofschoon een geleerd en geletterd man en, in zijn een-zaam huis- en winterleven, iemand die beurtelings aan Willem Sluyter en aan Spinoza deed denken, vatte hij het menselijk bestaan tegelijk ook van zijn artistieke zijde op; zich interesserend voor de vraag hoe een aantal zaken en gebruiken, over wier oorsprong een gewoon mens nooit nadenkt, in de wereld gekomen waren. Aan zulk een soort van onderzoekingen wijdde hij een groot gedeelte zijner lektuur. Volksgewoonten en volks-eigenaardigheden te onzent boezemden hem niet alleen belang in als wortelend in de vaderlandse geschiedenis, maar hij doorleefde ze opnieuw in zijn eigen persoon; toetste en beoordeelde er zijn eigen neigingen naar; stelde zich partij:

,,Wijn! In het Oosten als in het Westen, waar de wingerd tiert, daar ruisen harp en lier het betoverendst. Er schuilt iets bezielends in het vocht der druiven, verscheiden als hun verwe naar lucht en naar land, maar alom en altijd stemmende tot mijmeren of tot minne. En waar blijft het bier? horen we roepen; ge zijt immers óók van duitsen bloede! Lieve lezer, van wien we reeds zoveel vergden, vertrouwende dat gij de grillige vlucht onzer gedachten mee zoudt willen maken: duld op de vraag, hoe onbescheiden het zij, een wedervraag: lachte u ooit het Walhalla aan, waarin gij, uit den schedel des vijands dien gij versloegt, het bruisend gerstevocht zult mogen zwelgen naar lust? U die hemel, zo gij wilt, maar ons noch brabants, noch beiers. Wij waarderen de kracht, die het ene als het andere geeft. Maar wilt ge ons gevoelen geheel kennen: de weelderige phantasie onzer oude kunst, zij welde in iedere harer uitingen noch uit hoppe, noch uit mout op; zij welde uit de rijnse druif. Wijntje en Trijntje, heet het, tot in de volkstaal toe; van den dikbuik is geen sprake!"

Doch het wordt tijd deze tentoonstelling te sluiten. Wij zagen genre-stukken, binnenkamers, een dorpskerk; zagen groepen en beelden, historische- en fantasie-doeken, schetsen en portretten. Als toegift volgt een landschap, hulde aan het rijns geboomte, den schutspatroon der rijnse druif. Gegrepen uit het vol gevoel der verwantschap van mens en plantsoen, overvloeiend van de poëzie der natuur, die de poëzie der eeuwige jeugd is, spreekt er tevens de rijpe ervaring uit van den man die, juist aan „de verkeerde zijde der vijftig" beland, zich bewust is van den tijd van gaan, volgend op dien van komen:

„Vorsten des wouds, uit alle hemelstreken hier saam-gegroept, — of het een wedstrijd gold, wie uwer het recht toekomt boven alle gebladerte de kroon te dragen, — wat weten wij weinig van uw leven! Wij staren u aan, u die wij onze oude vrienden mogen heten, daar het uws gelijken waren die onze wieg omlommerden, die onze eerste schre-den voor den zonnegloed beveiligden; wij staren u aan, om-geven als ge zijt van den drom uwer trawanten, slanke beuken en brede essen, gij liefelijke linde! gij heilige eik! de boom der minne en de boom der trouw, als de duitse dicht-kunst u doopte! Lange dagen, langer weken, maanden, hebben wij het genot uwer frisheid ontbeerd: hoe wel is het ons in deze te moede! Zie, wat er om ons, wat er in ons ver-anderd zij, gij blеeft dezelfde voor ons. Even gastvrij, even gul als vroeger, wuift gij ons onder uw brede takken en twijgen verkwikking toe. Slechts is onder uw schaduw de stoet onzer heugenissen wat dichter geworden; slechts krimpt door den drom van herinneringen, ons voorbij zwe-vende, ons verschiet wat meer saam! Onwillekeurig sluiten zich onze ogen een omzien, zonder dat het de zonnestralen zijn die er ons toe nopen, — hoe is het ons, linden en eiken! zoudt ge ons somber stemmen, omdat uw geurige bloesem reeds tot gele bolletjes is gerijpt? omdat uw fors blad vast de voedzame vrucht draagt? Ook in dat tijdperk is het leven u lust: dag aan dag leert de natuur het wie ogen heeft om te zien, elk van deze, welk het zij, dankbaar te genieten! Al stijgt geen vogelenkoor meer uit uw toppen, het koeltje suizelt door uw kronen om. Laat de dagen der liefde voor ons als voor u voorbij zijn, nog is het leven schoon, in de weerspiegeling van dien luister, in het zachte rood waar-van de kimmen blozen. Statelijk geboomte! linde en eik, koningspaar in de wouden van Wodan! hoe wij de dicht-kunst onzer buren huldigen, die het volk niet enkel in uw schaduw verkeren, die u zijn lief en zijn leed mee smaken

doet, als waart ge, geschapen door denzelfden groten geest,
die mensen boetseerde, bestemd dat geslacht te beveiligen
en te behoên; allen, ja wat meer of wat min ontwikkeld, allen toch kinderen derzelfde gezegende grote moeder!"

XIII

Ik overschat Potgieter niet als mens of als letterkundige.
Geen andere vaderlandse verdienste of vermaardheid van
den nieuweren tijd wordt om zijnentwil door mij opgeofferd, verkleind, miskend. Ieder het zijne. Ik zeg alleen dat
hij, zo ver mijn wetenschap reikt, een van Gods merkwaardigste schepselen in het Nederland onzer dagen geweest is.

En men verwijte mij het bezigen dier verouderde zegswijs niet! Juist zulke oorspronkelijke, begaafde, alles in
zichzelf bezittende, uit zichzelf puttende organismen als
het zijne, door geen ouders gevormd, in geen scholen gekweekt, leren naar een eigen naam zoeken voor de scheppingskracht die hun het aanzijn schonk, onderscheiden van
haar die linden en eiken voortbrengt.

Den ouden heer Abraham de Vries, te Haarlem, dien ik
ter stadsbibliotheek dikwijls ontmoette, herinner ik mij te
hebben horen verhalen, en zo ik wél heb staat het ook te
lezen in een voorrede van zijn hand, dat het Pieter Nieuwland was geweest, kwekeling van zijn oom Jeronimo de
Bosch, die hem in zijn jonge jaren meest van al in het geloof aan het eeuwig leven bevestigd had: niet door mathe-
matische bewijzen, maar door te zijn die hij was. Potgieter
kan slechts zeer in het algemeen bij Nieuwland vergeleken
worden, den vroegrijpe en jonggestorvene; maar hetzelfde
geldt in andere vormen ook van hem, en van de hem gelij-
kende keurbende onder de mensekinderen, vrouwen en
mannen.

In elk geval was *zijn* scheppingskracht buitengewoon.
Pas had ik in mijn aankondiging van zijn *Proza* het betreurd dat de kritiek in het eind den novelleschrijver in hem

214

gedood had, — werkelijk dagtekende zijn laatste van twintig jaren her, — of in een oogwenk dichtte hij den kleinen roman van Rogier en Machteld, dichterlijker dan een der vorige. Het gehele verhaal bloeit en geurt als de ruiker die, middenpunt en zinnebeeld der handeling, er in bijeengelezen wordt. [1]

XIV

Kort slechts, in vergelijking van anderen, heb ik de vrouw gekend met welke Potgieter van 1821 tot 1863 samenwoonde, en aan wie hij, meer nog door banden van karakter en van geest dan door die des bloeds, zich vermaagschapt gevoelde. Doch levendig heugt het mij dat zij in den zomer van 1861 ons in de haarlemse Zijlstraat een bezoek kwam brengen, en wij elkander door hem werden voorgesteld. Het was een schone Zondagmiddag, en wij gingen samen buiten eten, den kant van Velzen uit. Hij was voor haar, in het openbaar gelijk onder vier ogen, *aux petits soins,* als een zoon in de kracht des levens voor een nog krasse oude moeder: haar doek en haar parasol dragend, gewapend met haar flacon, onvoorzichtigheden ontradend, bevelen vragend, en niet voor de leus alleen.

Een lang leven, vol wederwaardigheden, had haar leren buigen en bukken waar het pas gaf; doch zelfs in haar ouderdom kon men geen uur met haar in gezelschap zijn, of men gevoelde dat zij van nature een heerszuchtige vrouw was, naijverig op haar onafhankelijkheid; er in het minst niet op gesteld, ter wille alleen van haar leeftijd ontzien of medegeteld te worden; hartelijk bedankend voor het genadebrood der verering van een jonger geslacht.

Haar huis was een toonbeeld van orde en netheid; haar oud-blauw en haar tafelzilver een symbool van haar vaderlandsen aard; haar gastvrijheid somptueus voor anderen.

1 Een Novelle? — Verspreide en Nagelaten werken, afdeling Schetsen en Verhalen, III 294 vgg.

Zonder de aandacht te trekken door singulariteit, vermeed zij in haar kleding de modes van den dag, zich tooiend met hetgeen goed stond bij haar hoge gestalte, haar witte haren, haar zilveren bril: een slank gewaad van zwarte zijde, een juwelen speld in de over de borst gekruiste slippen ener kraag van oude kant.

Zeer vrij in haar oordeel over mensen en dingen, goed rond en goed lachs, herleefden in haar het vernuft en het Christendom der Zeeuwse van *Willem Leevend* en van *Sara Burgerhart*. Fier op haar burgerlijke afkomst zou zij het belachelijk gevonden hebben zich de airs ener patricische te geven; nochtans zag zij geen stegen voor straten aan, en, hoewel nederig, haar *noblesse de commerce*-zelf-bewustzijn kwam in verzet tegen de voorstelling dat zij de mindere van het volkje van vóór 't jaar Vijf en Negentig geweest zou zijn.

Wat haar denkwijs van het gewone liberalisme onder-scheidde, dat in alles met zijn tijd medegaat en, terwijl het inderdaad slechts een in de lucht zittenden aandrang volgt, zich wegwijzer waant; het was, bij een grote mate van vrij-zinnigheid en van gezond verstand, een kerkelijke ortho-doxie van eigen vinding, die aan een keur van bijbelse uit-spraken het gezag ener goddelijke openbaring leende, eigen leven daarnaar inrichtte, en anderer gevoelens er in hoogsten aanleg naar vonniste.

Hoe meesterlijk zij dit wapen hanteerde, — want haar geloof deed tegelijk dienst als staf op den levensweg, en als kolf of knods tot zelfverdediging, — daarvan ben ik in 1861 of 1862 te harent getuige geweest, toen zij Bakhuizen van den Brink, die in ik weet niet welke strijdlustige mate-rialistische stemming een bezoek bij haar aflegde, nood-zaakte te kapituleren. In boekekennis of bespiegelende denkkracht op ver na niet tegen Van den Brink opgewas-sen, gelijk zij in het gemeen door niets aan een *femme sa-vante* herinnerde, bracht zij haar spreuken Salomo's met zoveel talent en op zo originele wijs in het vuur dat men, op haar gebied en binnen haar grenzen, haar onwillekeurig

216

als een evenknie van den formidabelen geleerde en modernen wijsgeer erkende.

Toen Potgieter in 1844 de *Zusters* schreef, was zijn tante nog niet oud genoeg om voor de weduwe Ackermaels te zitten, en men zou zich bedriegen zo men Nicht Elsabé voor haar afbeelding hield. Maar voor hen die haar niet persoonlijk gekend hebben, vervangt dit fantasie-portret de plaats van het leven.

Juist in den trant als Nicht Elsabé met Ten Have redeneert, heb ik het Potgieters tante met Van den Brink horen doen. Had zij in de werkelijkheid zich tegenover een edelaardig, maar verwend en bedorven nichtje Anna gezien, ik ben overtuigd dat zij evenzo gehandeld zou hebben als de oude dame in den onvoltooid gebleven roman. Zachte chirurgijns maken stinkende wonden: dit was niet slechts een harer lijfspreuken, het is ook de formule harer inborst geweest, in haar verhouding als vrouw ten aanzien van alle jongeren.

Goedheid en gulheid waren de grond van haar wezen, maar een goedheid die, als het moest, niet voor hardheid terugdeinsde. ,,'t Is een gedachtenis van mijn vader," zei Anna. — ,,Hij had er je betere kunnen nalaten," zeide Nicht Elsabé. — Kunt gij u een vrouw van jaren en van een groot verstand denken, die, in een moeilijk ogenblik, uit wijze en oprechte belangstelling, zo iets tot een ouderloos jong meisje durft zeggen, — en dit niet zegt alleen, maar op hetzelfde ogenblik door daden toont het beter met het kind te menen dan al haar andere betrekkingen te samen, — zo kent gij bij benadering de waardige, geestige, zelfstandige, in alles ongemene vrouw, onder wier ogen Potgieter is opgegroeid, en aan welke hij zo weinig als ooit zich ontwassen achtte, toen hij, vijf en vijftig jaren oud, haar ten grave droeg.

De zorgen, door haar aan zijn jeugd besteed, heeft hij schitterend beloond; heeft de verwachtingen, die zij op den begaafden knaap gebouwd mag hebben, als jongeling meer dan vervuld; heeft als man, in een uit den aard der zaak met stoffelijke belangen geheel vervulde grote koop-stad, haar aankomenden ouderdom met een kleine intellek-tuële hofhouding omringd.

Maar, zo zij bij toeneming verplichting aan hem had, hij had er geen mindere aan haar. Voor een zo superieuren en geletterden geest als den zijnen was de dagelijkse omgang met een vrouwelijken en ongeletterden, maar even superi-eur, een weldaad. Hij heeft er aan te danken gehad dat geen enkele versregel, geen enkele bladzijde proza van zijn hand, door zelfverheffing ontsierd wordt. Van nature sati-riek, heeft hij er door geleerd de edelmoedigheid te laten zegevieren over de ironie, goedheid aan kracht te paren, onafhankelijk te blijven en nochtans te ontzien, zich meer-dere te gevoelen en het niet te laten blijken, te leven en te laten leven, ja, gelijk hij het gaarne uitdrukte, *to give even the Devil his due.*

Het verschil van leeftijd tussen zijn tante en hem is, bij al het andere, van beslissenden invloed op zijn vorming ge-weest. Het heeft er meest van al toe bijgedragen dien „bult des eerbieds" bij hem tot ontwikkeling te brengen, welken hij het zo koddig vond zich op een keer te horen ontzeg-gen. [1] Wat er uit hem gegroeid zou zijn, indien hij die vrouw niet op zijn levensweg ontmoet had? Nutteloze vraag, sinds zij meer dan veertig jaren zijn lief en zijn leed met hem deelde, en hij het hare met haar. Ontegenzeg-lijk heeft hij als man een vlucht genomen die hem buiten haar gezichteinder bracht; een vaart, waarop zij hem niet volgen kon en niet beproefde te volgen. Maar even onloo-chenbaar is zij ten einde toe als vrouw hem vooruit en een voorwerp van rechtmatige hulde voor hem gebleven, gelijk zij, nog uit haar graf, hem opgeruimdheid heeft ingeboe-zemd.

Op welk buitengewoon man het leven ooit den verbitte-renden indruk moge gemaakt hebben een zegetocht der middelmatigheid te zijn, een koningkraaien van gekort-

[1] Verspreide en Nagelaten Werken, afdeling Poëzy, II 366: Op zekere Letterkundige Maatschappij.

218

wiekte hanen, niet op Potgieter. Altijd zag hij vleugelen zich hemelwaarts reppen; hoorde hij nachtegalen slaan. Ook dit heeft hij aan zijn tante te danken gehad; aan haar, wier blijmoedige beschouwing der dingen, vrucht van haar vast geloof in een aardsen beproevingstijd en een hemels vaderland, van jongs af zich onwillekeurig aan hem medeeelde, — en waarin door hem volhard werd ook sedert hij voor zich geleerd had achter haar argumenten het zekere kromme teken te plaatsen, dat hij (om nogmaals een zijner lievelingsuitdrukkingen te bezigen) slechts voorwaardelijk ondeugend wilde gescholden hebben.

XV

Onder de huisrelieken mijner vrouw, medegenomen naar Indië, aan de maleise bedienden als poesáka uit het moederland vertoond, uit Indië weder naar Europa gebracht, behoort een geborduurde gordijn waar men, op een zachtgrijzen achtergrond, in brede stroken, tweemalen een trits ontloken anemone-ruikers ziet prijken en, daartussen, — zich heen-bewegend om een smallen strook tot ruikertjes saamgebonden anemone-knoppen, — schitterende vlinders uit alle jaargetijden, op knoppen en bloemen aan-en afvliegend. Een geschenk van Potgieters zuster, was die gordijn bestemd tot voorhangsel te dienen van een kast in een kamermuur, wier deur verwijderd had moeten worden om plaats te winnen voor een haard.

Ondichterlijke bijzonderheden, maar die ik vermeld om te doen uitkomen in welke mate, dank zij zijn veeljarigen omgang met een ridderlijk gestemde vrouw, aan wier dienst de omstandigheden hem als schildknaap verbonden hadden, Potgieter het talent der beleefdheid jegens vrouwen bezat.

In het najaar van 1865 zouden wij het kleinere bloemendaalse Bellevue, liefelijk aan het tolhek der Kleverlaan gelegen, met het innemend en ietwat minder onnaspeurlijk Sorghvliet verwisselen, een weinig hogerop, in de luwte, aan den voet van het duin, en met wat kunst- en vliegwerk gemakkelijk voor zomer- en winterverblijf in te richten. Door den boere-eigenaar (een zilveren Waterloo-kruizer, die sedert een halve eeuw het water de dienst opgezegd en vrijwillig het huiskruis ener inwendig meer verwarmende lafenis aanvaard had) was ons in een helder ogenblik de toezegging gedaan dat het grootste der vertrekken, fraai van ligging, maar door een vorig bewoner verwaarloosd, vóór November opgeknapt en naar onze keus met nieuw papier beplakt zou worden. Op een Zondag in Oktober kwamen Potgieter en zijn zuster, die na den dood zijner tante deze in het bestuur der huishouding was opgevolgd en de overlevering waardig voortzette, ons op Bellevue een bezoek brengen; en samen gingen wij ons van de vorderingen overtuigen die, in de afgelopen week, de behanger op Sorghvliet gemaakt had.

Wij waren het eens dat het vertrek niet behoorlijk verwarmd zou kunnen worden indien de haard niet op een bepaald punt kwam te staan, doch moesten erkennen dat een onmisbare kast in dat geval haar deur te verliezen had. Verdween die deur, dan moest in haar plaats een soort van portière worden aangebracht; maar de kunst was, er een te vinden die met den grijzen achtergrond, en met de anemonen van het nieuwe behangsel, niet te luid schreeuwde.

Hoe Potgieter het gedaan heeft, weet ik niet; maar hij moet, terwijl wij in de half-behangen kamer heen en weder drentelden, en met die telkens terugkerende strepen knoppen en strepen ruikers ons amuseerden, — onvoldoend surrogaat der damasten en der goudleders van een smaakvoller en welvarender voorgeslacht, — een stuk van het papier, door den behanger achtergelaten, van den grond opgeraapt en stil bij zich gestoken hebben. Zeker ook is hij den volgenden dag naar een amsterdams magazijn van dames-handwerken gestapt, en heeft daar een borduurpatroon laten vervaardigen naar het meegenomen model. Althans, toen in Mei 1866 mijn vrouw verjaarde, en nadat wij in den afgelopen winter (onze vrolijkheid evenwel, dit kon Potgieter getuigen, had er niet onder geleden) ons met een lelijken lap grasgroen laken beholpen hadden, kwam er uit Amsterdam een groot pak, inhoudend een met de hand gewerkte portière die, wat kleur en tekening betreft, niet-alleen volkomen bij het nieuw behangsel voegde, maar waarin men de voorname fout van het onbezielde en ongezellige zo veler roerloos aan haar plaats gebonden ruikers en ruikertjes verholpen zag door een aantal glanzige kapellen in allerhande kleuren, die van boven en van beneden op de bloemen kwamen aanfladderen, boden van verschillende seizoenen.

Bij het bevallig geschenk der zuster had de broeder een gedichtje gevoegd, de gordijn in de vier jaargetijden sprekend invoerend, en vervat in zulke keur van taal dat het, behalve zijn waarde als souvenir voor de mijnen, ook de blijvende ener uitstorting van gevoelens door een der beste Nederlanders van de 19de eeuw bezit[1]:

1

,,Waarom zulk een vlinderdrom, —
Vlinders uit elk jaargetijde, —
Aan- en afzweeft van rondom,
Op- en neerstrijkt van weerszijde?"
Gasten! vraagt ge 't bij 't onthaal
Dat U toeft in Sorghvliets zaal?
Eer nog 't liefste groen der linden
U belet de Kleverlaan
Uit haar vensters gâ te slaan,
Arme prooi der barste winden,
Prijkt zij reeds in vollen dos:
Louter anemonenblos!
Maar een zoeter blosje gloeit er,
Maar een hoger leven bloeit er,
Als 't beminnelijkst gelaat
U een: welkom! geeft te lezen,
U het hart te huis doet wezen
Tot geen klok voor U meer slaat!

1 Onuitgegeven.

2

„Waarom zulk een vlinderdrom, ‒
Vlinders uit elk jaargetijde, ‒
Aan- en afzweeft van rondom,
Op- en neêrstrijkt van weerszijde?"
Gasten! vraagt ge 't na 't onhaal,
Dat u streelde in Sorghvliets zaal?
In der zomerzonne luister
Trok het Hollands landschap aan:
Hier de fonkelende oceaan,
Ginds der wouden schemerduister;
Naar des Blinkerts blanken top
Steeg de lust des levens op!
Maar een wisseling van weelde
Als U straks dit dak bedeelde,
Geur'ge dis en geur'ger wijn,
Tot des gastheers luim zich vierde
En hem lach en scherts omzwierde,
Welke mocht de liefste U zijn?

3

„Waarom zulk een vlinderdrom, ‒
Vlinders uit elk jaargetijde, ‒
Af- en aanzweeft van rondom,
Op- en neêrstrijkt van weerszijde?"
Vraagt ge dat ten derde maal,
Gastenstoet in Sorghvliets zaal?
Nu deez' Bloemendaalse dreven
Schittren van heur bontste pracht,
Nu natuur door tranen lacht
Om ten afscheid moed te geven;
Nu gij eindlijk, nóde, gaat
En, nog omziend, stille staat:
Schat gij nu geheel den zegen
In oprechte trouw gelegen,
's Levens hoogst en heiligst goed?
Of gij in mijn brede plooien
Roos bij roos mocht laten strooien
Door der minnegoden stoet!

222

„Waarom zulk een vlinderdrom, —
Vlinders uit elk jaargetijde, —
Aan- en afzweeft van rondom,
Op- en neêrstrijkt van weerszijde?"
Gastvrouw! vraagt gij 't Uw gemaal,
's Winters eenmaal in uw zaal?
Nimmer, wed ik. Laat seizoenen
Wisslen, liefde deert het niet.
Sterf' de hof en stoll' de vliet,
Binnen blijft de minne groenen;
En haar gulden zonne schijnt,
Schoon de dag met d' ochtend kwijnt!
Als uw jongske op vaders knieën
Stoeit en speelt, zijt met u drieën
Ge u, gelukkigen! genoeg;
En gij zoudt geen dank haar weten,
Geen vriendinne zoudt gij heten,
Wie iets anders voor u vroeg!

Ware ik bezig aan een verhandeling over Potgieters
dichterlijke verdiensten, ik zou aantonen hoe men uit deze
verzen, schoner gelegenheidsdichtje dan sedert Vondel
iemand in Nederland schreef, zijn theorie omtrent het idealiseren leert verstaan. Doch ik teken louter bijdragen tot
de kennis van zijn karakter op; en daaronder behoort, niet
in de laatste plaats, zijn gevoeligheid voor blijken van
onderscheiding en vriendschap.

Aan mijn vrouw die hij, verscholen achter zijn zuster, in
dat gedichtje zo hartelijk toesprak, was die toon besteed.
Heeft hij op Bellevue en op Sorghvliet sommige zijner ge-
lukkigste nadagen doorgebracht; heerste er, wanneer hij
óverkwam, een feestelijke stemming in onze woning; zette
de gezelligheid van onzen kleinen kring een nieuwe bekoring aan het liefelijk bloemendaals landschap bij: de eer
daarvan behoorde allermeest haar die, meer nog dan om
zijn talenten, hem om zijn chevaleresken aard bewonderde,
en er behagen in schepte hem dienovereenkomstig te ontvangen: wedstrijd van beleefdheden waarin hij zorg droeg

het altijd te winnen, en steeds wist te handelen alsof de verplichting aan zijn zijde was.

Voor zover men vriendschap verdienen kan, verdiende zij de zijne. Waarbij kwam dat ons leven, in de bloemen-daalse afzondering, Sorghvliet in zijn ogen naar een oasis van huiselijk geluk deed zwemen, zoals in steden maar bij uitzondering verwezenlijkt wordt. Hij benijdde ons niet, maar gevoelde met ons het benijdenswaardige onzer voor-rechten, en liet er zulk een overvloedig, zulk een dichterlijk licht op vallen dat, wanneer wij zijn verzen samen herle-zen, het ons is alsof wij bij het verheven schoon van ons levenslot opnieuw bepaald worden.

Hier is meer, dunkt mij, dan een theorie van idealiseren. Hier is natuurlijke verwantschap van poëzie en werkelijk-heid. Bij ons aan huis, in de anemonekamer, straalde van het gelaat der gastvrouw, zo vaak Potgieter er binnentrad, een blos van onbedriegelijk zielsgenoegen. Altijd sloeg het uur van scheiden er hem en ons te vroeg. Wij hadden het bewustzijn dat hij, naar zijn woning teruggekeerd, en de onze gedenkend, een heiligdom vereerde. En wanneer op eenzame winteravonden, bij de gezellige lamp, de moeder aan het theeblad en het knaapje op vaders knie zat, dan was het de eenvoudige waarheid, dat de wereld niets kon aanbieden wat ons daarboven ging.

XVI

Toen twee jaren later, in Mei 1868, de mailboot bezig was het drietal naar Java te voeren, ondernam Potgieter met zijn zuster een Sorghvlietse bedevaart, en ging hij nogmaals het plekje bezoeken dat ons zo dikwijls verenigd had gezien.

> „Verdwenen!" hoorde ik aan mijn zijde klagen,
> En klaagde 't meê. Was voor gemoed en geest,
> In elk seizoen, tot zelfs in winterdagen,
> Ons 't opgaan naar deez' woning niet een feest?

Wanneer ik de bladzijden, waarin hij dien pelgrims-
tocht der vriendschap beschrijft en met de onvervuld gebleven verwachting besluit:

Zoudt ge schreien?
Ons afscheid dorst met wederzien zich vleien, —

wanneer ik die bladzijden en hun bevalligen aanhef thans
herlees [1], dan bewonder ik de mildheid en het goed vertrouwen der natuur die, zo de mens slechts den vinger naar
haar uitsteekt, hem aanstonds met de volle hand tegemoet
komt.

Sorghvliet, in November 1865, derdhalfjaar te voren,
een wildernis, was reeds in Mei daaraanvolgende een lachend oord geworden; aan de achterzijde van het huis een
glazen deur licht komen verspreiden in den donkeren
gang; een venster tot aan den grond de zon komen lokken in de kille speelkamer van het kind. Boven een hokje,
groot genoeg om, mits er eendracht heerste, twee logeer-
gasten te kunnen bergen; beneden drie vertrekken, rondom in het groen; aan de voorzijde een veranda. In den
tuin geen vergroeide boomstammen, geen verschrompelde
heesters meer; maar, aan de zomen, nieuwe seringen en
verse jasmijnen. In het midden een gespaarde acacia, aan
welks voet eenmaal het graf zou worden gedolven van den
liefsten hond, in zijn soort een beter mens dan de nijdige
buurman die hem vergiftigde. Maandrozen, stamrozen,
heliotropen, fuchsia's. Tegen den muur, aan de zonzijde,
een wilde wingerd, wiens groen tegen het najaar in rood
goud verkeren zou. De stijlen der veranda met bloeiende
klimplanten omweeld. De naderende lente aangekondigd
door krokus- en tulpe-bedden. De zomer verbeid in een
hut van boshout, heel aan het eind van den tuin tegen den
rijweg aan. Des Zondags, door de vensters der anemone-

[1] Verspreide en Nagelaten Werken, afdeling: Poëzy, II 368 vgg.:
Op Sorghvliet, in Bloemendaal.

kamer, nu niet langer de anemone-gordijn onwaardig, het wandelend en spelemeiend Noord-Holland bespied, met het harddravend Amsterdam aan de spits.

Stedelingen weten inderdaad niet wat zij verzuimen, door 's winters het buiten-zijn te vlieden; en ik ben zeker dat Potgieter in het voorjaar van 1866 ons in het gelijk stelde, die het mogelijke gedaan hadden ten einde voor de vier jaargetijden ons een bloemendaalse tent op te slaan. Hoe hij de Kleverlaan kende, met haar stompje bouwval uit de dagen van Haarlems beleg, sedert hersteld noch opgeruimd! Het schone vergezicht dat zij aanbiedt, met het bosrijk duin tot horizont; het tolhek en, daarachter, tussen Bellevue en Sorghvliet, de Tusculum gedoopte bolle-schuur, door een dorpsfiloloog in een optrekje herschapen:

> We mijmerden om 't zeerste en kwamen dichter
> Bij 't kleine tolhek. 's Gaarders woning ligt er
> In 't loof van linden aan wier voet zijn kroost
> Niet frisser dan de flinke moeder bloost.
> Hun oudste dreumes kende ons; maar al staakte
> Hij 't spelen toen mijn zuster 't erf genaakte,
> Al zag de mooie tolvrouw 't venster uit,
> Geen val had schertsen en geen pret de guit!
> We traden voort, — doch niet als vroeger lachte
> De dartle luim om 't rieten dak, dat prachte
> Met „Tusculum," noch vroeg wie Cicero
> Er spelen zou dit zomertij?... Maar noō
> Ging 't langs de helling naar den straatweg op. Van verre
> Verraste er ons geen lieve tweelingsterre
> In 't ogenpaar der gastvrouw, — uit den hof
> Weerklonk geen blijde kinderkreet!...
>   Hoe trof,
> Al wisten wij dat daar die leegte ons beidde,
> Die leegte ons toch! Het middagzonlicht spreidde
> Zijn luister in de gaarde als op 't geboomt,
> Dat, langs het duin verrijzend, haar omzoomt;
> Maar mocht zijn vloed van weelderige stralen
> Geen enkel der drie vensters in doen dalen,
> Gesloten, dichtgegrendeld, als de deur.
> Een koeltje rees, en droeg der heestren geur
> Van de' achtergrond ons toe; en riep de toppen
> Der nog in mos verscholen rozenknoppen

226

Een wijle aan 't licht. Doch waar was hij, wiens hand
De rij schakeerde, eer de omgang werd beplant, —
Die niet vermoedde, als hij ze 't lest zag bloeien,
Dat hier de blos der witte en 't purpren gloeien
Der rode hem niet meer verrukken zou, —
Hij nooit haar geur meer biên zou aan zijn vrouw?
Behaagziek wiegde, op statelijken stengel,
Er tulp bij tulp haar prachtig kleurgemengel,
Den open kelk prijs gevende aan den gloed,
Als waar de dood in louter luister zoet, —
Maar 't jongske, dat al slag had van verhalen
Wat vreemde schone er schitterendst mocht pralen
En reden gaf waarom hij die verkoor,
Helaas, het sprong langs 't perkjen ons niet voor!
Ook bleek 't vergeefs, of onze blik zich wendde
Naar 't plekje, waar zo vaak zijn hupplen endde
En hij op 't boek zo ijverzuchtig was,
Als moederlief er in de schaduw las!
Verlaten lag de hut; voor de' ingang hingen
Geen ampels meer, om wie der zefirs dringen
Twee zinnen streelde, als 't geurige genucht
Er de ogen boeide aan 't bloeiende in de lucht!
Waar was 't gestoelt, waarop in 't prettig praten
Het wachten van het rijtuig wij vergaten?
En waar de dis, daar 't roemrental op blonk,
Dat steeds: tot weerziens! nooit: ten afscheid! klonk?

Gevoelde Potgieter te fijn en te warm dan dat hij voor
aandoeningen als de hier naar woorden zoekende ontoegankelijk kon blijven, hij deed het tevens te gezond om er
aan toe te geven. Achter ons en achter hem lagen, bloeiend
en geurend, als de kamperfoelie op het rieten dak der hut
in het hoekje van Sorghvliets tuin, enige der schoonste levensjaren; en wie wist beter dan hij dat die geteld zijn? Te
vergeefs hebben wij, mijn vrouw en ik, ze hem tot een aan-
denken gelaten, gindse roemers welke hem nooit anders
dan: tot weerzien! toeklonken; wier kleur en vorm hem
aanlachte, gevolgd als zij waren naar een schilderij in het
Haarlems Museum; die het ons tot in de ziel verheugd zou
hebben, ter ere van onze terugkomst door hem te zien vullen en omhoog heffen.

Echter, al heeft hij er nu en dan met weemoed naar omgezien, — of voor het broze glas hoofdschuddend een wijl
stilgestaan, — niets van hetgeen verdiende te leven was
in hem of ons gestorven; en met dezelfde welsprekendheid
als te voren predikten de bloemendaalse duinen, waar
beurtelings de blik zich naar de zee en naar de steden in
Hollands vlakte wendt, predikte hem de bloemendaalse
Mei, door hem en ons zo vaak bespied, haar schone les. Of
het gisteren gebeurd was, stond alles hem weder met de
oude levendigheid voor den geest:

De kleine kring dook neer in alle hoeken
Om 't eerste, Maarts viooltjen op te zoeken —
Hoe trouw beware ik ze in mijn liefste boeken,
Waarover vaak 't gesprek in 't wandlen liep; —
Of stoof uiteen, zodra in Mei we waren,
Om, aangelokt door bleke, frisse blaren,
Van lelietjes een ruiker saam te garen,
Die dagen lang de vreugd der vond herriep!
De heesters, die het dal met luwte vulden,
De struiken, die de top eens duins mocht biên,
Wie schetst het schoon, dat ze onzen blik onthulden,
Wie 't rein genot, 't allengs te leren zien?
Hoe was 't ons of wij 't landschap meer waardeerden,
Zo dikwerf we uit den verren vreemde keerden,
Om bij 't gereed erkennen wat we ontbeerden,
't Ons toebedeelde al hoger aan te slaan!
De weelde van zijn dubble vergezichten:
Hier overvloed, die 't stedental deed stichten;
Ginds majesteit! Wat zwerk hem moog verlichten,
Ontzag gebiedt zelfs rustend de Oceaan...

Inderdaad, wie zulke herinneringen dus op muziek weet
te zetten, voor dien heeft, al acht de jeugd dit een wonder-
spreuk, het: *Einsam bin ich nicht alleine!* een nieuwe en
hogere betekenis gekregen. Medebeleefd heb ik dat hoofdstuk uit zijn onwillekeurige gedenkschriften; van Zand-
voort tot Alkmaar ze medegemaakt, de telkens herhaalde
zwerftochten langs Noord-Hollands duinkant, voor hem
een voorwerp van gestadige bewondering, een onuitput-

telijke stof tot lering, bij elk herdenken een bron van nieuw
genot, als toen hij voor het eerst, beladen met den oogst
dier heuvelen, huiswaarts keerde. Ook dit voorrecht is hij
in zijn Sorghvlietse bedevaart-rijmen indachtig geweest:

> O zoom des duins! die de eigenaardigheden
> Eens wilden wouds, door wilder zee bestreden,
> Aan weelde huwt, als slechts dit westers eden,
> Oasis in deez' woestenije, ons biedt!
> Hoe hij, wiens blik in uwen beemd mag weiden,
> Natuur en Kunst van aard leert onderscheiden,
> Tot hoofd en hart, in harmonie van beiden,
> Naar 't hoogste streeft en 't strevende geniet!
> In eenvoud viert het schoon zijn zegepralen,
> In orde ontspringt de bronwel van genucht;
> Maar sterkende is geen dienst van idealen,
> Als de offerand' niet rijst uit waarheidszucht!
> Wat vreest ge, dat door zulk een eis te stellen,
> Ons 't goede voor het beetre mocht ontsnellen,
> Tot straks het onbereikbare ons zou kwellen?
> Wel anders zijn die school *wij* uitgegaan!
> Vaak wuiven mij, trofeeën onzer tochten,
> Uit de aren, die in 't bloeiend gras wij zochten
> En tot de kroon eens palmbooms samenvlochten,
> Verrassing en verlustiging nog aan!
> Of mocht, in al de frisheid van zijn geuren,
> Met korenbloem en klaproos 't veldgewas
> Op onzen dis zich niet verkwikkend beuren,
> De lieve hand belonend die het las?
> Aanlokkend wordt de webbe van ons leven,
> Als beurtelings haar smaak en studie weven,
> En waarheid in den gulden glans mag zweven,
> Die elk geslacht uit dichtings zonne blonk...

Hoe wenste ik tastbaar te kunnen maken dat dit alles,
met blad en bloem, naar het leven getekend; dat het een
getrouwe afspiegeling van Potgieters dagelijks denken en
gevoelen; een bladzijde uit een dagboek is, in twintig regels
de vrucht van twintig wandelingen gevend! Heb ik niet
zelf dat bloeiend gras helpen samenbinden; tot de ruiker,
gestadig aangroeiend, de wuivende bladerkroon van een
zoon der tropische Flora geleek? Is niet, om met Hooft in

229

dat briefje aan zijn vrouw te spreken, de hand, van welke Potgieter zegt dat zij korenbloemen en klaprozen door zijn veldgewas vlocht, dezelfde die mij getrouwd heeft? Hebben niet hij en ik, tussen Heilo en Alkmaar de poëzie van Beets en het beminlijk beeld der dochter van den Nyenburgh herdenkend, om beurten de *Najaarsmijmeringen* boven *In de diligence,* en *In de diligence* boven de *Najaarsmijmeringen* gesteld? Waren het niet mijn oren als de zijne die, op Beeckesteyn, een eikekrans voor de doorgravers van Holland op zijn Smalst hoorden vragen? Mijn ogen als de zijne die, aan Zandvoorts strand, de zinkende zonneschijf haar plaats in het luchtruim aan den sikkel van het rijzend maanlicht zagen afstaan?

> Verbeelding dorst aan stouter vlucht zich wagen
> Als Beeckesteyn den trans ons deed herdagen,
> We op de open plek de reuzige eiken zagen,
> Waar 't gulden licht weerschitterend van gleê;
> En 'k luisterde als twee zachte stemmen vroegen:
> Of niet hun krans de schedels zoude voegen
> Van wie in 't zweet huns aanschijns blijven zwoegen,
> Tot dwars door duin de vloot zal gaan naar zee?
> Daar rees voor ons het landschap van Aleide
> En 't werd in 't lied geprezen en gesmaakt,
> Dat, schoon zij ver van moeders burcht verscheidde,
> Met deze er haar onsterflijk heeft gemaakt.
> Volzoete strijd! wat diepst gevoeld mocht heten:
> De schets van 't paar, op 't dijkje neergezeten,
> Of 't mijmren dat nooit Holland zal vergeten,
> Al suizelt door geen Spanjaardslaan 't meer voort.
> In schaduw van den Nyenburgh begonnen,
> Werdt ge in den Hout verloren noch gewonnen —
> Gelijk het zacht gemurmel van twee bronnen,
> Straks opgelost in 't liefelijkst akkoord:
> Als beurtelings die weemoed en die weelde,
> Op Zandvoorts rede in zilv'ren maneschijn,
> Op Zandvoorts rede in zonnegoud ons streelde,
> Als 't ene dicht het aêr ten tolk mocht zijn!

Uit die schone verzen ziet men op nieuw hoe de mens en de dichter één bij hem waren, en hij slechts woorden behoefde te geven aan onze vriendschap, onzen omgang, onze uitgangen, onze gesprekken, om tegelijk het aanzijn te schenken aan een poëzie die naar inhoud en vorm, wat uitdrukking en wat gedachte betreft, ongemeten uitsteekt boven onzen tijd. Elders heb ik hem onzen dichterlijksten dichter genoemd, een metropolitaan onder onze kleinstedelingen in de kunst. Hoe zorgvuldiger ik de betekenis dier woorden overweeg, des te juister schijnen zij mij toe.

XVII

Van Potgieter buiten kom ik van zelf op Potgieter te huis, en wil beproeven mijn lezers een voorstelling te geven, hoe het te zijnent er uitzag.

Zij behoeven te dien einde, voor den denkbeeldigen ouden schilder van wien in het eerste boek mijner *Lidewyde* spraak is, slechts den dichter der werkelijkheid, en voor het kasteeltje door den echtgenoot en vader mijner fantasie bewoond, het huis en de huishouding van den celibatair der amsterdamse Leliegracht in de plaats te stellen. Eén toets, en de illusie is zo volkomen als ik mij in staat gevoel haar te maken:

,,De kamer van Emma's vader geleek des avonds, wanneer de lampen ontstoken waren, in niets op een atelier. In de stad zou men haar een bovenvoorkamer met een suite genoemd hebben, tevens gescheiden en aaneen verbonden door een schuifdeur, wier panelen versierd waren met medaljons van zachtgekleurde bloemen in waterverf achter glas. De meubelen in beide vertrekken bestonden meest in langs den wand geschaarde boekekasten van vreemdsoortig hout: sommige met glazen deuren van boven tot beneden; anderen in den vorm van opstaande buffetten, van onder met schuifladen voor platen en tekeningen, of met een vooruitspringend bureau, dat tevens voor schrijftafel diende. Al de kasten waren van boven en op zijde met snijwerk versierd, dat bij de enen scheen af te hangen in festoenen van bloemen en vruchten en vogels, bij de anderen

231

een geheel van consoles vormde waarop bronzen ornamenten rustten, of kleine beelden van wit marmer, of busten van beroemde kunstenaars en staatslieden en veldheren. Terwijl in de voorkamer, in den vorm van een vooruitspringenden modernen haard, tol betaald werd aan de ijdelheden van den nieuweren tijd, glinsterden in het allerheilige, de suite, onder een ouderwetsen schoorsteenmantel van donkerkleurig marmer, blank geschuurde haardijzers, waarachter in voor- en najaar voorvaderlijke turfvuren werden aangelegd, die bij feller koude voor beukeblokken moesten wijken. Doch dit was ook het énig onderscheid tussen de twee helften van het vertrek. Nergens, zo min in de ene als in de andere afdeling, bevond zich aan den wand een open vak waarin niet hier een spiegel, ginds een gravure, ginds een bas-relief in hout of klei of koper hing. De gravuren hadden de overhand: proefdrukken van den Schuttersmaaltijd, van de Anatomische Les, van den Nachtwacht, van beroemde portretten uit den oud-vaderlandsen tijd; maar ook van de Schaakspelers van Meissonier, of van Ary Scheffer's Francesca, en Gretchen, en Mignon. Het geheel maakte den indruk ener gezellige bibliotheek. Men bevond er zich in een zitkamer, voorzien van al de gemakken wier denkbeeld zich aan dien naam verbindt; en het was genoeg den blik te laten glijden langs de vele rustige boeken, om bij zichzelf dat zeker gevoel van eenheid en samenhang te ontwaren waarvan het gemis, ook bij het vertoeven in de uitgelezenste kunstgalerijen, somtijds onaangenaam aandoet. Het huisgezin van een kunstschilder, — André had er nooit opzettelijk over nagedacht wat dit al zo wezen kon; was nooit in de gelegenheid geweest er van nabij kennis mede te maken; zou gemeend hebben, indien men zijn gevoelen had gevraagd, dat de aard van zulk een intérieur vrijwel werd uitgedrukt door een mengeling van slordigheid en luidruchtigheid, gepaard met indolentie. En daar trof hij in de vertrekken van Belvédére een degelijkheid en een weelde aan, die hem de woonkamer zijner ouders kaal en ongezellig, hun

232

gezelschapszaal smakeloos gemeubeld deden vinden. Er was karakter in het snijwerk van tafels en stoelen, in de kleuren van behangsel en gordijnen, in den vorm van bekers en karaffen, in de afwisseling van ouderwets en nieuwwerwets... Nog één schrede, en hij bevond zich in de kamer van Emma's vader. Zou hij belangstelling veinzen in den bronzen Shakespeare op de pendule? In de buste van Bilderdijk, met den vermaarden tulband om de slapen, die op den hoogsten top der middelste boekekast rustte? In het medaljon met gouden rand, achter welks glas een roos van het graf van Washington bewaard werd? In het andere medaljon, met het profiel van Dante in basrelief van zilver, waarboven een kleine ivoren arend de vleugelen uitsloeg?"

Zo ik zelf indertijd, onder het optekenen, die beschrijving niet langwijlig, althans niet traag of slepend gevonden heb, het was omdat haar fotografische nauwkeurigheid mij misleidde, en ik die begoocheling liefhad. Thans verheugt het mij, zo en niet anders geschreven, en daardoor een stuk voor stuk getrouwe afbeelding bewaard te hebben der vertrekken, gedurende een reeks van jaren door Potgieter bewoond. Hun aanblik was in overeenstemming met het artistieke in zijn natuur; hun comfort de enige weelde die hij zich gunde.

Rond gesproken: hoe gezellig, voor een oud jong heer, dat tehuis moge geweest zijn, ik vind niet dat Potgieter verstandig gehandeld heeft, door er ten einde toe, in die mate als bij hem het geval was, aan te blijven hechten. Niet eens, maar herhaaldelijk en met den meesten ernst, heb ik er bij hem op aangedrongen zich althans voor een tijd naar Indië te verplaatsen; heb mannen genoemd, ouder dan hij, welke zich op die wijs een nieuw veld van indrukken en waarnemingen geopend hadden; heb voorspeld dat onze bataviase woning hem vooral niet minder bezielen zou, dan de sorghvlietse gedaan had; heb er hem opmerkzaam op gemaakt dat zulk een goed Nederlander als hij Java behoorde gezien te hebben.

Is die laatste stelling wellicht, door het veelvuldig berij-
den, stokpaard bij mij geworden? Overdrijf ik het beginsel
dat 's mensen *home* bestaat in de gaaf zich gezellig en aangenaam in te richten, en dit talent hem immers overal
volgt? Althans, Potgieter heeft voor mijn uitnodiging
steeds bedankt; is te Amsterdam gebleven; is nooit van
plan geweest, voorzover ik weet, zich in het buitenland te
gaan vestigen; heeft zelfs nooit in Gooi of Kenmerland een
zomers optrekje bezeten. Zijn enige uitgangen bestonden
in de vliegreisjes, vroeger door mij vermeld; en een zijner
idealen was, in Nederland met goede vrienden over het
bezichtigd buitenland zittende praten, elken ontvangen indruk, alle opgedane kennis dienstbaar te maken aan den
bloei der vaderlandse letteren.

Enerzijds had hij een geopend oog voor de voorrechten
van het leven in een wereldstad, in een stad als Parijs vooral, die hij als bezielend middenpunt van beschaving buitengewoon hoog stelde:

> Wat vlucht 't gesprek zou nemen! Nieuwe stof
> Aan alles wat hen aantrok of hen trof
> Ontlenende, in verfijning van vermaken
> Als slechts Parijs den takt heeft die te smaken;
> In wetenschap, zo vaak zij lessen geeft,
> Daar door den trits bevalligheên omzweefd;
> In kunst, *er dus behoefte van de schare,*
> *Of de overvloed het onontbeerlijkst ware.*

Maar steeds en al spoedig volgde het korrektief:

> Of wij elkaêr in dat gezellig uur
> Vertellen, wat bij oost- en westerbuur,
> De blikken slaande in hunner lettren gaarde,
> Ons oog al nieuws, al fris', al schoons ontwaarde;
> Tot allen zich vereenden in de beê
> Dat Hollands Muze, ontstijgende aan de zee,
> Of rijzende in het bloembed harer weide,
> Weer als van ouds zich dubbel onderscheidde:
> Trots al haar zin voor 't loof dat zust'ren siert,
> Omkranst met wat in eigen lusthof tiert!

Was Potgieters fortuin, hoewel hij te midden van een

234

bescheiden overvloed leefde, nochtans niet aanzienlijk genoeg om een onafhankelijk bestaan in het buitenland te veroorloven, dan zwijg ik. Maar ja, in het afgetrokkene zou ik verlangd hebben, zo Indië te ver en Parijs hem misschien te druk was, dat hij, naar het voorbeeld van menig vernuft onder de Engelsen, zijn laatste levensjaren in Italië ware gaan doorbrengen. Met niet minder recht dan ter ere van Elisabeth Browning zou dan op dit ogenblik, in den gevel van het huis, door hem te Florence bewoond, een marmeren plaat de erkentelijkheid van het florentijnse gemeentebestuur voor den vreemdeling vermelden, die Italië's eenheid, Italië's vrijheid zo dichterlijk verhief. Ware hij zich te Rome gaan nederzetten, de nederlandse bezoekers der Eeuwige Stad zouden thans en voortaan, op het engels kerkhof, tussen het graf van Keats en het graf van Shelley, een bezoek aan dat van Potgieter brengen, en er tussen de donkere cypressen witte rozen planten. Zijn vaderlandsliefde was er borg voor dat Hollands Muze, door zijn verblijf in den vreemde, geen schade zou geleden hebben. Had Italië hem tot het dichten van een anderen *Don Juan* bezield, zijn epos had niet de gangen van een tegen het geboorteland geslingerden vloek, veeleer die van een weergalm van Van Haren's *Geuzen* aangenomen.

Men zegge niet dat Potgieter, minder dan iemand anders in Nederland, nodig had door dergelijke verplaatsing aan de vaderlandse onder-onsjesliteratuur te ontwassen. Ook mij is het bekend dat hij daar los van was, en er zowel boven als buiten stond. Alleen, wanneer de fantasie vraagt of Potgieter niet een gunstiger lot verdiend had dan in de laatste jaren van zijn leven hem beschoren is geweest, ik antwoord toestemmend.

,,Neen," schreef hij terug, wanneer ik uit de verte hem zijn hokvastheid verweet, het zijn eigen schuld noemend zo de arend boven Dantes medaljon te vaak en te gevoelig aan de westfriese traliën herinnerd werd; ,,neen, zo ik op mijn ouden dag er een zeereis aan waagde, dan niet naar Java; dan naar de Verenigde Staten!"

235

Maar zo bedoelde ik het niet. Had Potgieter, die de op Washingtons graf geplukte roos als een reliek vereerde en er zijn zitkamer mede versierde, had hij Washingtons geboorteland aanschouwd, *Abraham Lincoln* zou geen fragment gebleven, *Mount Vernon* overtroffen zijn. Gevlogen zou hij zijn, gevlogen van Nieuw-York naar San Francisco, en aan het californisch landschap het schoonste zijner liederen gewijd hebben. Doch, om hem van zijn amsterdamse droefheden te genezen, daartoe had zelfs die krachtige afleiding niet volstaan. Dank zij het hem in hoge mate toebedeeld talent zich overal een tehuis te maken, zou het enig hem waardig uiteinde geweest zijn, aan den oever van Tiber of Arno zijn dichterlijk ingerichte woning te doen herleven en, zich overgevend aan den opwekkenden invloed der omgeving, in dien prikkel de rust te zoeken waar geesten zo levendig en harten zo zacht als het zijne bovenal smaak in vinden of behoefte aan gevoelen.

XVIII

Waarom bleef hij ongehuwd?

Die vraag moest ieder zich stellen, en met verwondering stellen, wien de toegang tot zijn woning en zijn gemeenzaam verkeer ontsloten werd. Een man zo huiselijk, zo ingetogen, zo geschikt een vrouw gelukkig te maken, zo patriarchaal van inborst, neigingen, voorkomen?

Het samenwonen met zijn tante schiep hem al vroeg een eigen huis en haard: dit kan de reden zijn geweest dat hij de gewone aandrift, die den jongeling naar verlossing uit de ballingschap van het zigeunerleven haken doet, nooit gekend, het huwelijk zich nooit aan hem vertoond heeft, getooid met de bekoring der huiselijkheid bij die der liefde. Maar hij dacht zo onafhankelijk; geloofde in maatschappelijken zin zo vast aan het bijbels wonder van de vermenigvuldiging der broden; bovenal, hij begreep zo goed de poëzie der betrekking tussen man en vrouw, dat hij niet

236

dertig jaren oud is kunnen worden zonder een meisje te vragen, en te vragen enkel met zijn hart.

Mijn gissing dat Dafnis werkelijk Chloë gevonden en Chloë gevraagd, maar Chloë (dom genoeg, want zij zou een heerlijk leven bij hem gehad hebben) de blooheid van Dafnis voor onbeduidendheid aangezien, zij hem niet gewaardeerd, en hij toen met een: ,,Loop rondom!" tot zichzelf gezegd heeft: ,,Goed voor eens, maar dat nooit weder!" — dit weefsel mijner hersenen, gesponnen onder het zoeken naar aannemelijke redenen tot verklaring van Potgieters celibaat, zit enerzijds vast aan mijn geloof in Potgieters fierheid.

Om zijn literatuur te begrijpen, moest men verdienen haar te begrijpen; om zijn vriend te blijven, zich zijn vriendschap waardig tonen. Zo kan ook een meisje, door te beantwoorden aan zijn ideaal van vrouwelijk schoon en vrouwelijke lieftalligheid, hem betoverd, hem tot over de oren verliefd gemaakt, hem in den derden hemel hebben doen verkeren. Maar, bij al zijn bescheidenheid had hij zulk een krachtig gevoel van eigenwaarde, was zó onbuigzaam trots, neen (de gemeenzame kwalifikatie moet er uit) zulk een ongemakkelijk potentaat, dat de vrouw, naar wier hand hij dong en die hem niet begreep, hem onherstelbaar beledigde, en hij, liever dan haar ten tweede maal te vragen, zwijgend rondliep met zijn vernietigd ideaal en een bloedend hart.

Konjekturale kritiek! hoor ik uitroepen, en zie schouders ophalen. Niet zo konjekturaal of zo bodemloos, dunkt mij, wanneer ik er bij denk aan een plaats uit het *Tochtje naar ter Ledestein,* waar Potgieter, met de zelfbeheersing van een tot rust gekomen gemoed, doch tevens en zeker met opzet een hartsgeheim van zijn toenmalig dertigst levensjaar verradend (de novelle dagtekent ongeveer uit dien tijd), zegt en schrijft: ,,Er is weinig edelers dan de eerbiedige schroom, welke het voorwerp zijner eerste liefde een onbedorven jongeling inboezemt; maar er komen in het gezellig leven weinig lachwekkender tonelen voor dan die, welke deze hartstocht oplevert, wanneer die schroom in blooheid ontaardt. Niets is echter meer gewoon bij lieden, die hun tijd in afgetrokken studiën doorbrengen, of zich der beoefening van stellige wetenschappen wijden. Het ontbreekt hen aan woorden voor de poëzie des levens. De wereld, waarin hun hart hen onwillekeurig verplaatst, is zo vreemd aan hun hoofd, dat zij hen in verwarring brengt, en hen aan de spotzucht prijs geeft van dezulken, die in kennis en kunde verre beneden hen staan." —Deze blijkbaar uit eigen levenservaring gewelde opmerking doet mij onderstellen dat Potgieter ongehuwd gebleven is, omdat het hem in een gegeven ogenblik aan woorden voor de poëzie des levens ontbroken heeft.

Zeker is het dat hij veel van kinderen hield, en de ,,oudvrijer Hawthorne" (hijzelf heeft hem dus gedoopt) onder zijn lievelings-auteurs behoorde, ook omdat Hawthorne zo gelukkig is geweest in het schetsen van kinderkopjes.

Hawthorne noemend, die in Italië een zijner mooiste boeken schreef[1]; dien de regering der Verenigde Staten, trots op het bezit van zulk een vernuft, tot konsul te Liverpool aanstelde; denk ik op nieuw hoe uitnemend geschikt Potgieter voor dergelijke betrekking zou zijn geweest, en hoe jammer het is dat hij in weerwil zijner uitgebreide handelskennis, die hij op Hawthorne vóór had, voor zo iets nooit in aanmerking is gekomen. Nederlands konsulaire agenten zijn met een ander karakter bekleed, dit is zo. Maar het strekt niettemin Noord-Amerika tot eer, in onze eeuw van *dollar is king,* een dichter tot konsul te hebben benoemd; niet ofschoon, maar omdat hij dichter was. Ook noem ik het feit slechts als een bewijs te meer dat zelfs een langdurig verblijf in den vreemde (Hawthorne bracht tien jaren in Engeland en nog daarenboven enige jaren in Italië door) Potgieter in het minst niet verhinderd zou hebben de literatuur van zijn land te blijven dienen. Alleen zou hij voor zich er een bewogener, rijker, zonniger leven door hebben gehad.

1 Transformation.

De onvergetelijke tijd van mijn dagelijksen omgang met hem is door een gelukkigen loop samengevallen met de zeven of acht eerste levensjaren van mijn zoon; en dit zal de reden zijn dat ik zo vaak in de gelegenheid ben geweest hem in zijn omgang met kinderen gade te slaan. „Gideons plaaggeest" ondertekende hij zich, nog toen wij lang in Indië waren. En terecht; want het behoorde onder zijn liefhebberij-studiën, door kleine plagerijen het humeur van kinderen op de proef te stellen, en wat er in hen zat al vroeg er uit te halen.

In *Onderweg in den regen* kan men lezen dat hij zich over onze schilders der 17de eeuw verwonderde die, overigens in alles voortreffelijk, zo weinig kinderen hebben afgebeeld anders doende dan op moeders schoot te liggen of aan moeders schoot te staan, dan op zijn best te spelen met een pop. „Van andere, hogere poëzie der jeugd, geen blijk!" Hij legt die woorden Hawthorne in den mond, wiens poëtische kinderbeelden, — Pansie, Alice, Annie, Pearl, — juist het meest door de tegenovergestelde eigenschappen uitmunten. Doch aan zijn omgang met ons knaapje heb ik duidelijk kunnen bespeuren dat hij in dien vorm zijn eigen denkbeeld weergaf.

Wat hem het meest in kinderen aantrok waren de eerste opwellingen van gemoed en karakter; daarna, de eerste spranken van vernuft. Een jaar of daaromtrent na onze komst in Indië briefde ik hem over hoe onze zoon, op zekeren dag, ons vermaakt had door, dreumes die hij destijds was, eerst zijn moeder rust noch duur te laten vóór zij hem het vrije gebruik van een stuk veterband had toegestaan; toen in zijn speelkamer zich op te sluiten, waar hij een uit Nederland medegebracht neurenberger drukpersje aan een kleine bloemendaalse schaafbank vastbond (het bijbehorend timmermansgereedschap was een geschenk van Potgieter geweest); en ons ten slotte in vollen ernst met de mededeling te komen verrassen: „dat de pers nu aan banden gelegd was."

Vrolijker brief heb ik in al mijn indische jaren van Potgieter niet ontvangen dan die waarin hij deze kinderlijke handeling toejuichte. Maar treffender nog vind ik een herinnering uit vroeger tijd, toen het kind bij gelegenheid ener amsterdamse kermis te zijnent logeerde en, thuisgekomen van een ochtendwandeling met de dienstmaagd langs de kramen (Jan de Witt hield maar één knecht; Potgieter dreef zijn huishouding met maar één meid), verhalen moest van het aanschouwde moois.

Dat hij in de onsamenhangende kreten van bewondering aanstonds zijn weg wist te vinden; voor zich geen ogenblik in onzekerheid verkeerde omtrent de met kinderlijke sluwheid verzwegen voorkeur: dit pleitte voor zijn scherpzinnigheid. Groter bewijs van hartelijkheid was niet denkbaar dan, gelijk hij deed, dien eigen middag na beurstijd huiswaarts te keren met hetzelfde witte paard op rollen onder den arm, welks apokalyptische aanblik de verbeelding van zijn zesjarigen logeergast bovenal in gloed had gezet. Maar het aardigst kwam toen de heuvel, het paard met beide handjes aannemend, naar hem opzag en zeide: ,,Je bent net als m'n vader!''

Het was een onbeleefde, in elk geval hoogst onvolmaakte dankbetuiging; te enemaal onevenredig aan de waarde en de innemendheid van het geschenk. Maar ik weet zeker dat, gelijk Potgieter op dat ogenblik er de tranen van in de ogen kreeg, zij hem bevestigd heeft in een genegenheid die over landen en zeeën gereikt, die tot aan den rand van het graf hem verheugd heeft. ,,Het jongske zal welkom zijn'', luidde het antwoord, toen ik in 1872 of 1873, vrezend dat een te langdurig verblijf in Indië mijn zoon benadelen zou, en meer met mijn eigen wensen te rade gaande dan met de stoornis die zulk een overkomst in Potgieters rustige omgeving brengen zou, hem vroeg of, indien ik er toe besluiten kon den knaap naar Nederland terug te zenden, hij hem bij zich aan huis zou willen nemen. ,,Het jongske zal welkom zijn'': meer niet dan dit eenvoudig, alles zeggend woord. En toen hij in 1868 ons zich voorstelde, op reis naar Indië de kwellingen der Rode Zee trotserend:

Och, wist ik dat geen hitte 't jongske deerde,
Waar zelfs de zee in vloeiend vuur verkeerde!

Aan de fotografische portretjes van zijn kleinen vriend,
hem uit Batavia toegezonden, mocht niets ontbreken. Was
er een détail dat hem mishaagde, dan werd de retoucheren-
de hand van een kunstenaar ingeroepen, en die kunstenaar
mocht niemand minder dan Bosboom zijn. Het voordeligst
licht in het vertrek, de bevalligste passe-partouts, konden
hem te nauwernood voldoen. Bij onze terugkomst in Nederland had ik reden het meer dan ooit te bejammeren dat
Potgieter niet een hogen ouderdom bereiken en mijn zoon,
een man geworden, hem de ogen had mogen sluiten. Maar
er tegen in opstand komen, dit mochten wij niet. De kamer
zijner zuster, waar wij in een andere woning al zijn relieken
terugzagen, — en daaronder die fotografieën, voor hem de
saamgedrongen voorstelling van geheel een in het hart gedragen en welkom geheten jong geslacht, — verkeerde
voor ons gevoel in een kleinen tempel. Zulke indrukken
zijn in zichzelf een vergoeding, een opvoeding, een eis, en
een belofte.

XIX

Van het begin tot het einde met Potgieters fraaiste hand
op zijn fraaist velijn geschreven, bezit mijn zoon een van
December 1866 dagtekenende *Speelgoed-Phantasie*, voor
zijn vermaak door Potgieter gedicht bij gelegenheid van
het Sint-Nikolaasfeest van dat jaar, en een der bevalligste,
vrolijkste, geestigste eposjes, welke ooit den naamdag van
den goeden Heilige hebben opgeluisterd. [1]
Het toppunt van mijn zoons wensen in die dagen was,
koetsier te worden. „Er is," zeide Potgieter van een eerzucht wier troon een bok is, „er is weinig pretensie in; maar
we kunnen niet allemaal als koningen en keizers begin-

[1] Onuitgegeven.

nen." Bovendien was zij in dit geval een teken van vooruitgang, een bewijs van den veredelenden invloed van het buitenleven. In de stad, waar de vier of vijf eerste jaren waren
doorgebracht, had de verbeelding van het kind haar ideaal
in een straatmuzikant gevonden die, ongeschoren, have-
loos, tweemalen 's weeks draaiwerk kwam verrichten voor
het venster. „Grootmoeder en — de orgelman!" was toen
het antwoord, wanneer op een verjaardag gevraagd werd
wie de uitverkoren gasten zouden zijn.

Zielkundigen van professie mogen verklaren hoe een
kind uit zichzelf aan zulk een kombinatie van wensen komt;
en professionele musici, krachtens welke wetten van gevoel of gehoor de deunen van een instrument als het bedoelde, insgelijks uit zichzelf, door zulk een kind in „donkere" en „lichte" onderscheiden worden.

Potgieter trof het dat, toen in December 1866 de kleine
aspirant-koetsier het van den aspirant-orgelman voor goed
gewonnen had, de bloemendaalse omgeving daarenboven
hem aan een winterlandschap hielp. Spil der handeling
werd een hansom-cab van blik, bespannen met een paard
van papier-mâché. Flying Dutchman kreeg het paard
tot naam: de koetsier, dat spreekt, heette Gideon. In het
rijtuigje zaten: een heer en een dame van middelbaren leeftijd, bloemendaalse buren, over wier stal Gideon geacht
werd het opzicht te hebben. Potgieters zuster had voor dat
welgesteld echtpaar een volledige garderobe vervaardigd,
aangevuld met warme overklederen, om 's winters mede
op reis te gaan.

Want meen niet dat paard en cab van het begin af deel
uitmaken van de bloemendaalse stoffage! Dit doen alleen
mijnheer en mevrouw, deftige Amsterdammers zonder
kinderen, die, om het equivalent of om andere redenen
dien winter buiten gebleven, zich bijster vervelen en in de
vaderlandse literatuur van den dag vruchteloos afleiding
zoeken. Voor het overige uitmuntend hupse mensen.

Ten einde raad besluiten zij, in weerwil van het jaargetijde, tot een uitstapje naar Londen, en willen van de ge-

legenheid gebruik maken om voor hun koetsiertje Gideon,
die, als de bruintjes op stal, een witten voet bij hen heeft,
een nog mooier paard dan al de anderen en een mooien
hansom-cab te kopen — neen, cab en paard door hemzelf
te laten medekiezen!

Buitengewoon is de vlugge verbeelding, door Potgieter
in deze expositie van zijn onderwerp ten toon gespreid,
wanneer hij die inleiding zelf, en het verhaal der reis met
eigen rijtuig van Bloemendaal naar Rotterdam, Gideon op
den gedroomden bok, verlevendigt door honderd kleine
trekken, aan de speelgoedwereld van het kind ontleend. In
elke strofe, elken regel, herkent men de hand van den
meester.

Omstreeks het einde van het gedicht wordt een klein romantisch voorval even aangeduid: voor de voeten van den
Flying Dutchman, waarmede Gideon in Hydepark toert,
valt een gouden haarnaald uit het kapsel ener twaalfjarige
Lady Mary, wie een veertienjarig neefje Argyll het hof
maakt. Aangeduid, zeg ik; want naar den eis ener ,,Fanta-
sie" lost hier het verhaal zich in een zonnigen nevel op, en
blijven onze gedachten om het liefelijk beeld van twee
schone engelse kinderen zweven: een kleine ridder en ruiter der 19de eeuw, aan de zijde ener kleine amazone.

Voortreffelijk is, na de aankomst te Londen, het bezoek
geschilderd, door mijnheer en mevrouw, met Gideon naast
den londensen voerman, eerst aan het rijtuig-magazijn,
daarna aan de stallen van den paardekoopman gebracht:

> Een beetje zeeziek waren ze allegaêr;
> Maar toen zij in 't hôtel bij 't vuur gezeten, —
> Westminster Palace werd men rechts gewaar, —
> Zich restaureerden, bleek het leed vergeten.
> Mevrouw at graag een halven biefstuk op,
> En Gideon zijn derden mutton chop.
>
> ,,Kom!" zei Mijnheer, ,,nu om een hansom uit."
> Een cab werd van den naasten Stand geroepen.
> ,,At Hooper's!" — ,,Sir?" — ,,Haymarket!" — Onze guit,

Hij zag, naast Cabby, neer op honderd groepen,
Neen op zo ongestuim een mensenzee
Dat zij een poos hem 't hoofdje duizlen deê.

Toch was er orde in 't ordeloos gewoel
Der menigt, die dus door den mist zich repte;
Elk wist zijn weg, want ieder wist zijn doel;
Slechts dat men geen behagen er in schepte,
Dat viel den luidjes droevig aan te zien:
„Mijn tijd is geld, en dus besteed ik dien."

Maar Gideon was opgeruimd te moe,
Al kwamen ook de ontzaggelijke dieren,
De brouwershengsten, briesend op hem toe:
Hoe flink wist Cabby ze uit den weg te stieren!
Die monsters zijn, als ge in de *Schepping* leest,
De hitjes van der reuzen kroost geweest.

Waant men niet, mede te rijden door de straten van
Londen? Wordt niet, in het voorbijgaan, door één voorbeeld geheel de zwakke zijde in het licht gesteld van een
bekend dichtstuk, hetwelk de schepping meent te hebben
toegelicht wanneer het beweert: alles wat nu klein is, was
in de voorwereld groot, en wat wij thans bergen noemen,
waren toen molshopen?

Daar waren zij bij Hooper. Gideon
Mocht uit een dertigtal van hansoms kiezen,
Waarvan ik u de mooiste schild'ren kon,
Slechts zoudt gij uw geduld er bij verliezen;
De fraaiste toch staat niet bij Hooper meer,
De fraaiste kocht de Bloemendaalse heer.

„En nu een paard, als bij den hansom past!"
Ons jongske dacht: „Is daar geen einde aan Londen?"
Elk ogenblik weer door wat nieuws verrast,
Dat, was het ook in 't volgende verzwonden,
Vervangen werd door telkens drukker straat,
Waaruit de weg in twintig andre gaat.

Maar Cabby zei: „Daar is St. Paulus Kerk!"
Mijnheer die 't hoorde wenkte stil te houden,
En de indruk was de lof van 't wonderwerk:

Van eerbied zwegen zij terwijl ze aanschouwden.
Ik vond altoos dat Wren zich vorstlijk droeg,
Toen hij tot grafschrift maar: „Zie om u" vroeg.

„En zoudt ge mij willen vertellen dat die regelen voor
een kind werden geschreven?" laat in de aantekeningen
bij deze en dergelijke plaatsen Potgieter zich ongelovig
vragen en toeroepen.

Voor een kind, bestemd kind te blijven? neen, maar het
kind is vader van den man; en hier is de gedachte zo eenvoudig in zichzelf, en zo aanschouwelijk uitgedrukt, dat
wanneer een kleine jongen aan zijn moeder vraagt: „Wie
was Wren, en wat bedoelde hij met dat grafschrift?" haar
antwoord dadelijk begrepen zal worden en voor het leven
zich in het geheugen prenten. In het lager onderwijs geven
zou Potgieter voor den eersten den besten kwekeling ener
goede stads- of dorpsschool de vlag hebben moeten strijken; maar als opvoeder van den geest had hij zijns gelijke
niet:

Een straat, tien straten, toen een wonderwijk,
Slechts ingericht voor alle slag van paarden
Waaruit te kiezen viel voor arm en rijk,
Die beurtelings verrukten en vervaarden.
Ons Heerschap haalde een kaartje voor den dag:
„The right one, Sir!" zei Cabby met gezag.

Daar liet Mevrouw 't portierglas ijlings neer,
Om op te staan, de proeven bij te wonen.
„Voorzichtig!" riep zij telkens tot Mijnheer;
De jockey's wilden graag hun kunsten tonen:
Het lamste dier moest er de meeste doen —
Vergeefs, Mijnheer was in dat vak geen groen.

„Mij dacht, ik was bij Lumley hier terecht?" —
„You are so, Sir! maar schijnt iets te verlangen
Zijn wicht in goud waard." En daar bracht de knecht
Een schimmel, met een rood schabrak behangen.
„Het spijt mij, vriend! Gi heeft er een op stal,
Dien hij voor dezen wis niet ruilen zal."

Historisch. De schimmel met het rood schabrak was hetzelfde witte paard, waarmede Potgieter bij een vorige ge-

245

legenheid van de amsterdamse kermis was thuisgekomen.

En Lumley nam den vreemden heer eens op:
„Well, bring the Flying Dutchman!" — Vonken sloeg hij
De keien uit, met opgeheven kop,
En voor een britska ingespannen droeg hij
Den jockey, Lumley, Gideon, Mijnheer,
En ook den zwaren stalknecht, als een veêr.

„Gij ziet hem wel zijn Oosterse afkomst aan,
Hij staat geboekt met Zúleika tot moeder,
En schoon wat donker voor een alezaan"... —
„Is Master Humbug," zei mijnheer, „zijn broeder;
Ik vraag niet wie zijn vader is geweest." —
„The Devil, Sir!" — „Maar zeg, wat kost het beest?"

Wel, Lumley vroeg maar honderd guinjes. „Kom,"
Sprak toen Mijnheer, „kom, Bloemendaalse jongen,
Stap voor een hansom hem dat perk eens om;
Maar opgepast! Geen wilde bokkesprongen!" —
„Slechts stapvoets? Ach, Mijnheer, dat ware een plaag;
Wij heten bij die Britten toch zo traag.

Lang-, langzaam, zeggen zij, is Hollands leus,
De trekschuit is nog nationaal gebleven;
We zijn te lui, een vlieg van onzen neus
Met vluggen knip haar scheerjevoort! te geven;
Het spreekwoord zegt van al wie schatten won,
Dat zulk een man niet opstaat voor een ton!"

Kleine wijsneus! moet de bloemendaalse heer gedacht
hebben, toen hij zijn koetsiertje op dien toon de nederlandse stoelvastheid hoorde schetsen. Wacht maar! Met de
jaren zal het jonge bloed van zelf trager gaan stromen. En
al zou het niet, eerst moet het in elk geval gehoorzaamheid
leren:

„Stap, Gideon!" — en statig schreed het voort,
Dat moedig ros, door kleine hand bedwongen.
„Draaf, Gideon!" — er werd muziek gehoord,
Harmonisch als die vlugge vier daar sprongen.
„Ren, Gideon!" — en als een bliksemschicht
Verdween de Flying Dutchman uit 't gezicht.

246

XX

Hoe de ene herinnering de andere wekt!

In 1876 uit Indië naar Europa terugkerend, hadden wij,
mijn vrouw en ik, een jongen reisgenoot die, toen wij te
Napels aan wal stapten, ons vóór was in het klimmen naar
het kerkje van San Martino; die met ons omdoolde door de
straten van het uit de doden opgewekt Pompeji; die te
Rome ons dwong te ontbijten met het Colosseum, te lun-
chen met het Vatikaan, te middagmalen met het Kapitool,
thee te drinken op den Monte Pincio, met het koepeldak
der Pieterskerk tot versnapering; die te Florence ons van
Michelangelo's grafkapel naar Giotto's campanile voerde;
te Milaan ons in de Victor Emanuel-galerij liet uitrusten,
om zelf nog een laatsten blik op de kathedraal te gaan werpen; in den Louvre te Parijs ons van de antieken naar de
doeken en panelen, en van de ene schilderschool naar de
andere lokte.

Hoe geheel anders, toen wij acht jaren te voren uit
Europa naar Indië reisden! De jonge tochtgenoot van 1876
was in 1868 een kind dat in vreemde hotels onrustig sliep,
in spoortreinen kwalijk gevoed werd, aan boord van
stoomschepen moest bezig gehouden worden. Van twee
voorname afleidingen werd de ene, — een postzegelalbum:
beter huisonderwijzer in de geografie bestaat er niet! —
in het logement te Marseille vergeten, en eerst een maand
na aankomst te Batavia door een wellevend landgenoot
weder aan ons adres bezorgd. Welk genoegen wij beleefd
hebben aan de andere, — Potgieters hansom-cab, bespannen met den Flying Dutchman, — dit mogen ouders zich
voorstellen die in ons geval hebben verkeerd!

Maar het was niet om *ons* te doen. Hartstochtelijk als
het kind aan zijn Cab en zijn Dutchman hing, zijn beiden
in 1868, België en Frankrijk door, steeds de voorwerpen
geweest die wij van het ene station naar het andere, vigilantes in en vigilantes uit, met de meeste zorgvuldigheid
vervoerden. Op de Middellandse Zee vonden wij er een

plaats voor onder de banken in het salon der boot. Van Alexandrië naar Caïro en van Caïro naar Suez sporend, hebben wij, den Nijl over, in het aangezicht van Sfinx en Pyramiden, er in de enge egyptische wagons mede op onzen schoot gezeten.

Echter had een ieder in onze plaats er met dezelfde liefde over gewaakt; ware als wij er de wereld mede uit- en rondgereisd; zo men geweten had welke herinneringen er aan verbonden waren, en hoe liefelijk ons de verzen achterna klonken waarin, beurtelings schertsend en teder, de dichter der *Speelgoed-Phantasie* zijn vertelling kleedde. Geen Corso der werkelijkheid werd ooit geestiger met rijtuigen van allerlei vorm gestoffeerd, met paarden van allerlei ras, dan dit denkbeeldige:

Voor wie woont in Haarlems veste
    geeft de Buiten-Societeit
Harmonie-muziek ten beste,
    waar de Hout zijn schaduw spreidt.

Maar die preutse muggen tonen
    steeds een puriteinser geest:
Mooie paarden, lieve schonen,
    komen uit den Omtrek meest.

Anders is 't in 's-Gravenhage,
    ruist van tonen daar de Tent;
Schoon het vijfje een stoel er vrage,
    „Voor geen gulden!" zegt de vent.

't Wemelt rondom heel het eiland
    van den meest verscheiden dos,
En tot aan der herten weiland
    volgt de rijtuigrij het Bosch.

Echter is die drukte doodsheid,
    klatergoud die hoofse pracht,
Bij de oorspronkelijke grootsheid
    die in Hydepark ons wacht.

248

't Heeft geen fraaie lommergroepen,
     Spanjaardslaan noch Vijverpaar,
Maar de werelden beroepen
     in haar rossen hier elkaar.

Of het zwaarst orkest nu speelde,
     zou het dezer schaar gebiën?
Hoe ze hijgt naar and're weelde:
     ik zie zelve en word gezien!

Luchtig zweeft de Américaine:
     scheert haar poneypaar den grond?
Ach! les grâces de la Seine,
     in dat span à la Daumont!

Wit gebeend en wit gepoederd,
     steek en rok met goud belaân,
Schrijdt daar bijna overvoederd
     Englands roastbeef langzaam aan.

Slanke Pool! die menig kushand
     onder 't sierlijk mennen geeft,
Wacht u! in die koets rolt Rusland,
     dat hyaena's ogen heeft.

Schoon, Brittanje! zijn uw vrouwen,
     als de blanke lelies schoon!
'k Zou ze 's werelds schoonste houën,
     tintte een rozenwaas haar koon!

Ginder klinkt de Guards fanfare
     schettrend langs de Serpentine:
Maar — bij de opgepronkte schare
     zou Mevrouw te eenvoudig zijn.

Laat ons langs de renbaan pozen:
     niet alleen maar d' Oceaan
Heeft de Brit tot perk gekozen
     om naar d'erepalm te staan.

Wie ooit wankel' in den zadel,
     ruiter zonder wedergâ,
Dat geeft aan Old Englands adel
     Zelfs de Franse nijd niet na.

Schijnt dit louter „bloed en benen"
      u geen schoon, geen sierlijk ras?
Staar: verschenen is 't verdwenen
      en 't is weder voor het was!

Vurig als der zonne lichten
      over 't zand der woestenij,
Glijdt, de blikken zwaar van schichten,
      wolkende ons de Araab voorbij;

't Hart begroet een zoeter schouwspel
      op dat Castiliaans genet:
Hij bemint die jonge vrouw wel,
      hij wiens greep dien sprong belet.

't Is of we een idylle dromen
      bij dat Schotlands hittenpaar:
Als die kleinen wederkomen,
      worden wij slechts hen gewaar.

„Argyll!" hoor ik 't jongske noemen,
      dat, een tartan langs de leên,
Eensklaps Highlands op ziet doemen,
      wolken om Ben Lomond heen.

„Lady Mary, gingt gij mede,"
      spreekt hij 't blozend meisje toe,
„Gij verhoordet daar de bede
      die ik vast vergeefs hier doe!"

Wat toch vraagt hij? Zo de hemel
      van die ogen gram kon zien,
Uit dit dartelend gewemel
      zou in de eenzaamheid zij vliên.

Maar vermag zij 't? Onder 't schokken
      springt des hoofdhaars gouden spang,
En hij voelt de blonde lokken
      strelend suizlen langs zijn wang.

Gideon! geef Lady Mary
      dat noodlottig sieraad weer:
Immers rolde 't, U mysterie,
      voor the Flying Dutchman neer!

Men bemerkt dat, zo door Potgieter slechts bij zeldzame uitzondering aan het gelegenheidsdicht geofferd is, hij die enkele malen zich telkens kweet als een prins. De kwaliteit heeft vergoed wat er aan de hoeveelheid mag ontbroken hebben.

Noemde ik zijn proza een tentoonstelling van tekeningen en schilderijen, hetzelfde geldt vooral niet minder van zijn verzen. „Schilderende te schrijven," zoals Juffrouw Wolff het genoemd heeft, die kunst verstond Potgieter in de hoogste mate. Altijd is hij tekenaar.

Kort vóór zijn dood mij de filosofische vloekpsalmen ener franse dichteres toezendend, met wier werken ik het verlangen had geopenbaard kennis te maken[1], ontsnapten hem een vraag en een uitdaging die in dat opzicht zijn talent volkomen karakteriseren: „Winnen wij iets bij die bespiegelingen? Miskent de kunst haar roeping niet, als zij zich in het onoplosbare verdiept? Gij zult een aandachtig toehoorder in mij vinden als gij pleitbezorger uwer Française wordt; maar mij in haar een beeldende kunstenares te doen begroeten *„je vous en défie!"*

Alleen beeldende kunstenaars werden door Potgieter als dichters erkend; de overigen beschouwde hij als verzemakers, als rijmende theologen, of psychologen, of moralisten. Over al de raadselen van het menselijk leven had hij nagedacht, naarmate hij in den loop zijner ontwikkeling of zijner lektuur er op stuitte; maar nooit beproefde hij ze binnen den kring zijner poëzie te trekken, en achtte het niet mogelijk dit te doen, zonder aan de kunst geweld te plegen. Ware het onoplosbare in beeld te brengen, redeneerde hij, dan zou het hebben opgehouden tot de orde van het onoplosbare te behoren; en aan den anderen kant, zo lang het tot die orde behoort, is het geen poëtische stof, omdat het niet in beeld te brengen is. Zijn leer was die van Goethe: dat van alle zijden het eindige in te gaan, voor den dichter als voor den denker, het enige middel is om tot om-

1 Poésies de Louise Ackermann, Parijs 1872.

gang met het *on*eindige te geraken; gelijk het enige om op zijn beurt den dichter te leren verstaan, is hem te volgen in zijn dichterlijk vaderland.

Eenvoudige, gezonde denkbeelden, gelijk men ziet; dingen die een ieder zegt en nazegt, maar die door weinigen betracht worden, gelijk Goethe en Potgieter ze betracht hebben. Men vindt er de nadere verklaring in van hetgeen ik Potgieters zienersgaaf noem. Zijn dichterlijke verbeelding zag niet alleen tastbare, maar ook onstoffelijke voorwerpen, mits ze eindig, menselijk waren: gedachten, gewaarwordingen, gevoelens. Hetgeen omging in den geest en het gemoed van de schepselen zijner fantasie, nam voor hem gestalten aan; en die gestalten tekende hij na met tekenachtige woorden. Vandaar dat men hem niet altijd dadelijk begrijpt, en het dikwijls inspanning kost hem overal te volgen. Hij ziet zo veel, en dat vele zo vlug, dat men zijn spoor menigmaal verliest. Hij verdwijnt ieder ogenblik tussen de menigte zijner eigen internationale tentoonstelling in miniatuur. Maar ook ieder ogenblik komt hij terug, en altijd met nieuwe bezienswaardigheden in de hand.

Heeft men ooit iets schilderachtigers gelezen dan het volgend verhaal: hoe de bloemendaalse heer en dame met den nieuwen hansom-cab uit het londens hotel naar de opera reden en, terwijl zij naar de italiaanse zangers en zangeressen luisterden, het koetsiertje op straat den Flying Dutchman stond te verzorgen, die geen kou mocht vatten? Het is het laatste fragment dat ik uit de Sint-Nicolaasvertelling losmaak:

> Mijnheer, die maar node zo spikspelder fraai
> Zich den dos van een kraai
> En een stuk witten halsdoek getroost had, —
> Mevrouw, die in zijde met kanten beplooid
> Zich zo gaarne getooid
> En tevreên voor haar spiegel gebloosd had;
> Mijnheer en Mevrouw kwamen zachtkens getreên
> Uit de zaal naar beneên
> Op 't bordes, waar de hansom hen beidde:

252

„Naar de Opera!" riep, een lantaarn in de hand,
Fluks de ploertige klant
Die de trap af hen buigend geleidde.

Wie denkt gij, wie dorst langs het moedige dier
Daar zo flink en zo fier
't Lange leidselpaar luchtig doen zweven?
Wie haalde geen duimbreed te veel of te min,
Nu eens uit, dan eens in,
Zonder zweem zelfs van aanstoot te geven?
Wel, kent ge in dien cloak, which has made such a stir,
Eleven, Regenstreet, Sir!
Scott & Ayrdie (waar Hart voor moet wijken);
Wel, ziet ge in dien mantel, zo dicht en zo zacht,
Niet een schalkje dat lacht?...
Maar dan moet gij in de ogen hem kijken!

'k Weet wel wie het is, die zo trouw bij zijn paard
Daar zijn plaatsje bewaart
Tot zijn heer en zijn vrouw zullen keren.
Hij hoort niet, hoe zoet dat de Donna daar gilt,
En het Ténortje trilt,
Noch hoe hese Choristen zich weren!
Daar strookt met een zorg, ver zijn leeftijd vooruit,
Hij het dek tot het sluit
't Ongeduldige dier om de lenden,
Terwijl een signore of in a of in o
Door het daavrend bravó
't Italiaans onverschillig hoort schenden.

Daar droomt, met een armpje om de manen van 't beest,
Hij van 't vrolijke feest
Dat hem toeft, als zijn beemden weer bloeien;
Terwijl een talent, dat aan lof zich vergaapt,
Gouden bloemkransen raapt
Van een hand, die 't als vrouw moest verfoeien!...
De knaap bij dat ros boeit uw blik, Poëzy!
Doch de schaar gaat voorbij
Om het schittrende schouwspel te smaken
Der weelde, die vast uit den kunsttempel stroomt,
Die al dartelend koomt,
Die van honderde tochten doet blaken...

„En zoudt gij mij willen vertellen dat die regelen voor

een kind werden geschreven?" laat Potgieter in een aantekening nogmaals vragen.

Dit bezwaar werd reeds uit den weg geruimd. Zeker, toen Gideon zes jaren telde, kon hij Potgieter nog niet waarderen en klemde hij, naarmate de fantasie zijn bevatting meer te boven ging, de kleine handen te vaster om het speelgoed. Er staat tegenover dat, zo de Hemel hem het leven spaart en hij zestig wordt, nog op zijn ouden dag de geschiedenis van Cab en Dutchman hem een ideale jeugd en een vriend zijner kinderjaren zal te binnen brengen, die hem niet inniger had kunnen liefhebben al ware het koetsiertje zijn eigen kleinzoon geweest.

XXII

In het najaar van 1874 kon ik voor het eerst uit Batavia over mijn mogelijke aanstaande terugkomst schrijven: en Potgieter moet dit bericht ontvangen hebben bijna tezelfder tijd dat in December de ziekte hem aangreep die met zijn dood eindigen zou. Met de laatste mail van September te voren, weinig denkend dat de indische post daarna geen brieven van hem meer voor mij zou medenemen, verhaalde hij ons hoe, niet vele dagen geleden, een toeval hem nogmaals en weder den afstand herinnerd had die reeds meer dan zes jaren ons gescheiden hield. Met zijn zuster en een vriend, een in Italië gevestigd landgenoot, was hij naar het Nieuwe Diep geweest:

,,De laatstvorige Zondag zag ons met vriend F., van Genua, die u hartelijk laat groeten, aan den Helder. Wij waren gekomen om de nieuwe boot *Voorwaarts* te bezichtigen. Al werd onze verwachting wat de eetzaal aanging overtroffen, de hutten lieten in ruimte te wensen over. Vijf en veertig nachten in zo nauw een plaatse, wij huiverden! Intussen vast beloond door zo velerlei verrassends als de heuse hofmeesters ons ten beste gaven, liep het ons bovendien nog mede: de *Conrad* kwam 's ochtends, juist toen wij

254

uit den trein stapten, binnen. 's Middags wemelde de Burcht, — het logement aan den Helder, — van in het vaderland wedergekeerde passagiers. Welk een wereld van gewaarwordingen, die drukte! Wij beklaagden er ons, in de gelegenheid gesteld die gâ te slaan, geen ogenblik over, dat wij slechts *une idée d'un diner* kregen: na de soep viel de schare op het brood, de boter, en de kaas aan, voor het dessert bestemd. Toen wij 's avonds huiswaarts keerden wilde niemand, die mij een Javaantje de hand zag geven, geloven dat wij geen vrienden hadden afgehaald. En toch weet gijlieden wel dat de liefsten niet mede waren gekomen! — Verleden Zondag hebben wij beidjes in de Schapeduinen gewandeld: wij waren het ganse jaar nog niet boven Haarlem geweest. Het was er alleraardigst, daar de stroom der Zondags-touristen thans het Gooi kiest: door den Oosterspoorweg is mijn Gooi veranderd tot onherkenbaar wordens toe. Over Bloemendaal huiswaarts kerend, was Sorghvliet — ledig. Waaraan het schort weet ik niet, maar de eigenaar vond dezen zomer geen huurder. Als Lydia, of Laura, of Louise Ackermann het onderwerp bezong, *quel cri elle pousserait!"*

Zij, die Potgieter niet persoonlijk gekend hebben, moeten het buitengewoon vinden dat hij nog in zijn laatsten brief Sorghvliet heeft herdacht, en hij geen schip uit Indië zijn passagiers kon zien uitstorten aan den nederlandsen wal, zonder tot zichzelf te zeggen dat het niet had medegebracht die hij liefst van al had zien terugkeren.

Mij verwondert het evenmin als dat hij uit louter aandrang des gemoeds dien javaansen bediende de hand is gaan drukken. Veeljarig trouwblijven lag zowel in zijn aard als gehoor te geven aan een opwelling des ogenbliks; en levenslang kon op zijn vriendschap rekenen wie zich haar levenslang waardig toonde. Meer dan anderen ben ik in de gelegenheid geweest dit te ondervinden, omdat in weerwil onzer sympathie mijn denkwijs aanmerkelijk afweek van de zijne.

Met mijn vertrek naar Indië, al verstoorde het een lievelingsdroom, was hij verzoend; erkennend dat mijn bezigheden in die dagen reeds sedert te langen tijd te zeer naar handenarbeid gezweemd hadden, en het hoog nodig was, wilde ik niet intellektueel te gronde gaan, mij daaraan te ontrukken. Dat iemand zich doordrongen toonde van hetgeen een man zichzelf en zijn land verschuldigd is, hij zag het gaarne; en nooit zou hij mij geraden hebben een verzekerd planteleven boven een moeilijke maar nuttige toekomst te verkiezen.

Wat mijn algemene inzichten betreft, niemand gaf toen en daarna mij geredelijker toe dan hij dat de nederlandse staat een nieuwe ontbinding te gemoet gaat; de gebeurtenissen van onzen tijd een herhaling van die van 1780 voorbereiden; onze in alles achteraankomende uitwendige voorspoed nogmaals een vernis is, bedriegelijker dan dat der 18de eeuw; uit het aanhouden van den maatschappelijken roes, thans met even weinig recht als in de dagen van den bijbelsen zondvloed, een lichtzinnig en kortzichtig vertrouwen geput wordt: — denkbeelden door mij ontwikkeld en gestaafd in een bundel *Nationale Vertoogen,* waarin Potgieters naam niet genoemd wordt, die gedeeltelijk eerst kort na zijn dood in hun definitieven vorm gegoten werden, doch waarvoor mijn bataviase brieven aan hem onbewust als brouillons gediend hebben. Met name de vraag in hoeverre ons tegenwoordig liberalisme met het patriotisme van 1795 en vroeger samenhangt, behandeld in het uitvoerig opstel: *Een verkiezing te Amsterdam,* heeft gedurende al de jaren van ons verkeer het onderwerp ener gestadige wisseling van denkbeelden uitgemaakt; en in die historische kwestie ging hij tot op zekere hoogte met mij mede.

Maar dat ik een beoordeling van Thorbecke schreef die door Groen van Prinsterer onveranderd kon worden overgenomen; ik onze indische drukperswetgeving de oorzaak noemde van een verderfelijk koloniaal bestuur; ik van een vreedzame nederlandse omwenteling heil verwachtte; ik aan den monarchalen boven den parlementairen rege-

ringsvorm de voorkeur gaf, — ten aanzien van al die punten is hij van het begin tot het einde mijn tegenstander gebleven.

Om echter in weerwil van een groot verschil van meningen Potgieters vriendschap niet te verbeuren, kon men
met één ding volstaan: gelijk één ding genoeg was om, al
was hij uw vriend en uw geestverwant, hem van u te vervreemden. Overtuigd liberaal, zozeer dat zijn blik op hetgeen buiten het liberalisme ligt mijns inziens er door be-
neveld werd, had hij niettemin van weinig dingen op aarde zulk een hartgrondigen afkeer als van liberale zelfvol-
daanheid; en naarmate hij in leeftijd toenam, zag hij dat
kwaad zich meer en meer uitbreiden om hem heen.

„Een duf beslag:" van de beëlden die hij in zijn brieven
tot aanduiding der tegenwoordige nederlandse samenleving bezigde, keerde geen ander zo vaak terug als dit; en
hoe luidruchtiger er in Nederland feest werd gevierd, des
te minder liet hij zich van de mening afbrengen dat er behoefte was aan wat „gist." Duffe politiek, duffe literatuur,
duffe kunst, een duf toneel. En die hij er aansprakelijk
voor stelde waren de liberalen van den vorigen dag, zijn
eigen medestanders. Een zijner laatste literarische erger-
nissen is geweest, gelijk in de aantekeningen achter de *Nalatenschap van den Landjonker* door hem verhaald wordt,
dat de Koninklijke Akademie, — in Mei 1872 handschriften van Constantijn Huygens „ontdekt" hebbende die al
sedert 1823 eigendom van het Instituut waren, — de kostbare vondst ongebruikt liet, en in September 1873 zich
nederlegde bij het voorstel een glas te drinken en de zaak
te laten zoals zij was.

Hoe het komt dat, ofschoon ook Potgieter een geest-
dodende, vals-vrijzinnige richting in Nederland den toon
zag geven, hij nochtans niet op mijn wijs daartegen in verzet kwam? De reden ligt voor de hand. Mij is de betekenis
van 1848 en hetgeen daaraan vooraf is gegaan, alleen bij
overlevering bekend; van een poëzie dier beweging heb ik
in de werkelijkheid nooit iets bespeurd; haar resultaten

aanschouwend kon ik haar veroordelen zonder met eigen idealen te breken.

Potgieter daarentegen was tegelijk met haar ontstaan een man geworden; had op haar voorgangers de schoonste verwachtingen voor het vaderland gebouwd; vatte haar stilstaan en achteruitgaan als een gevolg van ontrouw op; weet haar nederlaag aan de zwakheid en karakterloosheid van personen; wilde niet toegeven dat verandering van instellingen nodig was. Noemde ik de wending, waaruit het ministerie van 1866 voortkwam, een weldaad voor het land; een openbaring van ontwakenden weerzin tegen ons verbasterd liberalisme; dan trok hij, met de praemisse instemmend en de konklusie verwerpend, in naam der eredienst van 1848 zich terug; en gedurende al de jaren van mijn verblijf in Indië is zijn leven de zuivere uitdrukking dier verhouding geweest. Hoog liet hij de nationale vlag boven zijn kluis wapperen; verraste keer op keer door blijken van onvermoeide werkzaamheid; doch begaf zich niet meer onder de menigte, eigenlijk noch overdrachtelijk. De vernederende aanblik van het zich kleingeestig uitbreidend Amsterdam, zinnebeeld ener vernederende orde van zaken, kon hem niet bekoren. Eens gezien, had hij er voor altijd genoeg van. Den tijd die van zijn studiën overschoot, of dien schaarse bezoekers hem lieten, wijdde hij aan zijn indische korrespondentie.

Aan mijn standvastigheid schrijf ik het toe dat Potgieter, zolang ik mij te Batavia bevond en hij leefde, geen drie franse mails heeft laten vertrekken zonder in een uitvoerigen brief mij zijn wedervaren gedurende de laatste veertien dagen te verhalen. Hij hield van mij, onderstel ik, op dezelfde wijs als hij van Da Costa, en van een ieder hield, zonder onderscheid van richting of geloof, in wien hij, bij gelijke liefde voor de algemene zaak, een sprank heilig vuur ontdekte. Duizend aangename herinneringen gemeen hebbend, begrepen wij elkaar met een half woord. Ik schreef hem om een boek, en niet alleen zond hij het mij, zoals de verzen dier franse dame, maar zond mij zijn oordeel er nevens. Eenmaal schreef ik hem om een gehele bibliotheek voor mijn zoon; en nooit werd een indische kommissie sneller of zorgvuldiger in Nederland uitgevoerd.

De hoge eisen die hij aan mijn krachten stelde, hoewel somtijds overdreven, of geen rekening houdend met klimaat en gebrekkige hulpmiddelen, waren een gestadige prikkel; en aan *zijn* drijven heb ik het te danken zo ik, in weerwil van veel onvolkomens, op de vruchten van mijn indischen arbeid met welgevallen mag terugzien. In al zulke dingen was hij een rechte man: poëtisch beleefd, maar wars van vleierij. Bewondering voor hetgeen hij zelf verrichtte vroeg hij nooit, met La Bruyère het er voor houdend dat alleen de zot bewondert, en de verstandige man aan goedkeuring genoeg heeft. Maar goedkeuren was ook het verste punt waartoe zijn bijval ging, wanneer het anderen gold die hij hoogachtte.

Had hij mij overleefd, ik ben overtuigd dat hij een vervolg op zijn *Sorghvliet* van 1868 gedicht en, naar Tennysons voorbeeld, in een reeks bevallige *lays,* — zangen van scherende zwaluwen noemt de engelse dichter ze, die den tip hunner vleugelen in tranen dopen, — nogmaals den vrijen loop zou gelaten hebben aan de herinneringen onzer vriendschap.

> Short swallow-flights of song, that dip
> Their wings in tears, and skim away.

Mogen Potgieters vereerders maar van mijn hulde aan hem getuigen dat, bij het ontbreken van maat en rijm, Tennysons zwaluwslag daarin niet te enemaal gemist wordt!

Parijs, Mei 1877

AANTEKENINGEN

2. *Gibbon* (1737—1794), engels geschiedschrijver. Het bedoelde werk is „History of the decline and fall of the Roman Empire", ± 1780 verschenen.

3. *Petrarca* leefde 1304—1374.

6. *Dagonstempel,* de tempel van de afgodische Filistijnen, door Simson vernield.

7. *Thomas van Aquino* (1225—1274), volgeling van de leer van Aristoteles en groot scholasticus; men noemde hem wel „pater angelicus".

8. *de ethisch-irenische richting van Beets:* de ethischen in de Ned. Herv. Kerk (midden 19de eeuw) stonden tussen orthodox en modern in; de ethisch-irenischen aan de orthodoxe kant.

9. *Opzoomer* (1821—1892), hoogleraar in de wijsbegeerte te Utrecht; had ook rechten en theologie gestudeerd. Hij was een aanhanger van de moderne opvattingen, maar verschilde in sommige punten van Scholten. — *Kuenen* (1828—1891), hoogleraar in de theologie te Leiden; baanbreker op het gebied der oud-testamentische studiën in het licht der historische kritiek; leerling van Scholten en voorman van de moderne richting. — *Cobet* (1813—1889), hoogleraar te Leiden, graecus. — *Dozy* (1820—1883), orientalist en historicus te Leiden. — *Fruin* (1823—1899), hoogleraar in de vaderlandse geschiedenis te Leiden; liberaal. — *De Vries* (1820—1892), hoogleraar, eerst te Groningen, later te Leiden; kenner van het middelnederlands en met Te Winkel redacteur van het Woordenboek der Ned. Taal. — *Kern* (1833—1917), sanskriticus te Leiden, bekend om zijn grote talenkennis. — *Scholten* (1811—1885), hoogleraar in Leiden, de geestelijke vader der moderne theologie hier te lande. Busken Huet was een van zijn vele bewonderende leerlingen. — *Donders* (1818—1889), hoogleraar in de oogheelkunde te Utrecht. — *Koster* (1834—1907), hoogleraar in de geneeskunde te Utrecht.

anabaptisten, een aantal groepen van hervormden uit de 16de eeuw; de Wederdopers, de Doopsgezinden en anderen behoorden er toe.

sacramentisten, hervormden uit dezelfde tijd, ook al vóór Luther; zo genoemd, omdat ze een aantal katholieke sacramenten verwierpen.

23. *de H. Bernard van Clairvaux* leefde 1091—1153.

260

26. *ama nesciri,* houd ervan, niet gekend te worden; *ama nescire,* houd ervan, niet te kennen.

27. *saturnaliën,* bij de Romeinen feesten voor Saturnus; het ging daar losbandig toe.

 Nicétas, byzantijns geschiedschrijver, overleden 1216; hij schreef, behalve een geschiedenis van de byzantijnse keizers, ook over de gedenktekenen, tijdens de 4de kruistocht in 1204 in Constantinopel vernield.
 scholastiek, christelijke theologie en filosofie in de middeleeuwen; haar methode was deductief, ging niet uit van de waarneming.

29. *Triptolemus,* in de griekse mythologie lieveling van Demeter, godin van de landbouw; uitvinder van de ploeg. Demeter gaf hem graankorrels om over de aarde de zegeningen van de landbouw te verbreiden.

31. *ecloga,* in de romeinse keizertijd een idyllisch gedicht, herdersdicht. — *elegie,* oorspronkelijk een grieks of latijns klaaglied.
 Ulrich von Hutten (1488—1523), dichter en een strijdbaar man; medestander van Luther; in Zwitserland gestorven. Hij streed tegen de Dominicanen in z'n „Epistolae virorum obscurorum".
 Bugenhagen (1485—1558), afkomstig uit Pommeren; hervormer, hoogleraar in Wittenberg. Hij hielp Luther bij diens bijbelvertaling.

32. *Soest:* bedoeld is de oude stad in Westfalen.

35. Het *gerucht,* dat Listrius Murmellius zou vergiftigd hebben, werd in elk geval in Deventer niet geloofd, want hij werd er tot diens opvolger benoemd.

41. *meester Olivier,* Olivier van Keulen; in het eerste stuk van „Het Land van Rembrand" groepeerde Busken Huet de 13de eeuw om zijn persoon.

45. *Villehardouin* (1150—1213), beschreef de vierde kruistocht in „Histoire de la conquête de Constantinople".
 Joinville (1224—1319), geschiedschrijver, die met Lodewijk IX de Heilige aan de kruistocht naar Egypte deelnam en een „Histoire de St. Louis" schreef.
 litterae inamoenae, niet bekoorlijke, onwelgevallige letteren.

47. *Sardanapalus* of Assurbanipal, koning van Assyrië in de 7de eeuw v. C. Hij bouwde veel en wijdde zich aan letterkundige studiën. Ten onrechte noemden de Grieken hem een zwelger.

52. *Froissart* (1337—1410), frans geschiedschrijver en dichter, die aan de hoven van Engeland, Schotland en Frankrijk verkeerde. In zijn „Chronique de France, d'Angleterre, d'Ecosse, d'Espagne et de Bretagne" tekende hij het leven der 14de eeuw, doch hij zag alleen de adel, niet het volk.

53. *de henegouwse prinses* is Philippa, dochter van graaf Willem III van Holland (uit het henegouwse huis), gemalin van Eduard III van Engeland.
Filelfo (1398—1481), italiaans humanist; leerde in Constantinopel grieks, vanwaar hij veel griekse handschriften meebracht. Hij had zich door zijn vaak hatelijk geschrijf veel vijanden gemaakt. Twee weken nadat hij op uitnodiging van Lorenzo de Medici te Florence gekomen was om daar grieks te onderwijzen, stierf hij aan een dysenterie-aanval.

54. *de bittere bijsmaak van het brood der ballingschap,* herinnering aan de 17de zang van Dantes *Paradijs,* waarvan een weerslag in de 8ste zang van Potgieters *Florence.*
Paus Paulus III, Alexander Farnese (1468—1549), een groot staatsman, maar zonder moraal.

55. *Groen van Prinsterer* (1801—1876), directeur van het Huisarchief des Konings; historicus en politicus; stichter en leider der Anti-Revolutionnaire Partij.
stigma, teken; in 't bizonder van de wonden van Christus; hier, schandmerk, brandmerk.

57. *foelie,* stof tegen de achterkant van spiegels of edelstenen, om de weerkaatsing te versterken; hier dus: achtergrond en versterking. Hooft noemt (zie p. 104) de vonken uit de ogen zijner geliefde „foelie" van het „git" dier ogen, omdat ze de glans ervan verhogen; Huet heeft waarschijnlijk hieraan gedacht.

58. *virago,* krachtige, manlijke jonkvrouw, heldin; hier: manwijf.

65. *Benvenuto Cellini* (1500—1571), italiaans goudsmid en beeldhouwer; een onrustige en twistzoekende natuur, die z'n mededinger de goudsmid de Capitaneis vermoordde en aan ververschillende hoven in Italië en in Frankrijk werkte.

68. *Bellerophon,* in de griekse mythologie een held, die op het paard Pegasus naar de Olympus wilde vliegen; maar Zeus maakte het dier wild en Bellerophon tuimelde ter aarde en werd kreupel.
Lucianus, grieks wijsgeer en schrijver, vaak satiriek; hij leefde in de 2de eeuw n. C.

262

71. *Roman de Renart,* dierenverhalen met de vos als hoofdpersoon. Misschien is het bekende middelned. gedicht *Van den Vos Reinaerde* daaraan ontleend.
Roman de la Rose, allegorisch gedicht uit de 13de eeuw, door Guillaume de Louis en Jean de Meung.

73. *Aufklärung,* europese geestesbeweging van ± 1750 tot ± 1800; een streven, de mens door het denken vrij te maken van oude voorstellingen; breuk met de traditie, met het verstand als richtsnoer. Deze richting had grote invloed op alle zijden van het maatschappelijk leven. Voltaire was een van de scherpste vertegenwoordigers ervan (zie pag. 72).
Capnio, grieks kapnos-rook-Rauch; kapnio(n)-rookje-Räuchlein-Reuchlin.

75. *polygraaf,* veelschrijver.
Furiën, wraak- of schrikgodinnen.

77. *Io paean,* hoezee! Paean; een feesthymne, lofzang.
syllogisme, conclusie uit 2 of meer praemissen.
chiliasme, leer van het 1000-jarig godsrijk op aarde.

78. *Observanten,* de strengere Franciscanen en Carmeliten.

82. *Skelton* (1460—1529), engels satiriek dichter; beklaagde o.a. ironisch de dood van een mus. Hij onderwees ook de latere Hendrik VIII.
Obscurantenbrieven, zie aant. bij p. 31.

87. *de misbouwde knaap van Mor:* Anthonie Mor, Antonio Moro, nederlands schilder; in hoge gunst bij Filips II; schilderde o.a. prins Willem van Oranje. Hier wordt bedoeld de dwerg van Karel V, nu in 't Louvre.

88. *Chaos,* de oneindige ruimte, waaruit het heelal ontstaan is; ook, de eeuwige grondstof van het bestaande. — *Orcus,* (Hades), de norse vorst van de onderwereld en het schimmenrijk. — *Saturnus,* een god van de landbouw en de ordelijke samenleving. — *Iapetus,* een der Titanen, de goden vòòr Zeus. — *Plutus,* god van de rijkdom.

89. *Hesiodus,* grieks dichter uit de 8e eeuw v. C.; met Homerus beschouwd als de vader der griekse poëzie. Hij schreef o.a. een godenleer, „Theogonie".
Neotès, jeugd.

91. *Glauco* is de broeder van Plato, die in het tweede boek van „De Staat" door dezen filosoof sprekend wordt ingevoerd en daar o.a. betoogt, dat de rechtvaardigheid alleen door hen geprezen wordt, die te zwak zijn om onrecht te doen.

Synesius (400 n. C.), grieks wijsgeer, dichter en rhetor; later christen en bisschop geworden.

Favorinus, eerste helft van de 2e eeuw; grieks sofist.

Mandeville (1670—1733), geboren te Dordt, arts te Londen; schreef ,,The fable of the bees, or private vices made public benefits"; gericht tegen de huichelarij.

Holberg (1684—1754), noors-deens schrijver van geschiedkundige en filosofische werken; ook van veel blijspelen. De ,,Onderaardse reis van Klaas Klim", een politiek-sociale satire en utopie, is ook in onze taal veel gelezen.

97. *Van Alphen's gedichtje:* zie, in ,,Kleine gedichten voor kinderen", ,,Het gevonden liedje": 'k Vond daar even dit papiertje. 'k Hoop dat ik het lezen kan. Boven staat er op geschreven, Hoe!... De vergenoegde man.

Delavigne schreef in 1823 zijn ,,Ecole des vieillards", z'n beste comedie.

Bilderdijks leerdicht ,,De ziekte der geleerden" was door Huet twee jaar vroeger ,,een daad van pyramidale wansmaak" genoemd.

100. *echter,* andermaal.

102. *ellendig,* rampzalig. — *gezult,* zout, zilt gemaakt.

103. *Leendertz:* de uitgave van Leendertz is in 1899 herzien door Stoett.

104. *ivoren slootjes,* tanden. — *te rade houden,* helpen. — *eigen.* lijfeigen.

105. *herroeping van het edict van Nantes:* in 1685.

106. *parthische vlucht:* de Parthen, een nomadenvolk in Mesoptamië, plachten, vluchtende te paard, hun pijlen op de achtervolgende vijanden af te schieten.

107. *het bekende antwoord aan de Amsterdamse academie:* zie de uitgave van Vondels werken door van Lennep, III p. 39; van de Wereld-bibliotheek, III p. 296.

108. *verladen,* bezwaren. — *brand,* woordspeling. — *boven het gemeen,* buitengewoon.

110. *Tannhäuser,* ridder uit een bekende duitse sage. Hij leefde vele jaren in de berg van vrouwe Venus, kreeg toen berouw; de paus wilde hem eerst vergeven, als een verdorde tak begon te bloeien; toen keerde Tannhäuser naar vrouwe Venus terug.

111. *slecht,* glad.

112. *de entgötterte natuur:* zinspeling op Schillers gedicht „Die Götter Griechenlands".
Pascal (1623—1662), beroemd frans wiskundige; leefde zo streng, dat hij niet wilde, dat men in zijn tegenwoordigheid van de schoonheid van vrouwen sprak. Er werd echter verteld, dat hij een tijd lang een hopeloze liefde voor de zuster van de hertog de Roannez had opgevat.

113. *bescheiden,* duidelijk. — *bedoven,* gedompeld.

115. *bezind,* bemind.
de gascoense wijzeman, Montaigne (1533—1592), uit Périgord bij Bordeaux, een filosoof. Hij was een groot vriend van *Etienne de la Boétie* (1530—1563); deze stierf met Montaignes naam op de lippen. Montaigne wijdde aan hem in z'n „Essais" het hoofdstuk „De l'amité".

118. *versieren,* verzinnen. — *lodderlijk,* aardig. — *vóór wat'ren 't haar,* van voren zou ik het haar laten golven. — *leurtjes,* nietigheidjes. — *perruik,* haar (niet vals). — *raam nemen,* overzien. — *hiel,* heel.

119. *de brand van alle knechtjes,* wat alle jongemannen in liefde doet ontbranden. — *Charife,* letteromzetting van Brechia. — *leide,* treurig.

120. *rozenhoed,* rozenkrans.
Onno Zwier van Haren: Busken Huet denkt aan de 23ste zang van „De Geuzen", waar hij de lof van zijn vrouw als de goede moeder en echtgenote zingt.

121. *Marot* (1495—1544), protestants dichter, berijmde o.a. de Psalmen.
Ronsard (1524—1585), grondvester van het franse klassicisme en voorman van de ook hier bewonderde groep de Pléiade.
du Bartas (1544—1590), Hugenoot in dienst van Hendrik IV. Hij oefende grote invloed op Vondel uit.
Malherbe (1555—1628), dichter en criticus.

122. *Lacordaire* (1802—1861), gevierd kanselredenaar in Parijs, in 1848 vurig republikein; wegens z'n democratische denkbeelden met de kerk in botsing geraakt. Hij was een leerling van *Lamennais* (1782—1854), eerst clericaal en monarchaal; later echter brak hij geheel met de kerk en werd socialist.

123. *Ormuzd en Ahriman,* de goden van het goede en het kwade bij de oude Perzen.

265

124. *Rabelais* (1495—1553), satiriek dichter, schreef niet altijd voor jongedames.
Jacob Westerbaen (1599—1670), eerst opgeleid voor remonstrants predikant, later dokter; door een rijk huwelijk kon hij z'n tijd aan de dichtkunst wijden.
kostelijk, kostbaar.

126. *persuasie,* overreding. — *discrepantie,* meningsverschil.

127. Uit de omstandigheid, dat men *nullarum partium* (tot geen partij behorende) is, volgt nog niet, dat men een *nulliteit* is.

128. *wagenschot,* mooi eikenhout zonder kwast, dat zich goed laat bewerken.

130. *hominem pagina nostra sapit,* onze bladzijde smaakt naar de mens.
van Wijn (1740—1831), letterkundige en historicus, de eerste rijksarchivaris.

131. *Jan Luyken* (1649—1712) was eerst een werelds dichter en schreef de „Duitse Lier"; later werd hij afkerig van „de wereld".

135. *Jules Janin* (1804—1874), vlot schrijver en criticus.

136. *Jacobus Revius* (1586—1658), predikant te Deventer, later bijbelvertaler in Leiden; vurig Calvinist en Contra-Remonstrant.

138. *de poolse revolutiepartij:* in 1863 was in Polen een opstand tegen Rusland uitgebroken.

140. *het middelburgs meisje:* hiervan vertelt Cats in zijn „Twee-en-tachtig-jarig leven", evenals van het *bezoek aan de grafkelder;* daar is ook de *onbehouwen verklaring* te vinden.

141. *Isaac van Hoornbeek:* van 1720 tot z'n dood in 1727 raadpensionaris.

143. *Abélard en Héloïse:* Abélard was een beroemd geestelijke en redenaar te Parijs tussen 1100 en 1150; Héloïse was z'n 20 jaar jongere leerling. Het verhaal van hun liefde en lijden is beroemd gebleven.

144. *vrienden,* bloedverwanten.

150. *schuren,* schrobben. — *stond en dubt,* stond er ernstig over na te denken. — *handel,* wijze van doen.

152. *slecht,* eenvoudig.

266

154. *Naso,* Ovidius.

155. *Simon Styl* (1731—1804), dichter en toneelschrijver.

156. *sterft een koning:* zie Hand. V 9, het verhaal van het bedrog van Ananias. En Petrus zeide: Zie, de voeten dergenen, die uw man begraven hebben, zijn voor de deur, en zullen u uitdragen.

160. *hoe weet deze de schriften...?* zie Joh. VII 15: En de Joden verwonderden zich, zeggende: Hoe weet deze de Schriften, daar hij ze niet geleerd heeft?
aan een bepaalde klasse geopenbaard: zie Matth. XI 25: Jezus zeide: Ik dank U, Vader! dat Gij deze dingen voor de wijzen en verstandigen verborgen hebt, en hebt dezelve den kinderkens geopenbaard.

161. *brieven van Potgieter:* Gideon Busken Huet heeft deze in 1901 uitgegeven.

162. *Gerrit de Clercq* (1821—1857), was eerst referendaris aan het Departement van Financiën; bewerkte de scheepvaartwetten van 1850; werd daarna secretaris van de Ned. Handelmaatschappij.

164. *de kleur van zijn omslag:* de „Gids" was eerst in een blauw omslag verschenen en heette daarnaar „de blauwe beul".
Gallaits schilderij. Gallait (1810—1887) was een Belgisch historieschilder; in 1851 gaf hij een groot stuk: het Brusselse schuttersgilde bewijst aan de onthoofde graven Egmond en Hoorne de laatste eer.

166. *Van der Palm* hield in 1828, in tegenwoordigheid van de koning en de kroonprins, een „Redevoering ter feestvierende herinnering van den Akademischen leeftijd".
Alberdingk Thijm (1820—1889), de bekende R.K. letterkundige en Vondelkenner. Na in de handel werkzaam te zijn geweest, werd hij eerst in 1876 benoemd tot hoogleraar in de aesthetica aan de Rijks Academie van Beeldende Kunsten.

167. *weldra vier universiteiten:* het athenaeum van Amsterdam werd in 1877 academie.
Hugh Miller (1802—1856), schots geoloog, zoon van arme zeelieden. — *Proudhon* (1809—1865), bekend uit de dagen van de Februari-omwenteling.

169. *om mijnentwil verdragen,* Huet denkt aan de Gidscrisis van 1865.

170. *vaderlandsliefde de grote hartstocht van Potgieter:* Lit. Fant. XVI, in een beoordeling van Potgieters „Poëzy".
te veel ijver voor de eer der nationale letteren: in de voorrede voor het 1e deel der Lit. Fant.
paraenése, het vermanende of leerzame deel van een preek.

171. *Bakhuizen v. d. Brink* was rijksarchivaris geworden.

177. *La Bruyère* (1645—1696), schreef „Les carectères de Théophraste, avec les caractères de ce siècle"; een levensfilosofie in aforistische vorm.

181. *Pater Seghers* (1590—1661), te Antwerpen geboren; Jezuiet; beroemd als bloemenschilder; werkte ook voor Frederik Hendrik; is door Vondel en Huygens bezongen.

183. *Geel* zei dat in zijn voorlezing „Over het reizen" (in „Onderzoek en Phantasie").

185. *kritiek op „Florence":* zie Lit. Fant. III 41.

187. *bespreking van de „Nalatenschap":* zie Lit. Fant. XVI 162.

189. *Bruno Daalberg,* pseudoniem voor Petrus de Wacker van Son (1758—1818), een in zijn tijd niet onverdienstelijk schrijver.

190. *Katabasis:* Cornelis van Marle schreef na de tocht naar Rusland een spotdicht op Napoleon, door de tijdgenoten als een moedige daad bewonderd, onder de titel „Katabasis of Rapport van Xerxes II in de raad zijner ministers (Katabasis = Terugtocht).

195. *Dekaloog,* de tien geboden.

197. *Tesselschade,* een „jaarboekje", door Potgieter 1838—1840 uitgegeven.

198. *advies over Potgieters „Proza":* in Lit. Fant. XV.

201. *Bancroft* (1800—1891), amerikaans geschiedschrijver en staatsman; schreef in 1834 „History of the United States from the Discovery of the Continent".

204. *het gelukkige paar,* de heer en mevrouw Bosboom-Toussaint.

207. *cephalide,* soort demi-coiffure van gekleurde wol, over de oren gaande en met koordjes, waaraan geen sierlijke kwastjes ontbraken, onder de kin vastgemaakt (aldus Hildebrand in „Na vijftig jaar").

211. *Willem Sluyter* (1627—1673), predikant te Eibergen; dichtte veel en nog lang na zijn dood gezongen stichtelijke liederen. In „Buiten-Leven" bezong hij zijn kluizenaarsleven in de stille pastorie.

214. *Abraham de Vries* (1773—1862), stadsbibliothecaris te Haarlem. Zijn moeder was Catharina de Bosch. — *Jeronimo de Bosch* (1740—1811), apotheker en letterkundige; beroemd lijken lofredenaar. — *Pieter Nieuwland* (1764—1794), hoogleraar in de wis-, natuur- en sterrekunde te Leiden; ook gevierd dichter, vooral door zijn „Orion".

227. *ampel,* middelned, ampulle, nu ampel, ampul of pul, kruik of fles met wijde buik (in de R.K. kerk voor de heilige olie bestemd).

230. *de hand die mij getrouwd heeft,* woorden van Hooft (zie hiervoor p. 106).
Op de *Nyenburgh* woonde Aleide van Foreest, met wie Beets getrouwd is. — *Beeckesteyn* (of Beekenstein; Potgieter hield ervan, te archaïseren), oud-adellijk buiten ten zuiden van Velzen, prachtig gelegen, met mooi geboomte.

231. *onze dichterlijkste dichter...?* vgl. Lit. Fant. XVI 153.

239. *de pers aan banden:* B. Huet had zich een regeringsopdracht laten geven, om in Indië de pers aan banden te leggen. Hij had Potgieter daarmee veel verdriet gedaan.

244. *bekend dichtstuk,* ten Kate's „Schepping"; daarvan het 6e tafereel.

245. *Wren,* Sir Christopher Wren (1632—1723) bouwde veel kerken, o.a. de St. Pauls. Op zijn graf in deze kerk liet hij schrijven: Si nomen requiris, circumspice.

258. *het ministerie van 1866:* in dat jaar was er een strijd tussen koning Willem III en de liberale volksvertegenwoordiging over de vraag, of de ministers *ook* aan de kamers verantwoordelijk waren. In 1866 verloor de 2de kamer de strijd nog, maar 't volgend jaar behaalde het parlementaire stelsel zoals we dat nu nog kennen de overwinning.